Robert Stone

Die Professorin

Roman

Aus dem Amerikanischen
von Rudolf Hermstein

marebuchverlag

Die Arbeit des Übersetzers am vorliegenden Text
wurde vom Deutschen Übersetzerfonds e.V. gefördert.

Die Deutsche Bibliothek verzeichnet diese Publikation
in der deutschen Nationalbibliografie;
detaillierte bibliografische Daten sind im Internet
unter http://dnb.ddb.de abrufbar.

Die amerikanische Originalausgabe
erschien 2003 unter dem Titel *Bay of Souls*
bei Houghton Mifflin Company, Boston/New York.
© 2003 by Robert Stone

1. Auflage 2004
© 2004 by **mare**buchverlag, Hamburg
Alle Rechte vorbehalten,
auch das der fotomechanischen Wiedergabe
Umschlaggestaltung ⑤ sans serif, Berlin
Typografie und Einband
Farnschläder & Mahlstedt Typografie, Hamburg
Schrift Sabon
Druck und Bindung Clausen & Bosse, Leck
Printed in Germany
ISBN 3-936384-46-0

Von **mare** gibt es mehr als Bücher:
www.mare.de

Dicht fällt der Schnee, der Sturmwind heult
Aus dem Holunder ruft das Käuzchen.
Es klagt dem Becher deine Herzensangst:
Kummer zu Kummer, da die Funken steigen.
Im Feuer ächzt das Scheit, und es gesteht:
Es gibt nur eine Wahrheit, diese eine nur.

Robert Graves,
«An Juan zur Wintersonnenwende»

1 Bei Gott, Sir», sagte Michael Ahearn zu seinem Sohn Paul, «Sie bieten ja einen beklagenswerten Anblick.»
Ein paar Abende zuvor hatten sie sich den *Malteserfalken* angesehen. Paul, der den Film noch nicht kannte, hatte lachen müssen, als sein Vater Sydney Greenstreet imitierte. Manchmal versuchte er sogar selbst, Greenstreet nachzumachen.

«Bei Gott, Sir!» Pauls Versuche, Filmstimmen zu imitieren, waren nicht sehr subtil, aber es gelangen ihm Effekte, die normalerweise nicht zum Komiker-Repertoire eines Zwölfjährigen aus einer Kleinstadt auf den Northern Plains gehören. Seine Stimme und sein Gehaben ähnelten zunehmend denen seines Vaters.

Der Junge lag im Bett, vor sich auf der Decke ein aufgeschlagenes Exemplar des *Hobbit*. Diesmal fand er Michaels Kintopp-Parodien nicht lustig. Vorwurfsvoll blickte er auf; in seinen schönen langbewimperten Augen funkelte Ärger. Michael nahm den Tadel ungerührt hin. Er ließ keine Gelegenheit aus, seinen Sohn anzuschauen. Jeden Tag gab es etwas Neues zu sehen, ein anderes Aufleuchten, eine unerwartete Facette in den Aspekten dieses Wesens, das mit seinem Zwölfsein zurechtkommen musste.

«Ich will mit, Dad», sagte Paul ohne jede Aufsässigkeit. Vielleicht konnte er den Vater ja doch noch überreden.

Er hatte buchstäblich darum gebetet, mitfahren zu dürfen. Michael wusste das, weil er Paul belauscht hatte, als er vor dem Bett kniete und seine Abendgebete sprach. Er hatte im Flur vor dem Zimmer des Jungen gestanden und heimlich zugesehen und zugehört, wie er brav das Vaterunser, das Gegrüßet seist du, Maria und das Gloria aufgesagt hatte – Routinegebete, die er in der katholischen Schule gelernt hatte, in der seine Eltern ihn, nicht ohne Bedenken, regelmäßig ablieferten. Michael und seine Frau waren beide religiös erzogen und probierten die Religion nun als Eltern vorsichtig wieder aus. Paul nach St. Emmerich zu schicken war der Versuch, die Horrorgeschichten, die sie gern über ihre eigene religiöse Erziehung zum Besten gaben, als harmlos abzutun, um dem Nachwuchs ein paar scheinbare Gewissheiten vermitteln zu können.

«Ich war vierzehn, als mein Vater mich zum ersten Mal auf die Jagd mitgenommen hat», sagte Michael. «Ich finde, das ist das richtige Alter.»

«Du hast gesagt, Kinder sind heute mit allem früher dran.»

«Ich hab nicht gesagt, dass ich es gut finde, dass Kinder mit allem früher dran sind.»

«Du gehst ja nicht mal gern auf die Jagd», sagte Paul. «Du glaubst nicht dran.»

«Ach ja? Und woher wollen wir das wissen?»

«Na ja, ich hab gehört, wie du mit Mom darüber geredet hast. Du bist ihrer Meinung, du findest auch, dass es grausam ist und so.»

«Ich bin nicht ihrer Meinung. Ich verstehe ihren Standpunkt. Aber mal angenommen, es stimmt, warum sollte ich ein zartes Bürschchen wie dich mitnehmen, wenn ich sowieso nicht dran glaube?»

Paul ließ sich nicht provozieren. Es war ihm ernst.

«Weil ich schon dran glaube.»

«Aha. Du glaubst ans Töten unschuldiger Kreaturen?»

«Weißt du was?», fragte Paul. «Wir haben das in Christlicher Ethik besprochen. Die Jagd. Und ich, ich war pro – dafür. Weil in der Schöpfungsgeschichte ‹Herrschaft über die Tiere› steht. Wenn man das Fleisch isst, ist es okay. Und das tun wir ja.»

«Du nicht.»

«Doch», widersprach Paul. «Ich esse Reh-Kielbasa.»

Michael trat ans Bett und knipste mit der linken Hand die Nachttischlampe aus.

«Zu wüten gegen die unvernünftige Kreatur, das ist Frevel», ließ er Paul wissen. Er leitete gerade ein Seminar über *Moby Dick*, zusammen mit seiner Lieblingsassistentin, einer ausnehmend hübschen jungen Frau aus South Dakota namens Phyllis Strom. «Gute Nacht, schlaf jetzt. Ich möchte nicht, dass du zu lange liest.»

«Warum nicht? Ich darf ja nicht mit.»

«Vielleicht nächstes Jahr», sagte Michael.

«Klar, Dad.»

Michael ließ die Tür wie gewohnt einen Spaltbreit offen und ging ins Arbeitszimmer hinunter, wo seine Frau Chaucer-Arbeiten korrigierte.

«Na, hat er sehr gebettelt?», fragte sie und schaute auf.

«Ich glaube, er weiß selber nicht so recht, ob er mitkommen will oder nicht. Er vertritt einen Pro-Jagd-Standpunkt.»

Sie lachte. Die Augen ihres Sohnes. «Einen was?»

«In Christlicher Ethik», sagte Michael feierlich. «Herrschaft über die Tiere. Er beruft sich auf die Genesis. Christliche Ethik», wiederholte er, als er ihren verständnislosen Blick sah. «In der Schule.»

«Ach so. Aber da steht doch nicht, dass man die armen Viecher umbringen soll. Oder doch? Vielleicht ist einer von den Lehrern ein Waffenfreak.»

Kristin war in einer lutherischen Familie aufgewachsen. Sie hatte religiöse Neigungen, war aber praktisch veranlagt und hielt kritische Distanz zu dogmatischen Lehren, vor allem solchen römischer Provenienz. Sie war damit einverstanden, dass Paul die katholische Schule besuchte, weil ihrem ziemlich konservativen, aber selbstständigen Denken zufolge die Position der Katholiken in ihrer College-Stadt die lutherischen Reformen einbezog. Oft ging sie am Sonntag mit ihnen zur Messe. Zu Weihnachten gingen sie in beide Kirchen.

«Nein, das ist schon er selber», sagte Michael. «Sein komischer kleiner Verstand.»

Kristin runzelte die Stirn und legte den Finger an den Mund.

«Sein komischer kleiner Verstand», flüsterte Michael kleinlaut. «Das hat er sich selber zusammengereimt.»

«Er sieht dich ja immer losziehen. Nicht, dass du jemals groß was schießen würdest.»

«Doch, Vögel. Aber die Rotwildsaison ...»

«Genau», sagte sie.

Der Kreis unausgesprochener Gedanken, den sie damit schloss, besagte, dass Michael die Jagdsaison für Fasane als Vorwand benutzte, um in der näheren Umgebung über Wiesen und Felder zu wandern. Mit dem Hund und einer von einem Kollegen geborgten Flinte marschierte er los über die bereifte braune Prärie, schlüpfte unter Drähten durch, wo keine Holzzäune waren, stapfte vorbei an dünn überfrorenen Weihern und zerfurchten Viehweiden, von einem bewaldeten Hügel zum nächsten. Es war eine Freude, an den kurzen Herbsttagen so durchs Gelände zu streifen, die Anhöhen bunt von gelben Erlen, rotbraunen Eschen und flammendem Ahorn. Und wenn der Hund einen Fasan zu einem kopflos gackernden Opferflug aufscheuchte, riss er schon mal die Flinte hoch. Oder auch nicht. Wenn er nämlich einen Vogel erlegte, musste er ihn auch rupfen, ihn, damit die Haut weich wurde, auf dem Herd erhitzen, ohne ihn jedoch zu kochen, und mit der Pinzette die Schrotkugeln herausklauben. Kristin weigerte sich, das zu übernehmen. Michael mochte die Arbeit nicht und machte sich nichts aus Fasanen. Aber essen musste man sie ja.

Und in manchen Jahren fuhr Michael in der Rotwildsaison mit ein paar Freunden von der Universität mit, die im Gegensatz zu ihm gute Schützen und begeisterte Jäger waren. Er schloss sich ihnen an wegen der Kanufahrt in den halb zugefrorenen Sumpf und wegen der Novemberwälder im ersten Schnee. Die Stille dort in den tiefen Wäldern wurde nur von Krähen und dem Gesang der zurückgebliebenen Spatzen gestört, und ab und zu hallte in der Ferne ein Schuss. Wenn sie Glück hatten, hörten sie nachts den Ruf eines umherziehenden kanadischen Wolfs. Dann waren da noch die Wintervögel, Kernbeißer, Ammern und lautlos über die Baumwipfel gleitende Adler. Und der Genuss eines guten Whiskeys am Kanonenofen in der Hütte, die ihnen als Stützpunkt diente. Er hatte nicht den Ehrgeiz, Hirsche zu schießen.

Kristin – obwohl sie auf der elterlichen Farm aufgewachsen war und sich ständig die Jacken der männlichen Familienmitglieder mit den Taschen voller Dörrfleisch, Kautabak und knallroten Patronen ausgeliehen hatte – war eher gegen die Jagd. Anfangs hatte sie Michael davon abzuhalten versucht. Er war kurzsichtig, ein Träumer.

«Du solltest keine Waffe tragen, wenn du nicht vorhast, einen Hirsch zu erlegen.»

«Ich schieße ja nicht im Ernst.»

«Du solltest überhaupt nicht schießen. Es ist schlimmer, wenn du einen nur verletzt.»

«Ich drücke doch fast nie ab, Kristin.»

Aber ein Mann musste ein Gewehr tragen, im tiefen Wald, im Winter. Es war einem unbehaglich, man wurde misstrauisch, wenn man im Wald jemandem ohne Gewehr begegnete. Die Farmer, die in der Saison Jäger auf ihrem Land willkommen hießen, fürchteten sich vor jedem unbewaffnet herumstreunenden Eindringling. Und manchmal, wenn Michael mit den anderen zusammen war, wenn ein Rudel Hirsche auftauchte und alle draufhielten, gab auch er einen Schuss ab. Er hatte aber noch nie ein erlegtes Tier für sich beansprucht.

Im Wohnzimmer neben Kristins Arbeitszimmer erhob sich ihr schwarzer Labrador von seinem Platz am Kamin und kam, auf Zuwendung aus, herübergetrottet. Olaf war vor sechs Jahren als junger Welpe Pauls Weihnachtsgeschenk gewesen und diente Michael im Herbst als Jagdgefährte. Michael bückte sich und kraulte ihn am Hals.

Kristin legte ihre Arbeiten weg.

«Christliche Ethik», sagte sie, als müsste sie deren Nützlichkeit abwägen. «Ich glaube nicht, dass die Genesis viel für

Jäger und Sammler übrig hat. Ich glaube, sie hält es mehr mit den Hirten.»

«Muss ich mal nachlesen. Man lernt immer was dabei, stimmt's? Wenn man die Schöpfungsgeschichte liest.»

Früh am nächsten Morgen kamen zwei von Michaels Kollegen vom State College in einem Jeep Cherokee. Kristin servierte ihnen Kaffee und verteilte Sandwichpakete.

Alvin Mahoney, ein hoch gewachsener Historiker mit Halbglatze und rosigem Trinkergesicht, überreichte Michael sein Jagdgewehr.

«Na, kennst du's noch? Remington Kaliber 12?»

Michael drückte drei Hirschgeschosse ins Magazin und beförderte sie durch Pumpbewegungen nach vorn, um ein Gefühl für die Waffe zu bekommen.

«Da kannst du sechs reintun», sagte Mahoney. «Aber dann darfst du nicht vergessen, dass sie drin sind.»

«Klar.» Michael senkte das Gewehr, entlud es und steckte die Patronen in die Jackentasche.

Der dritte Jäger war ein Soziologe namens Norman Cevic, den die Studenten oft für einen New Yorker hielten, obwohl er in Wirklichkeit aus Iron Falls war, einer rauen kleinen Stahlarbeiterstadt nicht weit entfernt am See. Norman gab sich Mühe, der Kleinstadtjugend an der Universität den coolen Großstädter vorzuspielen. Er war ungefähr so alt wie Mahoney, zwanzig Jahre älter als Michael, wirkte aber jünger.

«Norm war gleich am ersten Tag draußen», sagte Mahoney. «Wie aus der Flinte geschossen, sozusagen.»

«War das nicht der reinste Zoo?», fragte Kristin. «Leutemäßig, mein ich.»

«Nicht, wenn man sich auskennt», sagte Norman. «Ich hab keine Menschenseele gesehen.»

«Hast du dir ein Kanu genommen?», fragte Michael.

«Klar.» Norman Cevic hatte eine kratzige Stimme, die seine Studenten amüsierte. «Ohne wär ich nicht hingekommen. Aber keine Menschenseele», wiederholte er.

Keiner sagte etwas. Paul drückte sich an der Küchentür herum, im Morgenmantel. Norman trank einen Schluck Kaffee.

«Abgesehen», sagte er, «von den Hmongs. Ich hab von weitem ein paar Hmongs gesehen. Die waren wahrscheinlich den ganzen Weg zu Fuß gegangen. Schnee lag noch keiner.»

«Die brauchen das Fleisch», sagte Kristin. «Die leben davon.»

«Wurzeln», sagte Norman. «Wintergrün. Eichhörnchen. Waschbären.»

«Woher haben Sie gewusst, dass es Hmongs sind?», fragte Paul aus dem Halbdunkel.

«Gute Frage», erwiderte Norman. «Schlaues Kerlchen. Wir sollten ihn nächstes Jahr mitnehmen. Willst du's wirklich wissen?»

Paul sah seinen Vater an, dann nickte er.

«Woher ich wusste, dass es Hmongs sind», erklärte Norman, als handele es sich um das Thema einer Vorlesung. Er hatte eine Mossberg 30-30 in der Armbeuge gehalten, während er seinen Kaffee trank. Jetzt setzte er die Tasse ab und ließ den Lauf der Waffe durch seine Finger gleiten, bis er ihn am Ende hielt, dicht vor dem Korn. «Weil sie», sagte er, «ihre Waffen oben am Lauf hielten. Sozusagen den Kolben hinter sich herzogen.»

«Hm», machte Alvin Mahoney.

«So haben sie sie auch in Vietnam getragen. Und in Iron Falls gibt es viele Hmongs. Also», sagte er, zu Paul gewandt, «wenn ich mitten im Wald einen sehe, der sein Gewehr so trägt, gehe ich davon aus, dass es ein Hmong ist. Ist deine Frage damit beantwortet, junger Freund?»

«Ja, danke», sagte Paul.

«Die Hmongs sind ein Volksstamm in Vietnam und Laos», dozierte Norman. «Weißt du, wo Vietnam liegt? Weißt du, was da passiert ist?»

Paul zögerte einen Moment, dann sagte er: «Ja. Ich glaub schon. So ungefähr.»

«Gut», sagte Norman. «Dann weißt du mehr als drei Viertel unserer Studentenschaft.»

«Mr. Cevic war in Vietnam im Krieg», sagte Kristin zu ihrem Sohn. Sie wandte sich Norman zu, den sie insgeheim bewunderte. «Wie lange warst du da?»

«Ein Jahr. Tag für Tag. Von früh bis spät. Und auch die ganze Nacht.»

Als sie gerade gehen wollten, klingelte das Telefon. Am Tonfall seiner Frau erkannte Michael, dass es seine Assistentin war, Phyllis Strom. Kristin, Tochter von Prärie-Ackerbauern, machte sich nicht immer die Mühe, ihrer Stimme einen lebhaften Klang zu geben, wenn sie mit Fremden sprach oder mit Leuten, die sie nicht leiden konnte. Sie hatte dann einen gelangweilten, tristen Ton am Leib. So auch jetzt, während sie Phyllis' Mitteilungen entgegennahm.

«Phyllis», verkündete sie streng. «Sie kann vielleicht nicht die Aufsicht bei den Prüfungen am Donnerstag übernehmen. Wollte wissen, ob du bis dahin zurück bist.»

Michael verzog das Gesicht. «Phyllis», sagte er. «Blond und unnütz.» In Wahrheit tat ihm die Kleine Leid. Sie war rührend schüchtern und hatte Bammel vor Kristin.

«Ich hab gesagt, du bist schon weg», sagte seine Frau. «Sie ruft wieder an.» Die neuen, rigoros durchgesetzten Vorschriften für die Zusammenarbeit zwischen Studierenden und Mitgliedern des Lehrkörpers verlangten Keuschheit, aber das beruhigte Kristin nicht. Sie war überzeugt, dass hinter ihren Ängsten im Zusammenhang mit Phyllis ein dunkles, bedrohliches Geheimnis lag.

«Muss ich wirklich extra deswegen zurückkommen?», fragte Michael, als sie zum Auto hinausgingen. «Ich ruf dich morgen Abend nach sechs von Ehrlich's aus an.»

Sie fuhren an gelbbraunen Feldern vorbei, in Richtung der riesigen bewaldeten Sümpfe an den Three Rivers, wo drei enge Täler zusammenliefen. Nach etwa viereinhalb Stunden kamen sie an Ehrlich's vorbei, einem weitläufigen pseudoalpinen Restaurant mit Bierstube.

«Ich möchte lieber zu Hunter's weiterfahren», sagte Michael.

«Da ist das Essen aber nicht so gut», wandte Mahoney sanft ein.

«Stimmt», sagte Michael. «Aber bei Hunter's gibt's einen irischen Single Malt Whiskey namens Willoughby's zu kaufen. Den hat sonst niemand westlich von Minneapolis. Und ich möchte eine Flasche kaufen, damit wir am Abend was zu trinken haben.»

«Ah», sagte Mahoney. «Schiere Seligkeit.»

Aus seinem Mund kann es nur ironisch gemeint sein, dachte Michael. Seligkeit kam in Mahoneys Leben nicht vor.

Sie existierte schlicht nicht für ihn, obwohl Michael überzeugt war, dass ihm der Willoughby's schmecken würde. Für mich dagegen, dachte Michael, ist Seligkeit immer noch möglich. Er glaubte, noch immer zu solchen Empfindungen fähig zu sein, wenn auch nur knapp bemessen, für wenige Sekunden. Das echte Gefühl. Dessen war er sich sicher.

«Wie geht's Kristin?», fragte ihn Norman.

«Wie bitte? Du hast doch gerade mit ihr geredet.»

«Hat sie sich in letzter Zeit mal mit Phyllis Strom getroffen?»

«Ach, komm», sagte Michael. «Denkst du vielleicht, sie ist eifersüchtig auf die kleine Phyllis? Kristin braucht nur einmal pusten, dann fällt Phyllis schon um.»

Norman lachte. «Also, ich kann's dir ja ruhig sagen, Kumpel. Kristin jagt mir eine Heidenangst ein. Feuer und Eis, Mann.»

Kümmer dich um deinen eigenen Dreck, dachte Michael. Cevic hatte sich selbst zum Chefsoziologen des Nordens ernannt. Allerdings hatte er vielleicht insoweit recht, als das Eis zu Hause fast unmerklich dicker wurde. Kristin sang seit einiger Zeit immer öfter Loblieder auf ihren Vater, auf dessen Amboss ihre elegant geformten, unnachgiebigen Ecken und Kanten geschmiedet worden waren. Der Gott mit der eisernen Maske, Mittler und Maßstab der Männlichkeit. Unterm Granit noch immer lebendig. In seinem Schatten konnte ein Mann durchaus Angst vor seinen eigenen Unzulänglichkeiten bekommen.

«Das war der klügste Schachzug, den ich je gemacht habe», sagte Michael. «Diese Frau zu heiraten, meine ich. Ruhiger Schlaf garantiert.»

Vielleicht, dachte er, war das nicht die beste Art, es auszudrücken, vor Cevic, dem Neugierigen und auf Neugier Bedachten.

Die Wälder wurden dichter, als sie sich Mahoneys Hütte näherten, in der sie übernachten wollten. Die Äcker und Felder wurden von tief liegenden Wiesen abgelöst, die von kahlen Eichen und von Kiefernwäldern gesäumt waren. Nach dreißig Meilen erreichten sie Hunter's Supper Club, einen Diner in blauem Aluminium und silbernem Chrom. An den Diner angebaut oder eher angeklebt war ein Erweiterungsbau aus behandelten Kiefernstämmen mit einer eigenen lackierten Eingangstür. Auf Augenhöhe in die Tür eingelassen war das einzige Fenster des Bauwerks, ein rautenförmiges Guckloch, doppelt verglast und grün getönt. Auf einem handgeschriebenen Schild auf dem Dach stand «Andenken – Registrierstelle».

Sie stellten sich neben das halbe Dutzend ramponierter Autos auf dem Parkplatz und gingen über den sandigen, harzfleckigen Boden in den Diner. Es gab Polsterbänke an den Wänden, einen Tresen und eine dralle junge Bedienung in kariertem Kleid mit blauer Schürze. Das Restaurant selbst war leer bis auf zwei alte Farmer am Tresen, die sich arthritisch umdrehten, um die Neuankömmlinge zu beäugen. Aus der Bar, in der anscheinend mehr los war, kam Jukebox-Musik. Waylon Jennings' «Lowdown Freedom».

Von ihrem Tisch aus sah man auf die verwaiste zweispurige Straße hinaus. Michael bestellte sich Kaffee zu seinen Eiern mit Schinken und stand auf, um nebenan in der Bar den Whiskey zu kaufen.

In der Bar waren acht oder neun Gäste, die Hälfte von

ihnen Männer mittleren Alters, sturzbetrunken, ungesund aussehend und schlecht gelaunt. Außerdem waren zwei junge Indianer da, mit Pferdeschwänzen und glasigem Drogenblick. Einer hatte ein rundes, scheinbar friedfertiges Gesicht. Der andere war schlank und nervös und hatte einen Ausdruck, den man im ersten Moment als Lächeln missdeutete. Michael stellte sich an die Theke für den Straßenverkauf und ignorierte demonstrativ die anderen Gäste. Dann kam das Barmädchen, das er erst jetzt bemerkte, aus einem Stauraum hinter dem Spiegel, den gestapelten Flaschen und den Gläsern mit eingelegten Schweinsfüßen hervor.

Sie war dem Anschein nach gerade alt genug, um Alkohol verkaufen zu dürfen. Sie hatte dunkle Haare und leuchtend blaue Augen. Sie war groß und trug ein schwarzes Cowgirl-Outfit, ein Rodeohemd mit filigranen weißen Verzierungen und Perlmuttknöpfen. Ihr dichtes Haar war hinten nach einer Seite gekämmt.

«Ja?», fragte sie.

«Haben Sie Willoughby's?»

«Schon möglich», sagte sie. «Was ist das?»

Michael war mit ganz anderen Fragen beschäftigt. Könnte er jeden Freitag und Samstag hier herausfahren und an diesen beiden Tagen eine Art Cowboyleben mit ihr führen? Natürlich nicht im Ernst. Aber wäre es möglich? Würde sie Spaß an Gedichten und einem Joint haben, nach dem Sex? Nicht im Ernst. Ein Tagtraum.

«Das ist Whiskey», belehrte er sie. Er hielt es für angebracht, einen ungeduldigen Ton anzuschlagen. «Es ist ein unverschnittener irischer Whiskey. Früher gab's den hier immer.»

«Unverschnitten ist gut, stimmt's? Hört sich gut an. Und den wollen Sie?»

«Ja», sagte Michael. «Den hätt ich gern. Genau den will ich.»

«Wenn er gut ist, dann haben wir ihn wahrscheinlich eher nicht», sagte sie.

Das nahm ihm den Wind aus den Segeln. Also doch kein Wiedersehen. Keine schlagfertige Antwort.

«Ach ja?»

Jemand hinter ihm, es hätte einer der beiden jungen Indianer sein können, äffte ihn mit Fistelstimme nach. «Ach ja?» Als wäre es eine unglaublich affektierte, dämliche Frage.

«Aber ich kann natürlich mal nachsehen», sagte sie.

Als sie sich abwandte, sah er, dass ihre schwarze Hose hauteng und auf Sporenlänge geschnitten war wie bei einem richtigen Cowgirl, und ihre Stiefelabsätze waren verkratzt, aber nicht abgetreten. Außerdem sah er dort, wo ihr Kragen nicht von Haaren verdeckt war, so etwas wie die gespaltene Zunge einer tätowierten Schlange beiderseits des Höckers in ihrem Nacken aufsteigen. Eine Schlange, die ihr Rückgrat hochstieg. Ihre Haut war alabasterweiß.

Er hörte Stimmen hinter sich. Die laute Stimme eines alten Mannes, der auf sein Recht pocht. Als sie zurückkam, hatte sie eine Flasche in der Hand und studierte das Etikett.

«Na, wer sagt's denn?», sagte sie. «Spezialität des Hauses, hm? Sind Sie aus Irland?»

Michael zuckte die Achseln. «Ja, irgendwann früher. Und Sie?»

«Ich? Ich bin wie alle andern hier.»

«Ist das wahr?»

«Megan», nuschelte einer der übel gelaunten Betrunkenen an der Bar, «schaff dein Ärschchen hier rüber.»

«George», rief Megan zuckersüß, immer noch Michael zugewandt, «hat dir schon mal jemand gesagt, dass du ein widerliches Stück Scheiße bist?»

Sie ließ sich Zeit damit, ihm den Willoughby's zu verkaufen. Schale Drohungen grollten die Bar entlang. Sie hielt sich die Hand hinters Ohr. Hört, hört, wie eine Tragödin in einem viktorianischen Melodram.

«Was hat er gesagt?», fragte sie Michael.

Michael schüttelte den Kopf. «Hab nicht hingehört.»

Während er in den Diner-Teil zurückging, hörte er ihre Stiefel auf den Dielenbrettern hinter der Bar.

«Also, Georgie, Schätzchen. Was kann ich für dich tun?»

Im Restaurant war ihr Tisch bereits abgeräumt.

«Er hat deine Eier aufgegessen», sagte Norman und zeigte mit einer Kopfbewegung auf Alvin Mahoney.

«Gar nicht wahr», sagte Alvin. «Er war's.»

«Wenn schon», sagte Norman, «sie waren eh schon fast kalt. Möchtest du dir was mitnehmen?»

Michael zeigte ihnen die Papiertüte mit dem Whiskey.

«Das hier reicht mir. Ich hab keinen Hunger.» Er nippte an seinem Kaffee, den er noch nicht angerührt hatte. Auch kalt.

Bald nach Hunter's Supper Club nahm der Sumpf Gestalt an, und es begann zu schneien, noch bevor sie bei der Hütte ankamen. Sie fuhren das letzte Stück über die holprige Straße. Böiger, eisiger Wind rüttelte an der Windschutzscheibe und machte den Scheibenwischern das Leben schwer. Als sie ihr Gepäck aus dem Kofferraum nahmen, wurden die Flocken größer. Eine lastende Stille senkte sich über den Wald.

Als es dunkelte, machte Michael den Willoughby's auf. Er war wunderbar weich. Seine Konsistenz schien, zumindest anfangs, eine vertraute Stille in dem gemütlich warmen Raum zu verbreiten. Die Männer sagten Sachen, die sie auch früher schon gesagt hatten, an anderen Abenden in früheren Jahren, als draußen andere Schneestürme tobten. Norman Cevic grummelte über Vietnam. Alvin Mahoney erzählte von dem einzigen Mal, als er seine Frau in die Hütte mitgenommen hatte.

«Meine damalige Frau», sagte er. «Es hat ihr nicht besonders gefallen hier draußen. Nein, überhaupt nicht.»

Michael wandte den Kopf und sah Alvin in sein verbrauchtes, gerötetes Bauerngesicht mit dem Geflecht von Trinkeräderchen. Seine damalige Frau? Alvin war Witwer. Wo hatte er diesen Ausdruck aufgeschnappt, um seine durchtriebene Weltläufigkeit anzudeuten? Meine verstorbene Frau, Alvin. Meine tote Frau. Denn Alma oder Mildred oder wie immer ihr überflüssig gewordener Name gelautet hatte, war ihm einfach weggestorben. Wie er so seinen vermeintlich stillen, angenehmen Gedanken nachhing, erschrak Michael über seine Bitterkeit, seinen jähen, sinnlosen, verächtlichen Ärger.

Er trank sein Glas aus. Womöglich würde er angesichts ihrer vielen gemeinsamen Züge, ihrer gemeinsamen Schwäche, in Alvins Alter einmal ganz ähnlich aussehen. Aber der Ärger stieg ihm immer wieder im Hals hoch, im Takt mit seinem Puls, ein Zeichen, dass er noch am Leben war.

«Was soll's», sagte Alvin, «jetzt ist alles vergeben.»

Michael, mit seinen eigenen Gedanken beschäftigt, hatte keine Ahnung, was Cevic meinte. Was war vergeben? Alles? Wem vergeben?

Am Morgen halfen sie Alvin beim Sichern der Hütte. Sein zwölf Fuß langes Aluminium-Kanu war in einem verschlossenen Schuppen weiter unten. Als sie es herausholen wollten, stellten sie fest, dass das Vorhängeschloss aufgebrochen war, aber die Einbrecher hatten es in ihrer Faulheit oder Dummheit nicht geschafft, sich mit dem Boot davonzumachen. Einmal, vor ein paar Jahren, hatten sie im Bug lauter Dellen von Hammerschlägen festgestellt. Noch im Dunkeln hoben sie das Kanu auf den Dachträger des Jeeps.

Eine diesige Morgendämmerung entschleierte sich allmählich, als sie den Fluss erreichten, auf dem sie zu den Inseln des Sumpfgebiets paddeln würden. Es war immer noch ziemlich dunkel. Schwarze Streifen liefen kreuz und quer über den kleinen Fleck Morgen, das erste Hervorschimmern des Tages. Sie beluden das Kanu im Schein ihrer Taschenlampen. Am Ufer knackte glasiges Eis unter ihren Stiefeln.

Michael nahm das hintere Paddel und steuerte damit, tauchte es tief in den langsamen schwarzen Strom ein. Die Taschenlampe hatte er zwischen Sitz und Schenkel geklemmt, sodass ihr Lichtkegel das Ufer bestrich. Norman, der am Bug paddelte, hatte ebenfalls eine Lampe.

«Hübsch gemächlich, der Fluss», sagte Alvin. «Das vergess ich immer wieder.»

«Er wird wesentlich schneller kurz vor dem großen Fluss», sagte Michael. «Da ist eine Schlucht.»

«Eine kleinere Schlucht», sagte Norman.

«Ja», sagte Michael, «eindeutig eine kleinere.»

«Aber trotzdem erwischt es sie», sagte Cevic. «Jedes Frühjahr müssen ein paar dran glauben. In manchen Jahren ein Dutzend.» Er meinte ertrunkene Angler.

Ein paar Meter vor dem Landeplatz nahm Michael die Taschenlampe, aber sie rutschte ihm aus dem behandschuhten Griff und fiel über Bord. Er fluchte.

Sie fuhren im Bogen zurück, ließen sich auf der leichten Strömung treiben und sahen die Taschenlampe auf dem Grund liegen. In sieben, vielleicht acht Fuß Tiefe beleuchtete sie die marmorierten, mit Wasserpflanzen bewachsenen Felsen.

Sie paddelten noch einmal zurück.

«Wie tief ist es?», fragte Alvin und gab sich selbst die Antwort. «Zu tief.»

«Zu tief», sagte Michael. «Meine Schuld. Sorry.»

«Kein Problem», sagte Norman. «Ich hab auch eine dabei. Außerdem wird es schon hell.»

Als sie ausluden, enthüllte der Tag die skelettierten Wälder, wo jeder Ast einen Schneemantel trug. Sie schwärmten fächerförmig vom Fluss aus, in Sichtweite der eiszeitlichen Felswand, unter der sie sich wieder treffen wollten. Jeder hatte einen Rucksack mit Proviant, ein Gewehr, einen Kompass und einen tragbaren Hochsitz. Michael stieg in die Höhe, einen Abhang nördlich von dem Felsen hinauf. Der Schnee lag etwa eine Handbreit hoch. Er sah eine ganze Menge Hirschfährten, die kleinen Handabdrücke von Waschbären, die hingetupften Hoppelmuster von Kaninchen. Es waren auch noch andere Spuren da, die an aufregenderes Getier denken ließen, womöglich Fuchs, Marder oder Vielfraß.

Er baute seinen Hochsitz im höchsten Baum einer Gruppe von Eichen auf abschüssigem, felsigem Gelände auf. Die Sicht war gut, er überblickte einen Hirschwechsel, der aus den Kiefern oberhalb von ihm zum Fluss hinunterführte. Die

Tiere würden jetzt aus der Höhe herunterkommen, wo sie die Nacht verbracht hatten, kaum mit der dünnen Neuschneeschicht zu kämpfen haben und äsen, so gut es ging. Er wartete. Unsichtbare Krähen schlugen krächzend Alarm.

Dann begann der Übergang in eine merkwürdige, lang andauernde Stille, in der nichts geschah. In dieser von keiner Bewegung unterbrochenen Ruhe, einer Landschaft aus Linien und Schatten, in der die Zeit aufgehoben schien, registrierte er jede Einzelheit seines Schussfeldes, jeden Baum, jeden verschneiten Buckel. Das war immer ein seltsamer Schwebezustand. Allerlei Gedanken stellten sich ein.

Gespannt hielt er Ausschau nach gestreiftem, elfenbeinfarbenem Horn, nach der lehmfarbenen Tarndecke, so unglaublich schwer auszumachen vor dem Gemisch aus Weiß, den Brauntönen der Baumstämme und dem Dunkelgrün der sacht schwankenden Äste der Nadelbäume. Wartete auf das Aufblitzen des Spiegels. Jedes Geräusch drang ins Zentrum seines Bewusstseins. Er prägte sich jeden einzelnen Baum ein, von der Nachbareiche bis zu der Reihe hoher Kiefern an der Oberkante des Abhangs.

Michael war aus dem üblichen Grund bewaffnet in den Wald gekommen – um das Leben zu vereinfachen, um eine uralte, unkomplizierte Identität anzunehmen. Aber die Gedanken, die aus der Stille aufstiegen, waren nicht tröstlich. Zum Beispiel das Bild seiner selbst als eines Vollstreckers der Vorsehung. Die Tatsache, dass jedem Geschöpf etwas bevorstand.

Er bereute, dass er mitgefahren war. Irgendwie wollte es ihm nicht gelingen, den Tag zu dem zu machen, was er sich vorgestellt, worauf er sich gefreut hatte. Die Frage, ob er schießen sollte oder nicht, führte geradewegs zu dem Leben zurück, das er in der Stadt zurückgelassen hatte. Zu anderen Fragen: wer er war, was er wollte. Er saß mit entsicherter Waffe, angespannt, wachsam, unglücklich, und wartete auf einen Hirsch. Er dachte daran, dass er den Wind berücksichtigen musste, obwohl sich kaum ein Lüftchen regte.

Die leere Zeit verging rasch, wie es leere Zeit seltsamerweise oft an sich hat. Es war spät am Nachmittag, und es dunkelte schon, als er eine Stimme hörte. Sofort sicherte er sein Gewehr.

Es war die Stimme eines Mannes. Zuerst dachte Michael, der Mann singe. Aber als die Stimme näher kam, wurde ihm klar, dass das leicht Melodische Schmerz ausdrückte. Er befreite sich vollends aus der Trance eines langen Tages und bereitete sich darauf vor, hinunterzuklettern und Hilfe zu leisten. Dann, während der Besitzer der Stimme immer näher kam, entdeckte er den Zorn, die Eigenschaft der Stimme, die alle anderen beherrschte, die Wut von einem, der völlig außer sich ist. Gleich darauf waren Wörter zu verstehen – Obszönitäten, ohne Pause aneinander gereiht, abwechselnd geblafft und gekreischt, wie von einem, der nur schwer vorankommt. Noch immer hielt Michael es für möglich, dass sich da jemand verletzt hatte.

Er suchte mit den Augen den Wald vor sich ab und veränderte dann seine Position so, dass er den Teil des Abhangs direkt über seinen Schultern einsehen konnte. Da erblickte er den Narren.

Ein Mann um die fünfzig kam vierzig Meter entfernt aus der Deckung des Kiefernwaldes, ein Stückchen hangaufwärts. Hätte Michael seinen Hochsitz nicht so hoch oben angebracht, dann hätte der Mann ihn leicht entdecken können. Aber der Mann war ganz und gar mit dem Hirsch beschäftigt, den er erlegt hatte, ein schöner Zehnender mit ausladenden Geweihstangen.

«Scheiße, Scheiße», schrie er, «du gottverfluchter beschissener Scheißmistbock.»

Er mühte sich mit der seltsamen Schubkarre ab, auf der er seinen kapitalen Hirsch festgebunden hatte. Die Karre war ein Gebilde voller Ritzen und Fugen und Federn. Sie wirkte eigentlich groß genug, um die Beute aufzunehmen, war es aber nicht, und ihre Nutzlosigkeit war die Quelle seiner Schluchzer und Flüche, seiner Wut und Verzweiflung. Und während der Unglückliche seine Last zerrte und schob, hievte und zog und nur zentimeterweise vorankam, wurde das ganze Ausmaß seiner Wut ersichtlich.

Und verständlich. Denn die Räder des kuriosen Gefährts stießen sich an jedem schneebedeckten Stein, jeder Baumwurzel. Immer wieder kippte das nutzlose Behältnis den Hirschkadaver in den Schnee, und die Geweihstangen verfingen sich im Unterholz. Jedes Mal wuchtete der Jäger ihn wieder an Bord, woraufhin er auf der anderen Seite wieder herausfiel, und die kuriose Schubkarre kippte um, der Griff entglitt seiner Hand, und er brüllte in ohnmächtiger, doch markerschütternder Wut. Manche Männer wurden zu Poeten, wenn sie fluchten. Aber der Jäger dort unten war kein Poet; er war humorlos und giftig und gemein.

Immer weiter ging es. Er stolperte über Felsbrocken, glitt auf Eis aus und fiel auf den Hintern, für immer mit seinem Opfer in den Fängen des Todes vereint, als hätte er das bedauernswerte Tier mit bloßen Händen erwürgt.

«Ach Scheiße, ach du gottverfluchter beschissener Scheiß-mistbock.»

Und wenn er anhielt, um sich auf eine Seite zu stellen und dem Gefährt – und anschließend dem Hirsch – einen Tritt zu versetzen, musste Michael, der sich kaum zu rühren wagte, um nicht gesehen zu werden, das Gesicht in seinen Ärmel und gegen den Baumstamm pressen, um das aufsteigende Lachen zu unterdrücken.

Doch jetzt kam der Narr, der in seinem Veitstanz dem Hirschwechsel folgte, direkt unter die lichten Äste von Michaels Baum. Michael sah seine Augen – sie waren schrecklich –, sein rotes Gesicht und die gefrierende Spucke auf seinem grauen Bart. Der Mann war mit Blut besudelt. Er war gedemütigt und trug eine Waffe. Michael betete, er möge nicht aufschauen.

Er hielt den Atem an und sah gebannt zu, wie Mann und Hirsch und Schubkarre mit Geheul und Gebrüll Stück für Stück unter ihm durchzuckelten. Wenn der Jäger dort unten die peinvolle Intuition des gewalttätigen Paranoikers besaß und auch nur das leiseste Gefühl bekam, dass ihn jemand in seiner fürchterlichen Niederlage beobachtete – wenn er nur einmal den Kopf in den Nacken legte, um seine Klage gen Himmel zu richten –, würde er den Zeugen seines närrischen Tuns entdecken. Hoch über ihm hockte ein in Leuchtfarben gekleideter Gaffer auf einem Baum, das Gesicht maskenhaft zu einem teuflischen Grinsen verzerrt. Wenn er mich sieht, dachte Michael plötzlich, bringt er mich um. Er entsicherte das Gewehr und legte den Finger an den Abzug.

Starr vor Angst spürte Michael, wie sich seine Belustigung in Wut verwandelte. Unbezahlbar, dachte er. Da sitzt so ein

Tölpel bis tief in die Nacht in seinem Trailer und trinkt Old Bohemian. Zwischen Werbespots für Schulen, die ihm beibringen wollen, wie man einen Sattelschlepper fährt und das große Geld macht oder wie man Forstaufseher wird und andere Leute herumkommandiert und immer an der frischen Luft ist, statt drunten in der Guanofabrik die Schaufeln zu säubern, sieht er einen Spot für dieses idiotische Transportmittel, mit dem man einen erbeuteten Hirsch aus dem Wald schaffen kann. Man braucht sie jetzt nicht mehr auf der Interstate-Auffahrt mit den Scheinwerfern zu blenden oder überfahrene Kadaver mit der Kettensäge zu zerteilen, aber nein, man geht einfach wie der erstbeste Macho mit der praktischen zerlegbaren Schubkarre in den Wald. Sie lässt sich in fünfundzwanzig winzige Teile zerlegen, die man wie ein Bandmaß in der Gesäßtasche verstauen oder am Gürtel tragen kann. Bestürzend, dachte er, wie man sich an der Schande eines anderen weiden konnte. An der Schande, die der andere stellvertretend für einen selbst auf sich nahm.

Schließlich schleppte der Jäger seine Beute fluchend und heulend weiter. Erst als er verschwunden war, merkte Michael, dass er den Mann ununterbrochen über den Lauf seines Gewehrs anvisiert hatte, jede gestolperte Handbreit seines Weges. Er schauderte. Es war kälter geworden, keine Frage. Wind war aufgekommen, er pfiff durch die Äste und ließ die eisstarren Blätter rascheln, die sich noch an die Zweige klammerten. Als er auf die Uhr schaute, war es fast vier und damit Zeit, sich zum Treffpunkt zu begeben. Er warf seinen Rucksack hinunter, kletterte von dem Baum herab und machte sich auf zum Fuß des Granitfelsens, wo sie sich getrennt hatten.

Alvin Mahoney wartete schon, er hatte sich an einer windgeschützten Stelle auf den Boden gehockt. Er erhob sich, als er Michael kommen sah.

«Na, was gesehen?»

«Keine Hirsche. Aber gesehen hab ich was.»

Norman Cevic kam vom Fluss heraufgestapft, den Filzhut mit dem roten Band tief in die Stirn gezogen.

«Tja, ich hab keinen einzigen Schuss gehört, Jungs. Nichts zu berichten?»

Mit der ganzen unterdrückten Energie seines langen einsamen Tages erzählte Michael die Geschichte von dem bedauernswerten wütenden Mann und seinem wunderlichen Transportmittel.

«Habt ihr ihn nicht gehört?», fragte er die Freunde.

Norman sagte, er habe nichts gehört außer den Krähen und dem Wind in den Bäumen.

«Armer Teufel», sagte Alvin.

«Du kannst von Glück reden», sagte Norman, «dass er nicht hochgeschaut und dich abgeknallt hat. Ein Einheimischer. Wahrscheinlich braucht er das Fleisch.»

Michael putzte mit einem Papiertaschentuch seine Brille. «Mir kommen gleich die Tränen.»

«Rache an der Unterschicht», sagte Norman. «Immer wieder schön.»

«Na, na», sagte Michael, «spiel hier nicht den Menschenfreund.»

«Wir haben alle Spaß dran», sagte Norman. Dann sagte er: «Hast du gewusst, dass mehr Jagdaufseher im Dienst getötet werden als irgendwelche anderen Ordnungshüter?»

Eine Zeit lang redeten sie über Populismus und Waffen

und Milizionäre. Sie waren in der dichter werdenden Dämmerung verstummt, als Alvin Michael die Hand auf den Arm legte. Sie erstarrten, keiner rührte sich mehr. Hirsche waren aufgetaucht, vier an der Zahl, ein Achtender und drei Kühe. Eine der Kühe schien kaum älter als einjährig. Die Hirsche tranken aus dem eisigen Fluss, stromaufwärts, gegen den Wind. Vorsichtig näherten sich die drei Männer einer Stelle am Fluss, wo eine Biegung ihnen freies Schussfeld liefern würde. Die Hirsche waren knapp vierzig Meter weit entfernt. Michael versuchte, die Füße durch den Schnee schleifen zu lassen, der leicht verharscht war – die Eisschicht an der Oberfläche war immerhin so dick, dass es knackte, wenn sie unter ihren Tritten brach. Er trat auf ein steif gefrorenes Stöckchen. Eine der Hirschkühe hob den Kopf und sah zu ihnen her, trank dann aber weiter. Schließlich hatten sie die Bäume hinter sich gelassen und sahen einander an.

Das lohnendste Ziel war natürlich der große Hirsch. Aber wenn es ihnen um das Fleisch ging, waren auch die Kühe, einschließlich der jüngsten, abschussfrei. Der Achtender watete bis an den Rand des tiefen Wassers. Plötzlich verhofften alle vier, erstarrten und stellten die Lauscher auf. Eine der Kühe hob sprungbereit den Vorderlauf. Jetzt war keine Zeit mehr. Alle drei legten an. Michael, der kein Zielfernrohr hatte, visierte das Blatt des Hirsches an. Er war ein prachtvolles Exemplar. Magisch in dem schwindenden Licht. Die Dinge ändern sich, dachte er. Alles ändert sich. Er hatte den Finger am Abzug. Die anderen beiden drückten ab, er nicht. Er wusste nicht genau, warum. Vielleicht weil er zuvor einen Menschen vor Kimme und Korn gehabt hatte.

Der Hirsch hob den Kopf und machte einen Schritt vorwärts. Seine Vorderläufe knickten ein, und er veränderte seine Stellung, damit irgendwie die Hinterläufe das Gewicht des schwächer werdenden Körpers aufnähmen. Michael beobachtete, wie das Tier starb. Zu sehen, wie ihre Läufe einbrachen, war immer das Schlimmste. Man spürte es in den eigenen Beinen. Den Schmerz und den Schwindel.

«Wenn er ins Wasser fällt», sagte Norman, «treibt es ihn bis halb nach Sioux City ab.»

Aber der Hirsch taumelte nur noch ein Stück aufs Ufer zu und fiel dann seitwärts ins seichte Wasser. Die Kühe verschwanden lautlos.

«Hast du auch geschossen?», fragte Norman. Michael schüttelte den Kopf.

Als sie den Hirsch untersuchten, fanden sie zwei Einschusslöcher dicht am Herzen.

«Da haben wir ihn wohl beide erwischt», sagte Norman.

«Er gehört dir», sagte Alvin Mahoney. «Du hast als Erster geschossen.»

Norman lachte. «Nein, Mann. Wir lassen ihn vom Metzger zerlegen. In drei Teile.»

Michael half, den toten Hirsch am Geweih aus dem Wasser zu ziehen.

«Will sich jemand das Geweih an die Wand hängen?», fragte Norman.

«Ich glaub nicht, dass meine Frau damit leben könnte», sagte Michael.

«Würde mir genauso gehen», sagte Norman. «Es hat sowieso nicht Trophäengröße.»

Sie waren nicht weit weg vom Kanu, aber es war dunkel, bis sie den Hirsch an Bord gehievt hatten. Sie paddelten stromaufwärts und kamen an der Stelle vorbei, wo Michael die Taschenlampe hatte über Bord fallen lassen. Sie beleuchtete immer noch den Grund des Flussbettes.

Sie banden den Hirsch auf die Haube des Jeeps und fuhren zum Highway. Diesmal machten sie nicht bei Hunter's Supper Club Halt, sondern fuhren durch bis zu Ehrlich's, um den Hirsch registrieren zu lassen. Als sie die Formulare ausgefüllt hatten, setzten sie sich zum Abendessen ins Restaurant. Mahoney sollte fahren und trank nichts. Das wird er zu Hause schon nachholen, dachte Michael. Er und Norman bestellten sich einen Scotch, aber er war nicht annähernd so gut wie der Willoughby's. Dann ließen sie sich einen Krug Bier bringen.

Auf der Speisekarte standen Wurst, Schnitzel, Kartoffelpuffer, Nudeln und Knödel. An den dunkel getäfelten Wänden hingen Hirschköpfe und -geweihe mit Messingtafeln und Mottos in gotischer Schrift. In der Music-Box lief eine Polka, und an allen Tischen saßen Jäger. Hier hatten viele ihre Familienmitglieder dabei, Frauen und Kinder, sogar Babys. Glückliche Pärchen tanzten. Es herrschte gemütliche Feierstimmung.

«Mann, das ist doch was ganz anderes hier als im Hunter's», sagte Michael. «Nicht nur wegen dem Essen.»

«Weißt du warum?», fragte Norman.

«Anderes Publikum», sagte Michael.

«Ein anderer Menschenschlag», sagte Norman. «Wir sind hier im County Prevost. Hier leben Deutsche. Friedliebende Menschen. Ordentlich. Man muss sie einfach mögen.»

«Magst du sie?»

«Klar. Hunter's ist in dem beschissenen Sumpfgebiet.

County Harrison. Iren, Schotten, Franko-Kanadier. Die sind arm und verbiestert. Die hocken sich bei Hunter's rein, um sich zu besaufen und einander Schwarzmarkt-Tickets zu verkaufen. Die hier sind ... *fröhlich*.»

Er breitete die Arme aus und parodierte mit einem kalten, falschen Lächeln deutsche Gemütlichkeit.

«Vielleicht gehören wir doch eher dorthin», sagte Alvin Mahoney.

Michael und Norman sahen einander an und lachten.

Norman hob sein Bierglas. «Ich schau dir in die Augen, Kleiner», sagte er.

Alvin musste lachen. Er war nervös, weil er trocken bleiben musste. Vielleicht fährt er besser, dachte Michael, wenn wir ihn doch einen kippen lassen.

Michael merkte, dass Norman ihn forschend ansah. «Du hast heute nicht geschossen», sagte Norman.

Michael zuckte die Achseln.

Während sie auf die Rechnung warteten, sagte Norman: «Ich muss dich mal was fragen. Was erzählen sie denn drüben in St. Emmerich meinem Freund Paulie so über Abtreibung? Ich persönlich hab nichts gegen eine Welt einzuwenden, die nicht das Ergebnis einer Überbevölkerung ist.»

Michael schenkte den Rest von dem Bier ein.

«Tut mir Leid», sagte Norman, «aber ich kenne sonst niemanden, den ich das fragen könnte.»

Zum zweiten Mal ärgerte sich Michael über Norman. Sicher, der Mann war Soziologe von Beruf. Und feinfühlig oder diskret war er noch nie gewesen. Er war Vietnam-Veteran. Die weltbewegenden Fragen fielen in seine Zuständigkeit.

«Darüber reden die nicht», sagte Michael. «Auf der Stufe noch nicht.» Er drückte eine Papierserviette auf eine kleine Schaumpfütze auf dem Tisch. «Neulich haben sie über die Jagd gesprochen.» Was er sagte, entsprach nicht ganz der Wahrheit. Paul hatte in der Schule immerhin schon erfahren, dass das Leben mit der Empfängnis beginnt. Der Rest würde natürlich irgendwann folgen. Aber Michael war nicht in der Stimmung, die Thesen der christlichen Unterweisung an der St. Emmerich zu verteidigen. Er wurde rot und versteckte sich hinter seinem Bier. Er fühlte sich belagert. Als versuchte jemand, ihm etwas wegzunehmen. Etwas, von dem er nicht einmal sicher war, dass es ihm gehörte.

Weil ich glaube, dachte er. Sie wissen, dass ich glaube. Wenn ich glaube. Aber der Glaube ist nicht das, woran man glaubt, dachte er. Glaube ist etwas anderes.

Eine blonde Bedienung mit einem hübschen, unbefangenen Lächeln kam an ihren Tisch, aber sie brachte nicht die Rechnung.

«Ist einer der Herren Michael Ahearn?», fragte sie.

«Ja, ich», sagte Michael.

«Ein Anruf für Sie, Sir. Möchten Sie in der Küche telefonieren?»

Er folgte ihr quer durch den Raum, der erfüllt war von Polkamusik, Gelächter, dem Klappern von Tellern und schäumenden Bierkrügen. Drei Generationen von Frauen, die älteste Ende sechzig, die jüngste ein bisschen älter als sein Sohn, gingen in der Küche routiniert ihrer Arbeit nach. In dem warmen Raum roch es nach Essigmarinade. Seine Frau war am Apparat.

«Michael», sagte sie. Ihre Stimme klang distanziert und, so

fand er, eisig. Sie ließ ihn an den Wald denken. Oder an das Licht der Taschenlampe auf dem Grund des Flusses. «Paul ist verschwunden. Er war in der Sporthalle, und dann wollte er zu Jimmy Collings. Aber da ist er nicht. Und seine Schulbücher sind hier. Und Olaf ist auch weg.» Sie zögerte. «Bei uns schneit es.»

Er dachte an den Hirsch am Flussufer. Wie das Leben aus ihm entwich, seine Läufe einknickten.

«Ich glaube, ich hab dich angerufen, weil ich moralische Unterstützung brauche», sagte sie. «Ich hab Angst.»

«Leg auf», sagte er.

Ohne etwas zu sehen, ging er durch den lärmenden Raum zurück. Alvin und Norman zahlten gerade. Michael griff in seine Brieftasche, nahm zwei Zwanziger heraus und warf sie auf den Tisch.

«Das ist zu viel», sagte Norman.

«Kristin macht sich Sorgen wegen Paul. Er ist nicht heimgekommen.»

Es schneite auf dem Parkplatz, als sie zum Jeep gingen. Alvin überprüfte die Stricke, mit denen sie den toten Hirsch festgezurrt hatten. Michael setzte sich nach hinten.

«Ach, weißt du», sagte Alvin, «Kinder machen immer mal irgendwelchen Unfug, man regt sich furchtbar auf und ängstigt sich, und dann löst sich alles in Wohlgefallen auf.»

Es war das Letzte, was einer von ihnen auf der Heimfahrt sagte.

Der Schneefall wurde dichter, sodass sie gezwungen waren, langsam zu fahren. Michael sah zu, wie die Flocken fielen. Er dachte an den Mann mit dem Hirsch in der Schubkarre. Bei Gott, Sir, Sie bieten ja einen beklagenswerten Anblick. Wenn er es irgendwie wieder gutmachen könnte. Seine Gedanken waren mies und gehässig gewesen. Was er jetzt nicht vor sich sehen wollte, war das Gesicht seines Sohnes, das Gesicht, das er so vergötterte. Aber es war doch da, und der Junge war unter Schnee begraben. Halt durch.

«Bin ich eingenickt?», fragte er die anderen.

«Du hast geschlafen», sagte Norman.

Wie konnte er schlafen? Er hatte geschlafen, aber nichts vergessen. Sein Sohn war die ganze Zeit da gewesen. Beten. Nein. Man betete nicht um etwas. Gebete zogen, wie Franklins Schlüssel an dem Drachen, Blitze an, verbrannten einem Geist und Seele.

Als sie nach stundenlanger Fahrt in die Stadt kamen, hingen überall tote Hirsche von den Bäumen in den Vorgärten. Die Vorgärten waren groß in ihrer Präriestadt. Auf jedem Rasen standen zahlreiche Bäume, und fast jeder kahle Baum auf fast jedem Rasen vor fast jedem Haus trug einen oder zwei Hirsche an den unteren Ästen, Hirsche, Kühe und Kälber. Alles rechtmäßig erlegtes Wild. Es gab zu viele Hirsche.

Ein Polizeiauto versperrte Michaels Einfahrt. Norman stellte den Jeep auf der Straße ab, am Rand des Rasens vor seiner Haustür. Sie stiegen alle drei aus, und als er die Männer sah, stieg der junge Stadtpolizist, den Michael kannte, er hieß Vandervliet, aus dem Streifenwagen.

«Sir», sagte Vandervliet, «sie sind nicht da. Sie sind im MacIvor.»

Das MacIvor war das von drei Countys betriebene Krankenhaus am Nordrand der Stadt.

Norman legte ihm die Hand auf die Schulter. Michael stieg in Vandervliets Plymouth-Streifenwagen.

«Was ist passiert?», fragte Michael den jungen Polizisten. «Ist mein Sohn am Leben?»

«Ja, Sir. Aber er war zu lange in der Kälte draußen.»

Das hörte sich nicht gut an, denn wie sie beide wussten, waren Kälteschäden von einem bestimmten Punkt an irreversibel, und keine Wärme, kein Feuer, kein Kakao, keine Wärmflaschen, Schlafsäcke, Daunenjacken, Steppdecken, kein Whiskey und keine Medizin, einfach gar nichts konnte bewirken, dass ein Kind zu zittern aufhörte und seine Temperatur wieder stieg.

«Ihre Frau hat sich verletzt, Professor. Das heißt, sie ist nicht schwer verletzt, aber sie ist scheinbar gestürzt, als sie den Jungen heimtragen wollte, und deshalb ist sie ebenfalls ins Krankenhaus gebracht worden.»

«Verstehe», sagte Michael.

«Es war nämlich so, dass der Junge nach dem Hund gesucht hat, weil der Hund draußen im Schnee war.»

Auf der Fahrt zum Krankenhaus sagte Michael: «Ich glaube, ich erschieß den Hund.»

«Würde ich auch tun», sagte Vandervliet.

Im MacIvor wurde er bereits erwartet. Eine Schwester war da, deren Mann der großstädtisch aufgemachte Coffeeshop in der Stadt gehörte, und ein junger Arzt von der Ostküste. Sie wirkten so aufgeregt, dass lähmende Angst ihn befiel. Der Arzt stellte sich vor, aber Michael hörte nicht hin.

«Pauls Lebenszeichen sind sehr schwach», sagte der Arzt. «Wir hoffen, dass er auf die Behandlung anspricht. Leider ist er nicht bei Bewusstsein, und wir haben Grund zur Sorge. Wir wissen nicht, wie lange er in dem Schneesturm draußen war.»

Es gelang Michael, etwas zu sagen. «Seine Körpertemperatur ...?»

«Das ist der Grund unserer Sorge», sagte der Arzt. «Hier muss eine Besserung eintreten.»

Michael sah ihn nicht an.

«Wir können das behandeln», sagte der Arzt. «Es besteht durchaus Hoffnung.»

«Danke», sagte Michael. Auf keinen Fall wollte er den Jungen sehen. So ein schöner Anblick, und er wies ihn ständig von sich. Er hatte Angst davor, Paul sterben zu sehen, obwohl er bestimmt auch im Tod noch schön sein würde.

«Wir möchten, dass Sie mit ... Ihrer Frau sprechen», sagte der Arzt. «Wir sind sicher, dass sie eine Fraktur hat, aber sie will sich nicht röntgen lassen.» Er zögerte einen Moment und ging dann den Korridor hinunter.

Im MacIvor kreuzten sich die Flure in Form eines X. Während der Arzt durch den einen Schenkel des Musters davonging, glaubte Michael am Ende des anderen seine Frau zu sehen. Sie saß in einem Rollstuhl. Die Schwester folgte ihm, als er auf sie zuging.

«Sie will sich nicht röntgen lassen», beklagte sich die Schwester. «Ihr Bein ist geschient worden, wir haben Schmerzmittel für sie und ein Bett steht für sie bereit, aber sie will sich nicht hinlegen. Sie lässt nicht zu, dass die Medikamente ihre Wirkung tun.»

Kristin, mit weit aufgerissenen Augen und kalkweißem Gesicht, kam auf sie zugerollt. Doch als Michael mit der Schwester im Schlepptau fast vor ihr stand, schaute sie durch ihn hindurch. Sie hatte eine aufgeschlagene Bibel auf dem Schoß.

Die Schwester wollte die Griffe von Kristins Rollstuhl nehmen. Michael trat dazwischen und nahm sie selbst. Ihre Wirkung tun? Er hatte Mühe, den Rollstuhl umzudrehen. Die Hinterräder wollten sich nicht gerade richten. Ihre Wirkung tun. Er schob seine Frau auf die Wand zu. Ihr geschientes rechtes Bein war waagerecht nach vorne gestreckt, und als der Fuß die Wand berührte, stieß sie einen leisen Schrei aus. Tränen liefen ihr übers Gesicht.

«Da ist ein kleiner Trick dabei», sagte die Schwester. Sie gab ein Geräusch von sich, das nicht ganz ein Lachen war. «Lassen Sie mich mal.»

Michael beachtete sie nicht. Der Rollstuhl widersetzte sich seinem zitternden Druck. Verdammte Scheiße.

«Bring mich zu ihm», sagte Kristin.

«Besser nicht», sagte die Schwester zu Michaels Erleichterung.

Wenn er sich selbst sehen könnte, wie er vergeblich versuchte, seine Frau im Rollstuhl zu schieben, dachte Michael, wäre das lustig. Aber in Krankenhäusern gab es keine Spiegel. Eine Entdeckung. Am Ort des Verfalls, wo die Dinge sich auflösen, wo aus Kindern Kadaver wurden und wo man seine Frau in einem Wägelchen herumwirbelte, gab es keine Spiegel. Man war der Dumme, aber man brauchte sich nicht selbst zuzusehen.

Als sie im Zimmer waren, sagte sie: «Ich bin gestürzt, als ich ihn getragen hab. Er war am Gartenzaun – ich bin im Schnee gestürzt.» Er konnte sich vorstellen, wie sie Paul aus dem Garten heraufgetragen hatte, stolpernd, ausrutschend, taumelnd. Er nahm ihre eiskalte Hand, aber sie entzog sie ihm. «Er war so kalt.»

«Leg dich hin», sagte er. «Geht das?»

«Nein, es tut weh.»

Er stand auf und klingelte nach der Schwester.

Kristin nahm wie in Trance die Bibel und begann daraus vorzulesen.

«‹Sei mir gnädig, Gott, sei mir gnädig; denn auf dich trauet meine Seele, und unter dem Schatten deiner Flügel habe ich Zuflucht.›»

Er schloss die Augen und versuchte, sich an den Worten festzuhalten. Während er zuhörte, wie sie im seltsam farblosen Tonfall ihrer Mutter las, konnte er sich vorstellen, wie ihre Mutter draußen in den Plains von ihren Eltern aus der Lutherbibel vorgelesen bekam. Ein Psalm für Narren im Schnee. Man hatte wirklich nichts zu erwarten außer Kälte und Tod im Schatten dieser Flügel. Odins Rabe.

«‹Bis dass das Unglück vorüber gehe, rufe ich zu Gott, dem Allerhöchsten.›»

Michael saß da und hörte zu, voller Verachtung für die bleierne Resignation des Gebets seiner Frau, seine Ergebenheit, Unterwürfigkeit.

«‹Ich liege mit meiner Seele unter den Löwen›», las sie, «‹Die Menschenkinder sind Flammen, ihre Zähne sind Spieße und Pfeile.›»

Es drängte ihn zur Flucht. Er saß wie auf Kohlen, bis die Schwester hereinkam.

«Ich glaube, wir haben die Kurve gekriegt», sagte sie. «Michael! Kristin! Ich glaube, wir haben die Kurve gekriegt.»

Dann kam leise der Arzt herein, und sie legten Kristin ins Bett, und sie ließ sich das Medikament geben. Auch in der Bewusstlosigkeit waren ihre Augen noch halb offen.

Der Arzt sagte, die einen reagierten und die anderen nicht, und Paul habe reagiert. Seine Temperatur steige. Er komme langsam zu sich. Er würde sogar seine Finger und Zehen wieder gebrauchen können und sein moralisches kleines Christengehirn wieder in Gang bringen, wie es scheine. Der Arzt wirkte sehr erleichtert.

«Bleiben Sie bitte noch ein Weilchen hier, während wir die Rolltrage holen. Wir müssen sie sofort röntgen, weil sie sich das Bein da gebrochen hat.»

«Sie können Paul sehen», sagte die Schwester. «Er schläft. Richtiger Schlaf jetzt.»

Der Arzt lachte. «Es ist sehr anstrengend, halb zu erfrieren.»

«Da dürften Sie Recht haben», sagte Michael.

Während die beiden die Rolltrage holten, schaute er in Kristins halb geöffnete, gequälte, lang bewimperte blaue Augen und strich die leicht angegrauten schwarzen Haare von ihnen weg. Mit ihrem schmalen Gesicht und den vorstehenden Zähnen sah sie aus wie Christus auf einem Wikinger-Kruzifix. Wieso, dachte er, ist er nicht gestorben, bei der Mutter, bei dem Vater? Vielleicht stirbt er ja noch, dachte Michael. Der Gedanke entsetzte ihn. Er war schon aufgestanden, um die Flucht zu ergreifen, als die Pfleger hereinkamen, um Kristin zu holen. Er rieb ihr die kalte Hand.

Die Kapelle war am Ende des Korridors. Sie hatte eine Art Altar und Buntglasfenster, hinter denen nichts war und in die Wolken und Tauben und andere spirituelle Symbole eingearbeitet waren.

Eine Zeit lang hatte Michael befürchtet, dass da draußen etwas war, am Beginn und Ende des Bewusstseins. Ein Alpha und Omega der Dinge. Er hatte jahrelang immer wieder zeitweise daran geglaubt. Und in dieser Nacht, dessen war er sich sicher gewesen, würde das Feuer auf ihn herabkommen. Sein Sohn würde ihm genommen werden, und er würde mit absoluter Gewissheit die Macht des Allerhöchsten erfahren. Seine furchtbare Vorsehung. Seine Mysterien, sein Versteckspiel, seine Lektionen und seine neu definierten streng geheimen Gnadenerweise, die durch Gebet und Meditation zu begreifen waren. Jedoch nur in ganz besonderen rhapsodischen und ekstatischen Momenten, in Augenblicken wundersamer Klarheit. Siehe, der Behemoth. Kannst du den Leviathan ziehen? Et cetera.

Aber jetzt war das Leben seines Sohnes gerettet. Und die große Sache war aus nichts entstanden, aus absolut nichts, aus einem Kaleidoskop, aus einer Cracker-Jack-Schachtel. Jedem Tag seine eigene Blume, seinen eigenen Gestank und Geschmack. Die gute alte zufallsbedingte Singularität, und man konnte einen angemessenen Abscheu vor der wuchernden Überfülle des Lebens zelebrieren, und jeder konnte zu seinem Recht kommen und zufrieden sein.

Und er konnte ein ernsthafter Mensch sein, ein Erwachsener endlich, und brauchte sich nicht mehr um Dinge zu sorgen, um die sich gebildete Menschen praktisch schon seit Jahrhunderten nicht mehr gesorgt hatten. Endlich frei, und es bedeutete ihm nicht das Geringste, und alles würde vorbei sein, manches eher früher als später. Seine Ehe, zum Beispiel, eingesiegelt im Glauben wie das Grab Christi. Nichtig jetzt. Niemand hat über uns gewacht. Oder besser gesagt, wir haben übereinander gewacht. Das also hatte es mit der Vorsehung auf sich, welch eine Erleichterung. Er kehrte den Inspirationen der Kapelle den Rücken und ging hinaus, um seinem Sohn zuzusehen, wie er wieder einen Tag überlebte.

2 In der Weihnachtszeit brannte es in Michael Nacht für Nacht. Weder er noch Kristin kamen wieder so recht ins Gleichgewicht. Wiederholt versuchte er, durch Worte und kleine Gesten so etwas wie einen Rahmen zu schaffen, in dem sie beide sich ausruhen könnten, Trost fänden und einander anvertrauen könnten, was ihnen das Herz beschwerte. Doch die innige Begegnung, nach der er sich sehnte, der Austausch von Beteuerungen und Einsichten, fand irgendwie nie statt. Kristin verlängerte ihr langes Kinn wie ein Schwertschlucker, schürzte ihre schmalen Lippen und nahm die Rückkehr ihres Sohnes von den Toten wie eine Medizin auf. Bleich und fröstelnd und trübäugig wie eine Schlange, die eine Ratte verdaut, behielt sie das ganze schreckliche Geschehen bei sich. Es glomm in ihr, spannte ihre durchscheinende Haut wie ein Rahmen.

Während der Christmette in der St. Emmerich-Kirche saß Michael dumpf und trauernd da, entsetzt über die intensive, kläraugige Andacht seines Sohnes. Beim Kyrie fing er zufällig Kristins Blick auf. Er sah darin keine Fragen, keine Versprechen und keine vertraulichen Mitteilungen, kein glückliches komplizenhaftes Einverständnis. Ihr Blick war so nichtssagend wie die Oberfläche der Dinge. Jagte ihm Furcht vor einem bevorstehenden Verlust ein. Er war das einzige Kind einer Witwe; sein Vater war gestorben, als er noch sehr klein war. Seine Mutter war unberechenbar, anspruchsvoll und kokett gewesen und hatte ihm ständig mit Liebesentzug gedroht.

Kristins Mutter war über die Feiertage zu ihnen gekommen, auf Freigang aus dem Altersheim, in das sie sich nach dem Tod ihres Mannes zurückgezogen hatte. Die Farm mit den übrig gebliebenen verwahrlosten zwanzig Hektar war verkauft worden. Kristin und ihre Mutter verbrachten die Dezembernachmittage mit der Durchsicht alter Fotoalben und weideten sich an den Bildern von Dad. Dad mit einem geangelten Zander. Dad auf dem Pferd. Dad in einem Kanu oder am Steuer eines neuen 1955er-Buick. Dad mit Paul als Baby. Auf der Rückfahrt ins Heim wirkte die alte Frau leicht abwesend, aber klar im Kopf. Von Zeit zu Zeit wandte Michael den Blick von der Straße und stellte fest, dass sie ihn stumm fragend mit ihren blauen Augen fixierte.

Auf der Heimfahrt vom Altersheim musste er übernachten. Er quartierte sich in einer trostlosen Stadt am Fluss ein, in der sich das staatliche Zuchthaus befand. Das ursprüngliche Gefängnisgebäude war eine hundert Jahre alte Festung mit Türmen und Zinnen und scherbenbewehrten Mauern. Sie war an diesem Abend in Flussnebel gehüllt. Auf einem der Wachtürme hatte jemand einen beleuchteten Christbaum aufgestellt. Michael stand in der Dunkelheit vor seinem Zimmer im ersten Stock des aus Ziegeln und Beton erbauten Motels – das selbst wie ein Zellenblock anmutete – und rauchte seine erste Zigarette seit zehn Jahren. Aber es war auch die letzte. Am Morgen warf er die Packung weg. Er musste an Paul denken.

Die Nächte waren schlimm. Er lernte die Geographie der Nacht so gut kennen, dass er immer genau wusste, wie spät es war, ohne auf die Uhr sehen zu müssen. Die Strecke, die er am besten kannte, war die zwischen ein Uhr und dem Morgengrauen. Licht brannte hinter seinen Augen, harziges Feuer, über dem Funken wirbelten. In seinem Schein erzeugten Wut und Angst bittere, unaussprechliche Gedanken, die endlos schattiert, verfeinert, neu geordnet sein wollten. Unablässig erschienen die schwarzen Einsichten, eine nach der anderen ausgelegt wie Tarotkarten, und verdeutlichten ihm seine schwindenden Lebensmöglichkeiten. Abends trank er. Allerdings hielt ihn der Alkohol die meiste Zeit wach. Nur frühmorgens fand er manchmal ein, zwei Stunden Schlaf. Er spürte Kristin neben sich und wusste, dass auch sie oft wach lag, meist wegen ihrer Schmerzen, obwohl ihr Bein gut heilte. Der Knochen war nur angebrochen, und der Gips kam noch vor Weihnachten herunter.

Bei alldem hatte er das Gefühl, dass sich irgendeine schreckliche Missdeutung der Zeichen, eine große Verständnislosigkeit zwischen ihnen verhärtete. Jeden Morgen beim Aufstehen fühlte er sich zerschlagen.

Eine Woche nach Beginn des Wintersemesters ging er in sein Zimmerchen in der Uni-Bibliothek, um zu lesen. Der Campus war nach wochenlanger Polarkälte tief verschneit und mit Eis überkrustet. Als er an einem sonnigen Januarnachmittag den College Hill hinaufstieg, wurde er vom Wind und der gleißenden Helligkeit schier geblendet. Die stille Welt innerhalb der doppelten Glastüren der Bride Library war warm und einladend.

Sein Zimmer befand sich im Souterrain, das dick verglaste

schmale Fenster war bis auf halbe Höhe mit Schnee zuge-
weht. Bleiches Winterlicht fiel herein, gefiltert von den Na-
deln des angrenzenden Kiefernhains. Die Neonröhre in seinem Kabuff wirkte zugleich anheimelnd und nüchtern. Hitze-
wellen flimmerten vor dem unteren Teil der Fensterscheibe.

Der Kurs, den er für das Frühjahrstrimester zusammengestellt hatte, befasste sich mit Werken des Vitalismus vom Anfang des zwanzigsten Jahrhunderts – Frank Norris, Dreiser,
Kate Chopin, James Branch Cabell. Seine Studenten waren
jetzt, hundert Jahre später, nicht gänzlich unempfänglich für
den Reiz dieser Literatur. In der sterilen Wohnlichkeit seines
nachmittäglichen Refugiums, geplagt von derselben Trauer,
mit der er jeden Morgen erwachte, machte er es sich mit Ca-
bells *Jürgen* bequem. Es war ein Buch, das er als junger Mann
sehr geliebt hatte, zu dem ihm aber in letzter Zeit nichts
Neues mehr einfallen wollte. Nach der einen oder anderen
ermüdenden Seite schlief er ein.

Draußen schwand schon das letzte Licht, als er ein leises
Klopfen an der Tür vernahm. Es war Phyllis Strom.

«Es tut mir wirklich Leid, Sie hier belästigen zu müssen»,
sagte Phyllis. Ihr Bedauern war aufrichtig, denn er hatte sie
angewiesen, ihn in der Bibliothek nicht zu stören. Er stand
blinzelnd da und fuhr sich mit der Hand durchs Haar.

«Ich hab Sie telefonisch nicht erreicht», sagte Phyllis. «Aber
Ihre Frau meinte, Sie wären wahrscheinlich hier.»

«Da hatte sie Recht.» Er ging mit Phyllis zum nächsten
Bibliothekstisch, an dem zwei Stühle frei waren.

«Es tut mir wirklich Leid», sagte Phyllis beflissen. «Ich
weiß, wie gern Sie hierher kommen.»

Michael musste lachen.

«Ich hab nur gefaulenzt, Phyllis. Was gibt's?»

«Na ja, wissen Sie, ich hab bis zum letzten Moment mit der Aufstellung meines Prüfungsausschusses gewartet.»

«Stimmt», sagte Michael. Es war seine Schuld gewesen. Er hatte sie in den Ferien ständig auf Trab gehalten, sie schamlos mit Arbeit überhäuft. Ein Gerücht über die schöne Phyllis Strom, an dem seines Wissens nichts dran war, besagte, dass sie als unteres Semester einmal für eine Doppelseite im *Playboy* posiert hatte, «The Girls of the Big Ten». Wie auch immer, als graduierte Studentin hatte sie sich zu einem Ausbund an Fleiß, Bescheidenheit, Vernunft und Wohlanständigkeit entwickelt.

«Ich hab doch auch Professor Fischer gefragt, als ich Sie gefragt habe, wissen Sie noch?»

Michael nickte.

«Also, jetzt habe ich noch eine dritte Person gefunden.» Als Phyllis ihm den Namen nannte, wusste er nicht so recht, wen sie meinte. Aber er kam ihm bekannt vor.

«Professor Purcell. Marie-Claire Purcell», fügte sie erläuternd hinzu. «Alle nennen sie Lara.»

«Sie ist Politikwissenschaftlerin, und ihr Spezialgebiet ist die Dritte Welt», erklärte Phyllis. «Man erwischt sie nur schwer auf dem Campus. Sie hat keine E-Mail, und sie steht nicht im Telefonbuch.»

«Soll ich ihr schreiben?»

Phyllis errötete ganz allerliebst.

«Ihre Frau sagte, Sie würden vor Semesterende keine Zeit dazu haben. Deshalb hab ich mir gedacht, Sie könnten sie vielleicht heute auf dem Campus abfangen. Ich hab ihr schon gesagt, dass Sie vielleicht mal kurz vorbeikommen.»

Michael sah sie einen Moment lang an.

«Ich glaube, ich stehe in Ihrer Schuld, Phyllis. Sie waren mir in den letzten Monaten eine große Hilfe.»

«Es ist mir so unangenehm, Sie zu drängen», sagte die zerknirschte, aber resolute Phyllis Strom. «Aber es ist mir sehr wichtig.»

«Ach ja? Ist sie so gut?»

«Ja», sagte Phyllis schlicht, «sie ist super. Sie hat an der Sorbonne studiert. Sie hat ein paar Bücher geschrieben und als Fernsehjournalistin gearbeitet.»

«Wunderbar.» Er hatte eine vage Vorstellung von Mme. Purcell. Eine von diesen überbezahlten, minderbemittelten Dozenten aus Europa, die sich gegenseitig besuchten, um etwas Anständiges zu essen zu bekommen und Gespräche unter Erwachsenen zu führen, und zwanghaft Diner an Landstraßen und malerische Tankstellen fotografierten. «Da können wir uns ja beglückwünschen», sagte er zu Phyllis. «Ich rufe sie an. Ist sie heute Nachmittag in ihrem Büro?»

«Bis halb fünf», sagte Phyllis mit einem schuldbewussten Lächeln. «Bitte.»

Und wer hätte Phyllis etwas abschlagen können, dieser Winternymphe mit der quastenbehängten Elfenmütze, dem blau gefrorenen Näschen und den ambitionierten Grundsätzen. Also rief er unter Verstoß gegen die Bibliotheksvorschriften von seinem Handy aus die Telefonzentrale des College an und führte schließlich ein Gespräch mit Dr. Lara Purcell.

«Wir haben uns wahrscheinlich auf der Cocktailparty des Dekans kennen gelernt», sagte Dr. Purcell. Sie hatte eine sympathische Stimme und einen Akzent, der einen immer wieder von neuem überraschte, und sie gebrauchte britische

Ausdrücke und englisch ausgesprochene französische Wörter. Aber nicht unangenehm. Es hieß, sie sei auf den Windward Islands aufgewachsen.

«Ja, wahrscheinlich», sagte Michael. Sie verabredeten, dass er sie in einer halben Stunde in ihrem Büro aufsuchen würde.

Überall auf dem Campus streuten Arbeiter der College-Verwaltung Salz auf die Wege, um sie einigermaßen begehbar zu halten, ein aussichtsloses Unterfangen angesichts der zu erwartenden nächtlichen Minusgrade. Die Büros im Gebäude der Politikwissenschaften waren beleuchtet, als Ahearn die reich verzierte Treppe hinauflief, vorbei an den allegorischen Figuren, die sie bewachten.

Die Sekretärin hatte schon Feierabend gemacht, aber die Tür des Departments war offen. Er ging hinein und fand Professor Purcell an ihrem Schreibtisch. Er klopfte zweimal an ihre Tür.

«Michael Ahearn?», fragte die Frau. Sie stand auf und kam hinter dem Schreibtisch hervor.

«Professor Purcell?»

Sie war nur wenig kleiner als Michael mit seinen einsachtzig. Sie trug einen eleganten violetten Rollkragenpulli und um den Hals einen kleinen hornförmigen Anhänger an einer goldenen Kette. Einen kurzen Lederrock, dunkle Strumpfhosen und Stiefel.

«Phyllis hat mir schon viel von Ihnen erzählt», sagte Professor Purcell. «Sie sind ihr Mentor und ihr Idol.»

«Na ja, Gott segne sie. Sie ist ein prima Mädchen.»

«Wirklich?», fragte Professor Purcell.

An der Wand hinter dem Schreibtisch hingen Gemälde in

bunten tropischen Farben. Außerdem Fotos, aufgenommen in Palmengärten mit Zierbrunnen und schmiedeeisernen Balkonen. Auf den Fotos war Lara Purcell mit Menschen unterschiedlicher rassischer Typen zu sehen, die alle ein gelassenes, weltläufiges Selbstbewusstsein ausstrahlten. Fast alle dargestellten Personen wirkten attraktiv. Die Ausnahme war ein rosiger, übergewichtiger und ungesund aussehender Mann, der dicht neben Professor Purcell stand. Seine Züge kamen Michael irgendwie bekannt vor – ein Politiker, unsympathisch, einer von der falschen Seite. Aber Michael hatte keine Zeit, die Büroeinrichtung näher zu betrachten.

«Ja, ich finde schon», sagte Michael.

«Nennen Sie mich Lara», sagte Professor Purcell. Sie trug ihr dunkles Haar schulterlang und mit einer von der Stirn ausgehenden weißen Strähne. Ihre Haut war sehr hell, ihre Augen fast grün, groß, rund und unerschrocken. Unter ihnen lagen ein wenig geschwollene Halbmonde aus faltenloser Haut, eine leichte Gedunsenheit, die unerklärlich anziehend war. Irgendwie verstärkte das ihren humorvollen, intelligenten Blick, machte ihn sinnlicher. Ihr Mund war provozierend, die Lippen lang und voll.

Lara bot ihm einen Stuhl an. «Sie ist so ernst, unsere Phyllis. Und sie findet, dass Sie ernste Dinge so darstellen, dass sie lustig wirken.»

«Wer, ich?»

Die Professorin lachte gewinnend. «Ja.»

«Und, hält sie das für gut?», erkundigte sich Michael.

«Ich glaube, sie hatte da ihre Zweifel. Sie fand, dass man das eigentlich nicht darf. Aber jetzt glaubt sie zu wissen, was es mit Ihnen auf sich hat.»

Die coole Ungeniertheit der Lady ließ ihn blinzeln. Das war nicht der gängige Umgangston in Fort Salines.

«Freut mich zu hören. Ich bin sehr stolz auf Phyllis – und besitzergreifend.»

«Keine Sorge, sie gehört Ihnen, Mr. Ahearn.»

«Bitte nennen Sie mich Michael. Phyllis hält aber auch große Stücke auf Sie.»

Lara lächelte nur. Sie schaute auf die Uhr.

«Um diese Zeit gehe ich meistens zu Beans einen Kaffee trinken. Kommen Sie mit?»

Michaels Erfrischung zu dieser Stunde bestand normalerweise in einem Glas von dem Whiskey, den er in seinem Kämmerchen aufbewahrte. Aber der konnte warten.

Es ging sich sehr mühsam bergab auf dem vereisten Weg. Von Zeit zu Zeit glitt einer von ihnen aus und musste von der Hand des anderen vor einem Sturz gerettet werden. Beans, der Coffeeshop für den Campus, befand sich am College-Ende der Division Street – vier Blocks florierender Geschäfte und Dienstleistungsfirmen, bis zum Courthouse Square. Er war hell erleuchtet, die Fenster lustig mit künstlichem Raureif besprüht. Drinnen herrschte Hochbetrieb, lauter junge Leute. An einem langen Tisch neben der Tür saßen einige ausländische Studenten zusammen mit jüngeren Dozenten. Man unterhielt sich auf Französisch. Lara blieb stehen, um ein bisschen mit ihnen zu schwatzen. Sie stellte Michael nicht vor.

Sie reihten sich in die Warteschlange ein und gingen dann mit ihren Cappuccino-Pappbechern an einen Tisch im hinteren Teil.

«Wenn ich mich nicht irre», sagte Michael, «haben Sie

noch nicht zugesagt, in Phyllis' Ausschuss mitzuwirken. Und ich soll Sie jetzt überreden.»

«Sie ist richtig lieb», sagte Lara. «Sie hat anscheinend ihre Hausaufgaben gemacht. Aber Tränen kann ich nicht ausstehen. Ich hake die sprachlichen Anforderungen nicht einfach ab. Und ich erwarte eine kompetente Verteidigung in einwandfreiem Englisch.»

«Phyllis ist durchaus sprachgewandt. Für ihr Französisch kann ich allerdings nicht die Hand ins Feuer legen. Sie ist intellektuell neugierig. Und außerdem hat sie natürlich ein soziales Bewusstsein.»

Die Professorin schaute über Michaels Schulter hinweg und winkte einem ihrer Kollegen zum Abschied.

«Ihr soziales Bewusstsein macht mir ja gerade Sorgen», sagte sie zu Michael. «Bitte beruhigen Sie mich. Werde ich frommes Geplapper in amerikanischer Kindersprache hören? Wenn ja, dann fliegt sie hochkantig raus.»

Michael nahm sich vor, Phyllis zu warnen.

«Ich bürge für sie. Ich glaube, wir werden Gnade vor Ihren kritischen Augen finden.»

«Also meinetwegen, aber Sie haben soeben Ihren Kopf verwettet.»

Sie sahen einander kurz an.

«Es stimmt schon, man kriegt viel albernes Zeug zu hören», sagte er. «Aber Phyllis ist nicht so.»

«Es ist jämmerlich», sagte sie mit leisem Spott. «Das Leben ist ein Märchen, und sie sind die guten kleinen Feen. Die edlen kleinen, auf soziale Gerechtigkeit bedachten feministischen Feen. Die dürfen wir einfach nicht auf die Welt loslassen.»

«Also schicken wir sie auf die Farm zurück», sagte Michael, «bevor sie Paris gesehen haben.»

«Genau. So was kann man nur im Keim ersticken. Weil, wissen Sie, man begegnet ihnen ja im Ausland», sagte sie, «und dann schämt man sich, Amerikanerin zu sein.»

«Die können auch fies werden», sagte Michael. Irgendwie hatte er Lara nicht als Amerikanerin gesehen.

«Ja, natürlich sind sie fies. Auf ihrem Territorium, in der tiefsten Provinz – also an Orten wie diesem hier –, bestimmen sie unser Leben.»

Sie mussten beide lachen.

«Sie werden ja rot. Ich hab Sie doch nicht beleidigt? Oh, anscheinend doch.»

«Nein, Sie haben ja völlig Recht», sagte er. «Hier herrschen Jargon und Kindersprache vor. Aber ich weiß nicht, ob es an ... renommierteren Bildungsstätten besser ist.»

«Es gibt Nuancen», sagte sie. «Universitäten wie Berkeley erschöpfen sich in Politik. Sie stecken tief in der Reaktion, wogegen ich nichts einzuwenden habe. Anderswo – beispielsweise in Yale – sind die Mächtigen bloß zynisch.»

«Sagen Sie mir eins», sagte Michael. «Was macht jemand wie Sie in der tiefsten akademischen Provinz?»

«Ich verdiene es nicht besser», sagte sie. «Und Sie?»

«Ich bin ein waschechter Provinzler.»

«Also ich hatte ja vor», sagte sie, «mich hier mit meinem Ex-Mann niederzulassen. Der Job kam mir sehr gelegen.»

«Es ist keine schlechte Stadt für Kinder.»

Sie schüttelte den Kopf. «Keine Kinder.» Dann sagte sie: «Sie müssen sicher weg. Vermutlich wartet das Abendessen auf Sie.»

«Norman Rockwell», sagte er, «kommt heute zu uns, um uns zu zeichnen.»

Ihre schönen Nasenflügel blähten sich leicht. «Das ist ein Maler, oder? Ein sentimentaler Maler? Sie denken also, dass ich mir Ihr häusliches Leben als sentimentale Idylle vorstelle?»

«Glückliche Familien sind alle gleich», sagte Michael.

«Was gibt's denn zum Abendessen?»

«Schmorbraten.»

«Ein Grund mehr, Sie nicht länger aufzuhalten», sagte Lara. «Sie können Ihrem Schützling Phyllis sagen, dass ich in ihrem Ausschuss mitmache. Hoffentlich bereut sie's nicht.»

«Ganz bestimmt nicht.»

Sie reichte ihm die Hand. «Und wir», sagte sie, «können uns dabei kennen lernen.»

«Ja, das hoffe ich.»

Bevor er sich abwandte, legte sie den Kopf schräg und zog eine Augenbraue hoch. Wie um zu sagen, dass es ihnen vom Schicksal bestimmt sei. Wie um zu sagen, dass es jetzt unausweichlich sei. Beschwingt trat er auf die kalte Straße hinaus.

Vom Coffeeshop nach Hause hatte er eine drei viertel Meile zu gehen. Die Kälte, der Fußmarsch und das Schillernde seiner Begegnung mit Marie-Claire Purcell hatten seinen Appetit auf einen Drink verschärft. Kristin, in Sportkleidung, bereitete in der Küche eines ihrer Schnellgerichte, warmen Räucherlachs mit Dill und Senfsoße. Sie hatte zwei Unterrichtsstunden gehalten und den Rest des Tages am Pool verbracht. Er ging an ihr vorbei und nahm die Scotchflasche aus dem Schrank.

«Du kommst spät», sagte sie.

«Ich wurde aufgehalten.»

«Ach ja?»

Er schenkte sich ein halbes Wasserglas Whiskey ein und ließ Leitungswasser dazulaufen.

«Von Phyllis?», fragte Kristin.

«Ja, mehr oder weniger. Möchtest du ein Bier aus dem Kühlschrank?»

«Sicher», sagte sie. «Was wollte denn die kleine Phyllis von dir?»

Michael nahm das Bier für seine Frau aus dem Kühlschrank.

«Sie wollte, dass ich ihren Prüfungsausschuss zusammenstelle. Also hab ich's gemacht.»

«Manchmal frage ich mich, wer da wen assistiert.»

«*Wem* assistiert.»

Sie wandte sich ihm zu, stellte ihr Bier neben dem Räucherlachs ab und zeigte ihm den Finger. Dann ging sie hinaus.

Michael sprach leise in die Stille, die sie hinterlassen hatte.

«Gibt es ein Gesetz», sagte er, «nach dem du jedes Mal, wenn ich mich halbwegs menschlich fühle, so eine Scheißszene machen musst?»

Er hatte das Gefühl, hart zu landen. Es war durch und durch psychologisch, dachte er, der Zusammenbruch des Elans, das Gefühl, dass man mit dem Kinn auf den Boden knallt. Er hielt das Bild fest: ihre entschwindende Gestalt, ihre aufrechte Haltung, ihr baumelnder Zopf, ihr kleiner, vollkommener Po in der engen hellgrauen Hose. Es war ihm zutiefst unangenehm, aber irgendetwas an ihrem Zorn erregte ihn.

Er trank den Whiskey auf einen Sitz aus. Es langweilte ihn, über die Ätiologie seiner eigenen Erektionen nachzudenken, seiner eigenen Einsichten, literarischer und allgemeiner Art. Die Selbsterforschung langweilte ihn. Ein Mann ohne Bedeutung war eine armselige Figur, und immer mehr, seit der Rotwildjagd, fühlte er sich auch so.

Vielleicht, dachte er, ist es nicht Überdruss, sondern Angst. Die sind ja eng verwandt. Hinter der leichten Gereiztheit der blanke Horror. Sein Sohn kam herein, zog sich sein Hockeyhemd aus und warf es in den Wäschekorb.

«Mom hat eine Stinklaune», sagte der Junge.

«Etwas mehr Respekt, wenn ich bitten darf», sagte Michael und schenkte sich noch einen Drink ein, «vor den Gefühlen deiner Mutter.»

«Häh?»

«Können wir denn Iphigeniens Zorn eine Stinklaune nennen?», fragte er. Und während der arme Junge sich pflichtschuldig zu erinnern versuchte, wer Iphigenie war, befahl Michael ihm, die Wäsche zu waschen. «Schmeiß nicht einfach nur das Hemd da rein. Steck alles in die Maschine. Ich mach das Abendessen fertig.»

Während Paul den Korb in die Waschküche schleppte, ging Michael mit seinem Drink ins Schlafzimmer hinauf. Seine Frau war nirgends zu sehen.

«Kris?»

Die Tür zum Dachgeschoss war nur angelehnt, aber über der Treppe brannte kein Licht. Er machte die Tür ein Stückchen weiter auf. Dahinter war alles dunkel.

«Kris?», rief er nach oben.

«Schon gut», sagte sie. «Tut mir Leid.»

Er fand den Lichtschalter und betätigte ihn, aber offenbar war die Glühbirne kaputt; Treppe und Dachgeschoss blieben im Dunkeln. Er stieg die ersten beiden Stufen hinauf.

«Weißt du», sagte er, «du musst mir glauben, dass nichts zwischen Phyllis und mir ist. Gar nichts.»

«Ich glaube dir», sagte sie. «Ich komme runter. Ich komme gleich runter.»

«Ich mach den Lachs fertig.»

«Ja», sagte sie. «Nur zu.»

Er stand in ihrer Dunkelheit und fragte sich, ob er noch eine Stufe weiter hinaufsteigen sollte.

«Nur zu», sagte sie. «Ich komm gleich.»

Paul stopfte die Wäsche in die Maschine und stellte das Programm ein, und Michael erwärmte den Fisch und machte die scharfe Sauce, aber Kristin ließ sich nicht blicken. Er stellte zwei Teller auf den Küchentisch. Der Pegel in der Whiskeyflasche war inzwischen beträchtlich gesunken.

Paul, hungrig vom Hockeytraining, hatte im Handumdrehen seine erste Portion verdrückt und holte sich einen Nachschlag vom Herd.

«Lass deiner Mutter noch was übrig.»

«Klar, Dad.»

Michael machte sich ein Bier zu dem Räucherlachs auf. «Weißt du, was ich glaube?», sagte er zu seinem Sohn. «Ich glaube, es gibt einen atavistischen Grund, warum wir so scharfe, nahrhafte Sachen mögen. So schmackhafte Sachen.»

«Du meinst so eine Art prähistorischen Trieb?»

«Genau.» Er betrachtete den Lachs in der gelben Senfsauce. «Ich glaube, früher haben wir gern verdorbenes Fleisch ge-

gessen. Wir haben uns sicher Vorräte angelegt wie Bären. Und jetzt sind wir auf der Suche nach diesem Geschmack.»

Michael hielt inne und legte die Gabel weg.

«Ist ja widerlich. Igitt. Würg.»

«Du verwirfst also meine Hypothese?»

Paul, der das Geflachse mit seinem Vater genoss, seit er sprechen gelernt hatte, entdeckte gerade den Unterschied zwischen seinem Vater im nüchternen und seinem Vater im angetrunkenen Zustand. Diesen neuen Spielchen konnte er nichts abgewinnen. Er räumte schweigend sein Geschirr ab, leerte die Reste seines Nachschlags in den Mülleimer und fing mit dem Abwasch an.

Michael blieb noch eine Stunde am Tisch sitzen, trank noch ein bisschen weiter, brütete über dieses und jenes, dachte an sein Treffen mit Lara. Dann fiel ihm Kristin oben in der Dunkelheit ein. Als er hinaufging, saß Paul an seinem Computer. Die Tür zum Dachgeschoss war geschlossen. Dann sah er, dass Kristin zu Bett gegangen war. Sie hatte ihr Haar geöffnet und lag mit dem Gesicht zur Wand. Er legte sich neben sie.

«Ich schwöre dir», sagte er, «ich schwöre es. Es gibt keine andere Frau in meinem Leben außer dir. Keine. Und falls das der Grund für unser Problem miteinander ist ... dann haben wir keins.»

Sie drehte sich zu ihm um. «Du würdest mich doch nicht anlügen, Michael?»

Er legte den Arm um sie.

«Wie kannst du glauben, ich würde alles, was wir haben, für ein Kind wie Phyllis aufs Spiel setzen. Sie ist ein Küken. Also wirklich, Kris.»

Er berührte ihr Wange und sah in ihrem unverwandten

Blick eine Frage. Plötzlich begriff er, was eigentlich auf der Hand lag: dass das Problem nicht die hübsche Phyllis war, sondern etwas anderes, etwas, was Kristin selbst vielleicht nicht verstand. Der Gedanke erschreckte ihn.

Er stand auf, um nach dem Jungen zu sehen. Paul hatte den Computer ausgeschaltet und seinen Tolkien neben der Schreibtischlampe aufgestellt und sprach sein Gebet. Leise sagte er ihm gute Nacht.

«Nacht, Dad.»

Sanft und vorsichtig, um ihr verletztes Bein zu schonen, liebten sie sich. Es war wunderschön, ihren langknochigen, langbeinigen Körper zu ertasten. Einen starken Körper, der überraschend weich war. Sie konnte sehr leidenschaftlich sein, abwechselnd nachgiebig und widerstrebend. Sie hatte eine Art körperlichen Stolz; man musste sie jedes Mal aufs Neue gewinnen, überzeugen. Manchmal ließ ihn das an Logik denken, an kleine Syllogismen, Entdeckungen, Anerkennungen. Aber in dieser Nacht lief es nicht besonders gut. Er sah ständig Lara vor sich; Kristin hielt sich zurück, als könnte sie seine Gedanken lesen.

Ein paar Tage später aß er mit Norman Cevic zu Mittag, in einem Burger-Laden in der Stadt.

«Die Purcell», sagte Norman, «wer hätte das gedacht!»

«Wieso, was ist mit ihr?»

«Die hatte ursprünglich einen Mann. Sie wurden zusammen eingestellt. Vorher hatten sie in Frankreich gelebt. Und auch unterrichtet.»

«War ihr Mann Franzose?»

«Ihr alter Herr war Franzose, und ihr Mann galt als guter Fang für die Politikwissenschaft. Er war so ein Typ wie Ridenhour. Aber irgendwie ist er ihr mittendrin abhanden gekommen.»

Der verstorbene Dr. Nicholas Ridenhour war ein unbedeutender Kalter Krieger mit ausgeprägt rechten Ansichten gewesen, der das Politikwissenschaft-Department der Universität wie ein bewaldetes klerikalfaschistisches Erzherzogtum regierte. Ein Witzbold hatte einmal behauptet, die Angehörigen dieses Departments druckten ihre eigene Goldwährung mit Dr. Nicks Bild darauf.

«Wie, abhanden gekommen?»

«Er hat im Osten einen besseren Job bekommen. Allein.»

«Ein pragmatischer Mann», bemerkte Michael.

«Pragmatisch sind sie beide», sagte Cevic.

«Also hat sie dieselben Ansichten wie ihr Mann?»

«Hör mir zu, Mann», sagte Cevic. «Diese Frau ist gefährlich. Im Ernst!»

«Gefährlich?»

«Und gerissen. Sie hat eine Anhängerschaft – es ist fast schon ein Kult – unter den Studenten.»

«Sie ist attraktiv», sagte Michael.

«Sie ist nicht attraktiv. Sie ist so ziemlich die schärfste Mieze, die hier je aufgetaucht ist.»

«Sie wirkt verrückt», sagte Michael. Der Gedanke war ihm vorher noch nicht gekommen.

«Sie ist es. Und sie macht andere Leute verrückt.»

«Phyllis will sie in ihrem Prüfungsausschuss haben.»

«Tja, mein Lieber», sagte Norman, «das ist gar nicht so leicht für einen jungen Verstand. Vielleicht kannst du ja verhindern, dass sie Phyllis die Kehle durchbeißt.»

An diesem Nachmittag erlebte er in seiner zweiten Stunde, einem Workshop für erklärendes Schreiben, einen Zusammenbruch der Verständigung. Angeführt von einer extrovertierten jungen Sportlerin unternahm es die Gruppe, sich mit den persönlichen Problemen der Figuren in einer vierseitigen Erzählung auseinander zu setzen. Die persönlichen Bedürfnisse und Lebensalternativen dieser Pappkameraden wurden unter die Lupe genommen, als wären sie Gäste in einer jener Talkshows, deren Teilnehmer einander ermorden.

«Herrgott noch mal», sagte Michael. «Sie sollen hier das Leben nachspielen. Das hier ist wie eine Zeichenklasse – die Figuren sind nicht real, wenn Sie sie nicht real machen. Das ist keine Gruppentherapie, keine Sozialarbeit und auch keine Erweckungsveranstaltung! Wie wär's mit ein bisschen mehr Literaturkritik und ein bisschen weniger gegenseitiger Unterstützung?»

Die Studenten trollten sich mürrisch, bevor die Stunde zu Ende war. Es war ihm nicht gelungen, sich verständlich zu machen. Sie hatten nur mitbekommen, dass ihr jugendlicher Eifer geschmäht wurde. Er hatte sich zu drastischen Ausdrücken hinreißen lassen. Er war sarkastisch geworden. Er musste sich vorsehen.

Einigermaßen durcheinander ging er ins Hallenbad, um ein bisschen zu schwimmen. Die dampfende Dusche und die verflüssigten Echos waren tröstlich an diesem rauen Wintertag. Er hatte luxuriöserweise eine Bahn für sich allein. Er schwamm, so schnell er konnte, um die Schatten in seinem Inneren hinter sich zu lassen. Eine fällig gewordene Rechnung war ihm präsentiert worden.

Er war, so schien es ihm, mit dem Zufallsprinzip recht gut

gefahren. Zumindest bei Tage war die Zufälligkeit – es sei denn, man versteifte sich darauf, alles gedanklich zu durchdringen – nicht weniger grausam als irgendeine geheimnisvolle Vorsehung. Er hatte sich immer für einen Mann gehalten, der sich glücklich schätzen konnte.

Er holte sich gerade eine Dose gekühlten Grapefruitsaft aus einem Automaten im Vorraum, als er Lara Purcell sah, die Wasser aus einer Flasche trank. Sie trug ein ärmelloses schwarzes Trikot und hatte ein feuchtes Handtuch um den Hals.

«Na, machen Sie Ihr Aerobic?», fragte Michael.

«Nein, Squash.»

«Und, wo nehmen Sie da die Partner her?»

«Ach, es gibt hier ein paar phantastische Frauen. Aber ich spiele auch mit Männern.» Sie leerte die Plastikflasche und warf sie in den Abfallkorb an der Wand – ein Korbwurf ohne «Knochen». «Spielen Sie auch?»

«Ich spiele Racquetball.»

«Oh», sagte Lara. «Das kann ich auch.»

«Wie wär's morgen?»

«Wann?»

«Drei?»

Das hätte bedeutet, dass er verdächtig spät heimkommen würde, falls sie hinterher noch einen Kaffee trinken gingen. Um vier wurde es schon dunkel. Sie einigten sich auf zwei.

«Wenn Sie gut genug sind», sagte Dr. Purcell, «bringe ich Ihnen Squash bei.»

Von seinem Büro aus rief er Norman Cevic an.

«Also, Lara Purcell hat mich zum Squash eingeladen.»

«Und, was soll ich dazu sagen, Michael?»

«Ist das ein Annäherungsversuch?»

«Zu zweit halb nackt hinter verschlossenen Türen herumtoben? Was denkst du denn?»

«Ich hätte ablehnen müssen», sagte Michael.

«Und, hast du's getan?»

«Nein, ich hab angenommen. Racquetball, genauer gesagt.»

«Weißt du was?», sagte Norman. «Einige unserer Kolleginnen – ich nenne keine Namen – ticken einfach nicht richtig. Das ist das Verhängnis, das nach Opfern sucht. Wer weiß, was für Spiele die im Sinn haben. Squash wohl eher nicht.»

«Ich ruf sie an», sagte Michael. «Irgendeine Ausrede fällt mir schon ein.»

«Na ja», sagte Norman, «du bist ja ein Mann von Welt.»

Sehr witzig, dachte Michael. Aber es stimmte nicht. Er war der Sohn einer Dorfschullehrerin, der Enkel von Landarbeitern, und hatte gleich nach der Highschool geheiratet. Er war ein akademisch gebildeter Hinterwäldler.

Am Abend brachte PBS eine fesselnde Reportage über verurteilte Mörder, die in der Todeszelle auf ihre Hinrichtung warten. Die Ahearns waren ziemlich erschüttert. Was für ein Albtraum, einem so grausamen und willkürlichen Rechtssystem in die Hände zu fallen, das in seiner totalen Verantwortungslosigkeit absolut surreal anmutete. Man hätte glatt wieder anfangen können zu beten.

Kristin hatte Paul nicht erlaubt, sich den Bericht anzusehen, denn der Sender hatte eine entsprechende Warnung ausgesprochen. Michael fand diese Entscheidung falsch, wollte sich aber nicht mit Kristin streiten. Hinterher tat es ihm Leid.

Am Morgen las er die Arbeiten seiner Studenten über Kate Chopins *Das Erwachen*. Viele hatten sich nicht die Mühe gemacht, das Buch ganz zu lesen. Einige von ihnen verglichen es mit *Madame Bovary*, was sie wahrscheinlich aus irgendeiner gängigen Studienausgabe hatten. Ein paar entschuldigten sich dafür, dass sie kein Verständnis für die Heldin aufbrachten, in der vagen Annahme, es werde von ihnen erwartet. Die Feministinnen in dem Kurs taten Edna als flatterhaftes Geschöpf ab. Eros und Thanatos seien zu seltsam und reaktionär, auch dann, wenn man sich ihnen in einem einsamen Akt persönlicher Befreiung hingab.

Diese Reaktion war nicht weiter erstaunlich. Einsame Akte persönlicher Befreiung waren etwas, was man jedem ersparen oder verbieten sollte. Sie standen für das Scheitern jeder Progressivität. Der Mut, man selbst zu sein, eine an Unis wie der ihrigen viel gepriesene Tugend, verlor seinen Glanz, wenn man egoistisch und mannstoll und eine schlechte Mutter war wie Edna.

Der Gedanke kam ihm, dass er in seiner ganzen Laufbahn gegen den literarischen Vitalismus gepredigt, sich über die Überheblichkeit der Antinomisten, der gehemmten Libertins, mokiert hatte. Wenn das, was er dachte und sagte, überhaupt eine Rolle spielte, würde er jetzt alles neu überdenken müssen. Nach ein, zwei Stunden assoziierte er die Heimtücke des literarischen Vitalismus bereits mit seinem nachmittäglichen Racquetballspiel. Er ließ das Mittagessen aus und ging rechtzeitig zur Sporthalle. Lara hatte einen Platz reserviert.

Sie spielten eine Stunde. Professor Purcell trug Latex-Shorts und eine rote Clubweste und hatte ihr dunkles Haar mit einem schwarzgelben Band zu einem Pferdeschwanz gebunden. Sie spielte zur Vorderwand, offenbar ganz auf das Spiel konzentriert. Sie war schnell und stark und hatte keine Angst davor, getroffen zu werden, keine Angst vor dem Ball. In zwei der Fünfzehn-Punkte-Spiele schlug sie ihn, und sie wurde immer besser. Das letzte Spiel war für ihn das schwerste; fast ein dutzend Mal wechselte der Vorteil, bevor er schließlich gewann. Es kam ihm vor, als hätte er nie gegen eine bessere Sportlerin gespielt. Als sie das letzte Spiel beendeten, blitzte vor seinem inneren Auge plötzlich ein Bild vom Sommer auf, von Tennis und Limonade, eine Vorfreude, wie er sie seit Wochen nicht mehr empfunden hatte.

Als sie sich endlich geschlagen geben musste, nahm sie ihre Schutzbrille ab, wischte sich den Schweiß von der Stirn und legte ihm die rechte Hand auf die Schulter. Er spürte die Berührung mit jeder Faser.

«Mann», sagte sie, «Sie sind gut.»

Michael war so außer Atem, dass er kaum antworten konnte.

«Bringen Sie mir jetzt Squash bei?»

Sie lachte und schüttelte den Kopf.

Sie trafen sich, angezogen, im Vorraum mit seinen Vitrinen voller Pokale und gerahmter Fotos von Teams bis zurück in die zwanziger Jahre.

«Kaffee?», fragte Michael.

Sie zögerte. «Ehrlich gesagt bin ich restlos bedient. Sie haben keine Lust auf eine Massage, oder?»

Das konnte doch nur ein Scherz sein.

«Tut mir Leid, nein.»

«Also es gibt da eine Lettin, zu der gehe ich immer. Ich glaube, das brauch ich jetzt.»

«Gute Idee», sagte Michael. «Wenn ich eine Lettin hätte, würde ich auch hingehen.»

«Ach», sagte Lara, «da käme ich mir egoistisch vor. Wir machen was gemeinsam. Was Sie am liebsten möchten.»

«Ich würde jetzt am liebsten ein Bier trinken.»

«Bisschen dekadent, nein?»

«Überhaupt nicht», widersprach Michael. «Sehr gesund. Und richtig schön provinziell.»

Sie fuhren in ihrem Saab zu einer Sportbar in einer Mall inmitten von Milchviehfarmen, deren Silos und Tanks die falschen Fliesen und Blechtürme der Mall überragten. Ein paar Studenten vom Campus und eine Tischrunde von FedEx-Fahrern, die Feierabend hatten, verfolgten lustlos ein englisches Fußballspiel auf dem Großbildschirm der Bar. Sunderland gegen Manchester United. Der Reporter musste sich gegen Billy Joel behaupten.

Lara trug einen knöchellangen Fuchspelz. Als er ihn für sie aufhängte, spürte er die Wärme ihres Körpers am Seidenfutter des Mantels. Er strich mit den Fingern über den Pelz. In der Bar gab es Harp-Lager vom Fass.

«Heute Nacht kann ich bestimmt gut schlafen», sagte Lara mit katzenhafter Behaglichkeit.

«Ich hoffentlich auch.»

«Schlafen Sie nicht gut?»

Er nickte achselzuckend.

«Lassen Sie sich doch auf der Krankenstation was geben.»

«Der Typ kann mich nicht leiden.»

«Unsinn. Bestehen Sie drauf.»

«Ach, Sie wissen doch, wie die sind. Der glaubt an Baldrian. Der glaubt, Müdigkeit ist das beste Ruhekissen. Er glaubt, dass Menschen nicht unbedingt schlafen müssen. Er sagt gern nein.»

«Sie müssen schlafen», sagte sie. «Ich geb Ihnen was.»

Ihre Lippen waren nur Zentimeter entfernt, und als er sie küsste, meinte er leise Bravorufe von der Bar zu hören. Sie ließen sich gegen die gepolsterte Rückenlehne sinken. Michael bekam weiche Knie, und ihm wurde schwindlig.

«Wollen wir morgen wieder spielen?», fragte sie. «Ich bring dir Squash bei.»

«Ich kann diesen Gegen-ein-Mädchen-verlieren-Quatsch nicht leiden», sagte Michael. «Das ist gegen die Religion.»

«Ich bin eine gute Lehrerin. Ich bring dich so weit, dass du mich schlägst. Wir machen eine Oper draus.»

«Squash?», fragte Michael.

«Squash ist das Spiel des Schicksals. Das Ballspiel schlechthin. Man muss bereit sein zu sterben.»

«Vielleicht kann ich dich schlagen», sagte Michael. «Wenn ich es schaffe, kriege ich deine Kleider. Ist das nicht recht und billig? Auf der Basis könnten wir uns einigen.»

«Sieh an, sieh an», sagte sie. «Du wirst in Ketten singen. Dein weiches Herz wird offen vor mir liegen.»

Er küsste sie wieder.

Als Paul an diesem Abend zu Bett gegangen war, fragte ihn Kristin: «Hast du schon mal dran gedacht, zu den Anonymen Alkoholikern zu gehen?»

«Keine Sekunde», sagte Michael.

«Ich geh vielleicht hin.»

«Im Ernst? Ist dir abends langweilig? Angeblich kann man da sehr gut Typen aufreißen.»

Wie gewöhnlich ließ sie den Sarkasmus ins Leere laufen.

Sie war immun. «Ich denke manchmal, wie distanziert du oft bist. Als ob du gar nicht da wärst.»

Sie waren im ersten Stock und räumten ein Zimmer voller Regale auf, in die sie die Bücher stellten, für die unten kein Platz mehr war.

«Aber ich bin doch da, Kris.» Stures Leugnen war die beste Taktik.

Sie nahm ein Buch ohne Schutzumschlag in die Hand und schaute auf den Rücken. «Ich bin vielleicht ein dummer Dickschädel, mein Lieber, aber ich merke genau, ob du bei mir bist oder nicht.»

Sie gingen zu Bett. Michael knipste seine Nachttischlampe aus und drehte Kristin den Rücken zu. Sie lag neben ihm, steif wie gestärkte Wäsche, und las oder tat so, als läse sie. Er schlief vor ihr ein.

3 Tags darauf spielte er wieder Racquetball mit Lara und servierte ein Ass nach dem anderen. Immer wieder berührten sich ihre Körper, sodass das Spiel für ihn aus lauter kurzen sinnlichen Eindrücken bestand, von denen jeder ihn schon auf den nächsten warten ließ: ihre Brust an seinem Arm, ihr Handgelenk für einen Moment mit seinem verschränkt, wenn sie sein Racquet aufhob.

«Dein Punkt», sagte sie.

«Nein, deiner.»

Unter der Dusche war er erregt, hatte Angst und Schuldgefühle. Am Morgen hatten er und Kristin zusammen über etwas in der Zeitung gelacht. Irgendeine drollige Blödelei in einem Leitartikel. Dass sie sich beide über denselben Scherz amüsierten, war selten geworden; es war ermutigend, ein gutes Zeichen. Aber kein noch so heißes Wasser konnte die schimmernde Erinnerung an Laras Berührung abwaschen.

«Na komm», sagte sie, als sie geduscht und angezogen waren. «Fahren wir.»

Es war abgemacht, dass sie zu ihr nach Hause fahren würden. Er stieg in ihren Saab. Auf der Fahrt strich er mit der Hand über die lederne Armlehne. Sein Interesse galt den weichen Formen ihres Schenkels auf dem Sitz neben ihm. Mein Gott, dachte er, wenigstens einmal im Leben könntest du dir doch klar machen, was du willst und was du nicht willst. Es war noch nicht lange her, dass er über seine Glücksfähigkeit nachgedacht hatte. Natürlich war das alles aus Verzweiflung geschehen.

«Was für Sportarten magst du sonst noch?», fragte sie ihn.

«Ich schwimme gern. Ich tauche jeden Sommer im Lake Superior nach versunkenen Wracks. Die Virginia Giles haben wir schon vom Bug bis zum Heck erkundet.»

«Aha. Ich tauche auch. Warst du mal in tropischen Gewässern?»

«Ja, einmal. Auf einer Charterfahrt nach Bonaire.»

«Und, war's schön?»

Er zuckte die Achseln. «Man kann es nicht beschreiben. Es war himmlisch. Aber eigentlich steh ich auf untergegangene Schiffe. Vor Block Island hab ich mal ein deutsches U-Boot durchsucht, in ganzer Länge. Das vergess ich nie.»

«Mir sind Korallenriffe lieber», sagte sie. «In Wracks sind zu viele Geister.»

Es war ein klarer, fast windstiller Tag. Sie hielt vor dem Stall, und sie stiegen aus. Er folgte ihr und sah zu, wie sie die Türen entriegelte. Es war ein Pferdestall mit sechs Boxen, und zwei der Boxen waren besetzt, die eine mit einem schönen Fuchs, die andere mit einem Grauschimmel. Beide Pferde wandten den Kopf, als sie sie berührte, und der Grauschimmel schnappte nach ihren Fingern, bis sie die Hand zurückzog. In der eisigen Luft sah man die Atemwolken der Pferde.

«Versorgst du sie selbst?»

«Meistens, ja, aber wenn ich Hilfe brauche, gibt es an der Uni genug Farmerstöchter.»

Sie nahm eine Bürste von einem Haken und begann das Fell des Fuchses zu striegeln. Diesmal hatte sie nur einen Skianorak über den Spandex-Dress angezogen, in dem sie gespielt hatte.

«Ich bewege sie morgens. Bist du Frühaufsteher? Komm doch mal zuschauen.»

«Am Morgen füttere ich meine eigenen Tierchen mit Leckerlis.»

«Natürlich», sagte sie. Sie ging in die nächste Box und striegelte das zweite Pferd. Dann hängte sie die Bürste auf und ging mit ihm ins Haus.

«Soll ich Feuer machen? Es liegt alles bereit.»

Während er Seiten von *L'Express* zusammenknüllte und Späne aufsammelte, sagte sie: «Ich heize auch im Schlafzimmer ein.»

Er zündete das Papier und die Späne an. An der Wohnzimmerwand hing über einem Sideboard das Porträt des Senators. Im Zimmer nebenan sang Lara etwas auf Französisch, eine einfache Melodie, die er schon einmal gehört hatte. Vielleicht ein Kinderlied.

Er wischte sich die Holzkrümel von den Händen und ging ins Schlafzimmer, wo sie am Ofen stand, schob seine Hände unter ihren Anorak und zog sie an sich. Sie schloss die Augen und lächelte leicht. Als er ihren Körper spürte, wich die Kraft aus ihm, Sekunde für Sekunde. Die teils braune, teils weiße Säule ihres Halses, ihre festen Brüste, die Rundung und die Falte am warmen, seidigen Hosenboden ihres Spandex unter seinen streichelnden Händen – Blindheit, Schwindel. Erdhügel, Himmelsgewölbe, Reinheit, Verderbtheit, Unverdorbenheit. Seligkeit, Grab. Fleisch als Übertretung, Wonne,

Freiheit, Abfall, Vergessen. Sich in ihr vergraben und schweben, sie in seinen eigenen Willen verwandeln. Ihr Haar war feucht und duftete. All das wollte er. Hatte er schon so lange gewollt.

Wo er sie auch berührte, es erregte ihn; er schauderte trotz der Wärme. Sie fasste seine Hände, schob sie von sich und hielt sie an seinen Seiten fest; er sah in ihr seltsam reserviertes Lächeln. Dann führte sie seine Hände hinter seinen Rücken, wie bei einem Gefangenen, und stellte sich auf seine Füße, sodass sie zwei Fingerbreit größer wurde als er. Sie küsste ihn auf den Mund. Sie ließ seine Hände los, strich über seinen Körper, schob ihre Daumen in seine Achselhöhlen, spielte mit seiner Erektion.

«Liebste», sagte er. Eine absurde Äußerung, und sie lachte ihn prompt aus.

Im Bett lachte sie wieder über ihn, als er sie fragte, ob sie einen Orgasmus gehabt habe.

«Mehrere, chéri. Ja, ja, wirklich», versicherte sie, als hätte er es angezweifelt. «Aber sag mal», und sie kicherte leise, «deine Frau, die Chaucerianerin, hat die dir nie gesagt, wo ihr Kitzler ist? Weil» – sie führte seine Hand an den oberen Rand ihrer Vagina und legte seine Finger auf den Knopf –, «weil der nämlich hier ist. Voilà?»

Michael schämte sich für sich selbst und für Kristin, die er liebte.

«Aber vielleicht weiß sie es ja selber nicht, hm? Wo der gute, treue Kamerad ist. Wenn am Abend Norman Rockwell kommt, um euch zu malen, kannst du ihn ja mal bitten, ihr zu zeigen, wo er ist.»

«Ich mag's nicht», sagte er, «wenn du Menschen herabsetzt, die ich liebe. Mit mir kannst du machen, was du willst. Ich weiß, dass ich ein Idiot bin.»

«Oh, oh», sagte Lara, «ich war unartig. Ich habe die Tugend gekränkt, hm, die ich noch nicht mal erkenne, wenn sie mich in den Hintern tritt. Okay», sagte sie, «bestrafe mich.»

Er sah, dass sie einen Riemen ähnlich einem Hundehalsband in der Hand hielt. Sie hatte ihn unter dem Kissen oder unter dem Bett hervorgeholt.

«Nur zu, bestraf mich.»

Der Riemen war ein seltsames kleines Instrument. Er hatte keine Schnalle und anscheinend auch keine Löcher für einen Metallstift. Lara gab ihm das Ding und ließ den Kopf aufs Bett zurückfallen, sodass sie ihm die Kehle darbot, während ihre Stirn nach hinten zeigte. Sie ließ ihn das Weiße ihrer Augen sehen und streckte ihre Gliedmaßen zu den vier Ecken des Bettes, die Arme am Ellbogen nach oben gedreht.

«Ich bin unartig gewesen, eh? Ich habe die kleine Demivierge beleidigt, mit der du verheiratet bist.» Sie legte sich den Riemen um den Hals. «Na los, all-American boy, bestraf mich.»

Er betrachtete die schöne Muskulatur ihres Halses, seine Kraft, seine vollkommene Haut, und zog den Riemen enger.

Sie schaute ihm in die Augen und beschimpfte ihn in einem Französisch, von dem er kein Wort verstand, und er zog den Riemen enger, bis sie aufhören musste. Dann hielt er ihn noch eine Weile so eng zusammengezogen. Ihre Augen weiteten sich. Die ganze Zeit hielt sie ihre Glieder steif zu den Ecken des Bettes hin gestreckt.

Rote Striemen zeigten sich an ihrem Hals, als er den Riemen wegwarf. Sie betastete sie.

«Gefällt's dir?», fragte sie.

Es gefiel ihm. Diesmal hatte er keine Schwierigkeiten mit ihrer Klitoris, und sie leckten einander, als wollten sie sich gegenseitig austrocknen, durstig, wie Hunde.

Hinterher lagen sie lange Zeit schweigend nebeneinander.

«O Gott, Baby», sagte sie.

Draußen war es dunkel geworden. Es war auch dunkel im Zimmer, bis auf den Schein des Feuers, das sie gemacht hatte.

«O Gott, Baby ist das richtige Wort», sagte Michael.

«Es ist spät. Du bist spät dran.»

«Scheiß drauf.»

Sie setzte sich auf und schlug ihn klatschend auf die Schulter.

«O nein! Du spielst mir jetzt nicht den kleinen Jungen.»

«Nein? Ich darf kein kleiner Junge sein bei dir?»

«Nichts da! Du duschst dich jetzt und fährst nach Hause zum Abendessen und zu Mr. Rockwell.» Sie kam auf die andere Seite des Bettes, setzte sich neben ihn, nahm sein Gesicht in beide Hände und küsste ihn. «Sonst muss ich dich fortschicken, und du darfst nie mehr wiederkommen und damit basta. Kapiert?» Sie stieß ihn leicht in die Rippen. «Hast du kapiert, Kumpel?»

«Aua.»

«Mmm», gurrte sie in gespielter Besorgnis, «pauvre bébé. Böse Welt.»

Er ging in ihr Badezimmer. Hätte er ohne das weiterleben können, was gerade passiert war? Ohne sie auskommen? Die Antwort lautete Ja, er hätte gut ohne sie auskommen können. Es wäre, im Rückblick, ein Leichtes gewesen, ein

Mann mit Grundsätzen zu sein und es gar nicht erst so weit kommen zu lassen. Jetzt war es zu spät. Er stellte sich unter den kräftigen Wasserstrahl. Waschen, waschen, waschen, den ganzen Tag. Zur Lust getauft, dachte er. Wieder frei.

Sie fuhr ihn zum Campus zurück, wo sein Wagen stand. Auf der Heimfahrt stellte er sich ständig vor, wie misstrauisch Kristin sein würde, wie aufgebracht über seine Verspätung. Es war fast acht, zu spät zum Abendessen mit den anderen, zu spät, um Paul bei den Schularbeiten zu helfen.

Als er aus dem Auto stieg, sah er als erstes Pauls leicht besorgtes Gesicht am Küchenfenster. Es hatte angefangen zu schneien. Als er hineinging und es drinnen noch appetitlich nach Abendessen roch, merkte er, dass er einen Mordshunger hatte.

«Ich hab ein paar Scheiben Lamm im Rohr gelassen», sagte Kristin, als sie hereinkam. «Die werden ganz schön ausgetrocknet sein.»

«Tut mir Leid», sagte er. «Ich hab mich mit dem Phyllis-Strom-Ausschuss befassen müssen.» Die akademische Laufbahn von Phyllis Strom hatte als Alibi ihre dornigen Aspekte.

«Wirklich?», fragte Kristin. «Und wie ist es so im Phyllis-Strom-Ausschuss?»

«Keine Sekunde langweilig», sagte Michael.

4 In der schneeumschlossenen Stille seines Zimmers in der Bibliothek las Michael die Überlegungen eines gewissen Keith Michneicki zu Stephen Cranes *Das rote Siegel*. Keith war ein Einundzwanzigjähriger aus dem Obstbaugebiet an den Seen. Er war ein Hockeystar und außerdem ein aufmerksamer, nachdenklicher Leser.

Vielleicht als Einziger seines Kurses hatte Keith den Vitalismus erkannt, um den es in dem Buch ging, das Priestertum der Lebenskraft, das Rätsel von Blut und Opfer. Wie jeder brave, saubere amerikanische Junge gab er vor, nicht zu kennen, was er vor sich sah, und hatte den Inhalt falsch dargestellt.

«Henry begreift», hatte Keith geschrieben, «dass wir das Zeug dazu haben, es mit jeder Herausforderung des Lebens aufzunehmen.»

Das war unentschuldbar, auch wenn unten am See, im Land der Apfelbauern, viele Leute immer noch glaubten, dass man seine Söhne aufs College schickte, damit sie dort solche Lektionen lernten.

«Lesen Sie das Buch!», schrieb er auf Michneickis Arbeit. «Ist es Propaganda? Wahrheit oder Illusion?»

Dann schob er die Arbeiten beiseite und ging an seinen Computer. Von Norman Cevic angeregt, hatte er schon viel

Zeit damit verbracht, seiner neuen Freundin Lara im Internet nachzuspüren.

Er fand zuerst ihren Ex-Ehemann, einen Franzosen namens Laurent Corvus, Absolvent der École Normale Supérieure und der Universität Genf, in Afrika Assistent des inzwischen verstorbenen Desmond Jenkins, eines linksgerichteten europäischen Kolonialismus-Experten. Er hatte als Lehrer an höheren Schulen begonnen und dann im Nahen Osten für das Rote Kreuz und für die UNRRA gearbeitet. Michael hatte ihn auf einer Site über auswärtige Beziehungen und Sicherheitsfragen gefunden. Corvus war an verschiedenen afrikanischen Universitäten Vizekanzler oder stellvertretender Rektor gewesen. Schwer vorstellbar, wie es so einen Mann nach Fort Salines verschlagen hatte.

Lara selbst war unter ihrem Mädchennamen Purcell auf einigen anderen Sites vertreten. Sie war in der Schweiz zur Schule gegangen und hatte an der Sorbonne promoviert. Ihr Fachgebiet waren die Karibik und ehemalige Kolonialgebiete allgemein. Sie hatte mit ihrem Mann zusammengearbeitet und war ebenfalls Assistentin von Desmond Jenkins gewesen.

Marie-Claire Purcell war auf St. Trinity aufgewachsen, einer armen Insel am Ellbogen der Windward Islands; ihr Eintrag enthielt auch eine kurz gefasste Geschichte der Insel. St. Trinity war eine britische Zuckerinsel mit einer exotischen Exilkultur. Im Jahre 1804, am Ende der haitianischen Unabhängigkeitskriege, waren Hunderte französischer Sklavenhalter mit ihrem Eigentum und ihren Sklaven von Cap Haitien gekommen. Der Voodoo und verschiedene Formen der französischen Sprache waren hier noch lebendig.

Auf der Site waren auch ihre Veröffentlichungen aufgeführt: eine kurze Geschichte von St. Trinity, eine Untersuchung der französischen Kolonisierung in Westafrika und der Karibik. Des Weiteren wurde für ein Hotel geworben, das ihre Familie offenbar in All Saints Bay im Süden der Insel besaß. Und es waren auch einige Bücher ihres Bruders John-Paul Purcell aufgelistet, eines Experten für karibische Religionspraktiken. Er hatte viel geschrieben und publiziert. Lara selbst saß im Aufsichtsrat eines Unternehmens, das in den tropischen Gebieten von Nord- und Südamerika tätig war. Außerdem hatte sie offenbar Beziehungen zu Abouye-Carib.com, was immer hinter diesem Link stecken mochte.

Die Site war jedoch nur über ein Fenster zugänglich, das in der Mitte von Michaels Bildschirm erschien und zur Eingabe eines Passwortes aufforderte. Das Fenster war kunstvoll gestaltet und wirkte irgendwie abweisend. Er hatte sich erst spät und mit Widerwillen in die Welt des Internets vorgewagt – seine Phobie war nur unwesentlich schwächer als die seiner Frau. Seine bisher einzige elektronische Glanzleistung hatte darin bestanden, dass er das Passwort auf dem Computer seines Sohnes geknackt hatte. Es lautete Falo, der Name des Hundes rückwärts gelesen.

Er hatte vorgehabt, sich mit Cevic zum Mittagessen zu treffen und mit ihm zu besprechen, was er sich aus dem Internet ausgedruckt hatte. Aber das war nicht sehr viel. Als er in der Eiseskälte durch den Schneematsch von seinem Büro zu dem Restaurant in der Stadt ging, beschloss er deshalb, die paar Dokumente lieber für sich zu behalten.

Bei gegrilltem Rindfleisch beklagte sich Norman über die College-Bürokratie. Er hatte den Vormittag als Vertreter des

Lehrkörpers in einem Ausschuss zugebracht, der mit der Gewerkschaft der College-Angestellten verhandelte. Michael hörte ihm ungeduldig zu.

«Was meinst du», fragte er Cevic, als sie ihre Sandwiches aufgegessen hatten, «sind die Geheimdienste bei uns auf dem Campus vertreten?»

«Ah!», sagte Norman. Das war eine Frage, wie sie ihm lag, ein Thema, über das er sich gern ausließ. Wie viel er wirklich darüber wusste, stand allerdings auf einem anderen Blatt.

«Sind welche von denen hier?»

«O ja», sagte Norman, «es sind schon welche da.» Es wäre auch seltsam gewesen, wenn Norman das Gegenteil behauptet hätte.

«Wo denn zum Beispiel?» fragte Michael.

«Das fragst du am besten deine neue Kollegin. Sie arbeitet ja in dem Laden, den Ridenhour bis zu seinem Tod geführt hat. Und das Department von Prof. Dr. Ridenhour ist bestimmt die Antwort auf deine Frage. Ich meine», fuhr Norman fort, «das ist doch interessant. Ich erteile dir die Genehmigung, dich mit Lara zu verlustieren, und jetzt fragst du mich nach irgendwelchen dunklen Machenschaften. Willst du mir nicht sagen, was dich zu dieser Frage veranlasst hat?»

«Ich dachte nur, weil sie doch für unser Provinznest eine ziemlich kosmopolitische Biographie hat.»

«Jetzt bin ich aber beleidigt», sagte Norman Cevic. Und er war es natürlich auch. Ahearn hatte nie gelernt, aufmerksam genug zuzuhören. «Ich nehme für mich auch einen kosmopolitischen Werdegang in Anspruch. Ich komme immerhin aus Iron Falls. Und bin doch hier.»

«Du bist ein Regionalfachmann», sagte Michael, sich zu einer Schmeichelei aufraffend. «Du bist hier wegen deiner eigenen Forschungsarbeit. Die Ridenhour-Leute dagegen ...»

Cevic schien beschwichtigt.

«Ich hab ja während des Krieges im Ausland gearbeitet», sagte er. «Eine Zeit lang war ich überall auf der Welt tätig. Das Michigan-Projekt. Entwicklungshilfe.»

«Deswegen stelle ich dir ja diese Frage, Norman.»

«Ridenhour hatte seine große Zeit», sagte Norman. «Er hat sich hier am Ende der Welt verkrochen, aber er hatte Freunde bei Hofe.»

Norman spielte mit der teuren Packung Zigaretten, die er sich im Tabakgeschäft in der Stadt gekauft hatte. Hier durfte er sich keine anzünden. Als er einmal kurz erwogen hatte, wieder mit dem Rauchen anzufangen, hatte Michael entdeckt, dass man so gut wie nirgends mehr rauchen durfte. Norman sprach weiter.

«Ende der siebziger Jahre hatten die Geheimdienstler ihren Einfluss an den Universitäten der Ostküste verloren. Ausgenommen Orte wie Yale, wo sie praktisch in die Gebäude eingemauert waren – aber auch dort mussten sie verdeckt arbeiten. Also haben sie sich neue Betätigungsfelder in Städten wie dieser hier gesucht. An den großen Universitäten konnten sie keine Leute anwerben – die Gegenseite hat ganz bewusst die Strategie verfolgt, die zuständigen Gremien durch Demonstrationen dazu zu bringen, die CIA zu vertreiben. Und so weiter. Aber hier draußen ist die Milch des Patriotismus nie verwässert worden, stimmt's? Die Army. Der militärische Geheimdienst kann an solchen Orten erfolgreich arbeiten. Die Uniform, die Flagge.»

Norman lehnte sich zurück; er erwärmte sich für das Thema, die Jahre seiner provinziellen Teilhabe an der Macht.

«Also, die Snobs in Washington haben gemeckert, dass sie nicht mehr die besten Leute kriegen. Es war ihnen zuwider, dass die Geheimdienstarbeit eine Beschäftigung für Ungebildete wurde. Dasselbe war vorher schon mit dem Offizierskorps passiert. Sie haben gesagt, Scheiße, das wird ja wie Hoovers FBI, Söhne von mormonischen Farmern, Söhne von Bostoner Polizisten.»

«Also», sagte Michael, «haben sie Leute wie uns bekommen.»

«Sie haben entdeckt, wie nützlich widrige Umstände sein können. Hier konnten sie operieren, ohne dass man ihnen groß auf die Finger gesehen hätte. Sie konnten Leute loswerden, sie konnten Leute, die zu heiß geworden waren, hier auf Eis legen, bis sie abgekühlt waren. Da kam einer daher, und irgendwann ist man dahinter gekommen, dass er vorher eine Denkfabrik in Hawaii geleitet hatte oder dass er in Yale in den Skull-and-Bones-Orden eingetreten war. Was machte der hier? Nur keine Fragen stellen, wie es immer hieß. Sie haben die Leute hierher geschickt, so wie sie einen viel versprechenden Offizier auf die Stabsschule oder aufs War College geschickt haben. Was er tat, war nicht unbedingt das, was man dachte, dass er tut.»

«Ridenhours Szene war also eine Art Unterschlupf?»

«Ja. Wie ein Konsulat. Ein Stift. Eine Klause. Was du willst.»

«Also», sagte Michael, «wir haben Ridenhour und seinen Laden. Aber der Kalte Krieg ist vorbei. Ridenhour ist tot. Was hat das Leben diesen Leuten noch zu bieten?»

«Die Kapitäne und die Könige empfehlen sich», sagte Norman. «Die Ostermarschierer sind jetzt Online-Day-Trader, ihre Meister und Manipulatoren, die jungen Lenins der Bewegung, leiten Departments und verschaffen ihren Sprösslingen Volontariate beim Senat. Mann, ich könnte dir Geschichten erzählen. Ich könnte dir Zwischenfälle beschreiben. Und ich könnte Beweise vorlegen, Mann.» Norman schüttelte knurrend den Kopf.

«Nichts mehr davon übrig?»

«Geheimnisse, Michael.»

«Geheimnisse?»

«Vielleicht kann man jetzt wieder in Harvard Leute anwerben. Aber die Wände haben Augen. An Orte wie unseren kann man die Unfallopfer schicken, die Ausgebrannten, die Männer, die zu viel wussten. Diese kleinen Welten sind beherrschbar. Abgesehen davon», sagte er und richtete sich auf, «gibt es nur noch verdammt wenig, was der Geheimhaltung würdig wäre. In puncto Sicherheit spielt der Nahe Osten die Hauptrolle. Aber die Leute, die sie dafür brauchen, sind alle schon an Bord. Was übrig bleibt, ist der Drogenkrieg, und der interessiert kaum jemanden. Das ist gefährlich. Und es ist im Grunde genommen langweilig, weil nichts Kulturelles dahinter steht. Es stinkt. Danach würde ich hier nicht suchen.»

«Ich hab gedacht, hierher kommen sie, wenn sie nicht mehr wissen, wohin.»

«Ja, wir haben hier den reinsten Friedhof», sagte Norman. Er warf Michael einen Blick zu. «Ausgenommen deine Freundin. Die ist quicklebendig.»

«Du meinst Lara.»

Norman mimte gekonnt den Erstaunten.

«Hab ich Lara gesagt?» Er versuchte, seiner rauen Stimme einen zarten Klang zu geben.

«Du hast Freundin gesagt.»

«Ein Lapsus, mein Junge. Aber Madame hat doch bestimmt einen aufregenden Lebenslauf, *n'est-ce pas?* Hast du dich schlau gemacht?»

«Ja, aber irgendwann ging's ohne Passwort nicht mehr weiter.»

«Typisch», sagte Norman. «Wenn man das knacken könnte!»

Michael sagte nichts.

Als er wieder vor seinem Computer saß, verfolgte er Lara bis an ihre Höhle hinter dem seltsamen Fenster, das ein Passwort verlangte. Bei genauerem Hinsehen war die Grafik noch ominöser, als es ihm auf den ersten Blick vorgekommen war. Es hatte irgendetwas mit den Farben zu tun. War die rotorange schattierte Figur ein Hahnenkamm? War das vermeintliche Gesicht wirklich eines? Hatte es wirklich ein Furcht einflößendes Maul mit blutigen Fangzähnen wie die eines Mandrills? Was lauerte sonst noch hinter den dunkelgrünen Stängeln?

Das Ding war verstörend. Jedes Mal, wenn er es wegklickte, schien es ein Nachbild mitten auf dem Bildschirm zu hinterlassen. Eine dieser gespenstischen Sachen, die man im Internet finden konnte. Jeder wusste, dass es da von solchen Sachen wimmelte. Und hinter diesem lauerte irgendein Aspekt dieser Frau.

Als es dämmerte, erschien Michneicki, der Hockey spielende Apfelpflücker, um seine Arbeit mit ihm zu besprechen.

«Lesen Sie den Text vor», sagte Michael.

Michneicki las aus *Das rote Siegel* vor: «‹Er hatte die Berührung mit dem großen Tod gesucht und erfahren, dass es eben doch nur der große Tod war. Er war ein Mann.› Er begreift also, dass der Tod zum Leben gehört», erklärte Michneicki selbstgefällig. «Er reift heran.»

«In dem Roman geht es um den Krieg, Keith. Das ist nicht nur eine Entwicklungsgeschichte. Es geht um die reinigende Wirkung des Kampfes. Nicht darum, dass jemand seine persönliche Identität entdeckt. Darum, dass er über diese hinausgelangt.»

Michneicki runzelte die Stirn, zuckte die Achseln und sah Michael Rat suchend an.

«Was bringt Ihnen Hockey?», fragte Michael. «Gibt es Ihnen das Gefühl, wieder ein kleiner Junge zu sein?»

«Hm?»

«Gibt es Ihnen das Gefühl, ein kleines Kind zu sein? So als ob Sie in Ihre Kindheit zurückkehrten?»

«Überhaupt nicht», sagte Michneicki.

«Auf dem Spielfeld sind Sie einer, der es wissen will. Ich hab Sie gesehen. Tun Sie anderen gern weh?»

Der junge Mann lachte. «Nein, natürlich nicht.» Er wurde rot und sah seine großen Hände an. «Na ja, nicht wirklich.»

«Haben Sie Angst, dass man Ihnen wehtut? Wäre das schlimm?»

«Nein», sagte Keith Michneicki.

«Nein. Und wie fühlen Sie sich nach einem Spiel?»

«Wenn wir gewinnen, phantastisch», sagte Keith.

«Als Teil von etwas, das größer ist als Sie selbst?»

«Na ja», sagte der junge Obstbaumschüttler, «in dem Spiel geht's natürlich nicht nur um einen selbst.»

«Worum dann?»

«Dass man gewinnt?»

«Nein. Ich frage Sie: Geht es darum, dass man gewinnt?»

«Nö», sagte er. «Eigentlich nicht. Finde ich jedenfalls.»

«Und wie wär's damit, dass das Bier besser schmeckt?»

«*Also schön*», sagte Keith. «Okay, Sie haben Recht.»

«Weil Sie sich verdammt anstrengen mussten. Weil Sie Teil von etwas waren, das größer ist als Sie. Es ist ein Kinderspiel, aber eigentlich ist es doch kein Kinderspiel, oder?»

«Von einem bestimmten Punkt an», sagte Keith, «ist es kein Kinderspiel mehr.»

«Was ist es dann? Wie ist es?»

«Wie alles andere», sagte Keith.

«Es ist wie das Leben, hab ich Recht?»

«Es ist das Leben», sagte Keith. «Aber es ist toll. Es ist besser.»

«Vollkommener», schlug Michael vor. «Nicht von dieser Welt.»

«Richtig», sagte Keith.

«Schauen Sie sich *Das rote Siegel* nochmal an. Gehen Sie ins Internet und suchen Sie die Wendung ‹moralisches Gegenstück des Krieges›.»

Keith notierte es sich und schaute dann auf. «Ist das nicht ein Klischee?», fragte er.

«Es ist ein Klischee, wenn Politiker es gebrauchen, weil sie nicht wissen, was es bedeutet. Ansonsten ist und bleibt es eine lebendige Einsicht. Schreiben Sie etwas darüber, wenn Sie ein paar Extrapunkte einheimsen wollen. Schauen Sie mal, ob Sie die Herkunft der Wendung feststellen können.»

«Meine Freundin ist so eine Art Hacker.»

«Gut», sagte Michael. «Hauptsache, Sie lassen sich nicht die Arbeit von ihr schreiben.»

Michneicki packte sein Heft und sein Exemplar von Cranes Roman ein. Bevor er ging, sagte Michael: «Fragen Sie sie mal, ob Sie sich zutrauen, ein Passwort zu knacken.»

«Hey», sagte der junge Mann. «Ob sie so ein Hacker ist, weiß ich allerdings nicht.»

5 Im Laufe des Frühjahrstrimesters gelang es Norman Cevic, sich mit Lara bekannt zu machen und sie zum Mittagessen einzuladen. Sie trafen sich in einem zweifarbig aufgemotzten Lokal namens Chequers, einem Restaurant, das sich als notwendiges Übel erweisen sollte. Stammgäste waren vorwiegend mittlere Manager aus den wenigen High-Tech-Firmen, die sich in der Nähe der Universität angesiedelt hatten. Das Lokal hatte ein großes beleuchtetes Aquarium voller tropischer Fische und bot seit Jahren eine Auswahl an prätentiös benannten Fertiggerichten an, die tiefgefroren, verpackt in Plastikbeuteln und Pappschachteln angeliefert wurden wie billiges Studentenfutter. Die imposant aufgemachten, lyrischen Speisekarten waren voller anbiedernder Scherze auf Kosten der Gäste. Routiniert lächelnde Manager schimpften leise über die Bedienungen, aber Köche gab es keine.

Lara war schon da, als Norman kam, und brachte das Gespräch geschickt auf das Thema Michael.

«Ein guter Junge», sagte Norman. «Richtig gut.»

«Das ist selten», sagte sie.

«Da bin ich mir nicht so sicher. Es gibt ja keine statistischen Daten darüber.»

«Aber die Anekdoten sprechen doch Bände, oder?»

Norman lächelte amüsiert und klopfte auf den Boden des

Salzstreuers. «Ja, stimmt. Aber ohne zuverlässige Zahlen tappen wir im Dunkeln.»

«Warum sagen Sie, dass er gut ist?»

«Also schön, schauen wir mal. Er hält, was er verspricht. Er denkt nach über das, was er tut. Er ist rücksichtsvoll, geht auf den anderen ein. Er ist ein guter Lehrer und arbeitet hart.» Er hielt inne und tauchte seine Pommes frites in Ketchup. «Das ist doch schon mal was. Mann», sagte er, «die Pommes sind phantastisch hier.»

«Ja, die machen sie gut. Was ist er sonst noch? Außer gut?»

«Verheiratet.»

«Ja, und?» In die Enge getrieben, geriet sie ins Stottern. «Das macht mir nichts aus, glauben Sie mir.»

«Das wusste ich», sagte Norman. «Glauben Sie mir.» Er ließ sie unter seinem unverschämten Blick schmoren. «Mann», sagte er, «Sie werden ja richtig rot.»

«Wenn man sich nach einem Kollegen erkundigt ...»

«Sicher, sicher», sagte Norman. «Ich sage das nicht bloß so, dass er verheiratet ist. Er wird von einer starken Frau beherrscht. Sein Leben ist genau geregelt», sagte Norman. «Im Ernst. Sie ist gut für ihn. Er kann sich glücklich schätzen.» Er wirkte nachdenklich. «Sie ist wirklich eine tolle Frau. Und verdammt attraktiv.»

Lara zuckte die Achseln, um anzudeuten, dass diese Möglichkeit nicht von der Hand zu weisen war. Er war offensichtlich ein Bewunderer Kristins, wodurch er ihr nicht unbedingt sympathisch wurde.

«Übrigens», sagte Norman, «sie geben nächste Woche eine Party. Sie kommen gar nicht drum herum – sie sind an der

Reihe, die Getränke zu bezahlen. Kristin würde lieber kneifen. Aber diesmal bleibt es ihr wohl nicht erspart, die Gastgeberin zu spielen.»

«Gehen Sie hin?»

Er nickte, ohne sie anzusehen. Zwei Tische weiter saß der Lions Club. Ein Wimpel stand in der Tischmitte. Das erinnerte Laura an die Insel. Und es erinnerte sie auch daran, dass St.Trinity ihr so fremd war wie die Wälder, die sie hier umgaben – oder noch fremder. Auf ihrem St.Trinity war der Lions Club wichtig. Ein ehemaliger Präsident hatte einmal vor einem der beliebtesten Touristenstrände die meisten Mitglieder ertränken lassen.

«Wenn Sie sich von einer von Kristins obligatorischen Partys was versprechen», sagte Norman, «können Sie als meine Begleiterin mitkommen.»

Sie überlegte kurz. Amüsant wäre es schon. «Lieber Norman», sagte sie, «ich wäre entzückt.»

Gar so schlimm war es dann doch nicht. Eine Frau namens Arabella sang Schubert-Lieder und begleitete sich selbst auf dem Klavier, worauf ihr Mann das Sonett 128 rezitierte: «Wie oft wenn du, mein Klang, die Klänge spielst ...» Ein trauriger, rotgesichtiger Mann namens Mahoney trank alleine. Ein junges Paar, Exilanten aus Manhattan, sprach mit Norman über die amerikanische Politik in der Karibik. Lara wartete auf den Teil, wo George Bush I. geplant hatte, den Panamakanalvertrag zu sabotieren, aber das ließen sie weg.

In Laras Augen leuchtete Michael. Er war unaufdringlich lustig und ziemlich still, obwohl er fast so viel trank wie der rosige Mahoney. Sein Trinken überraschte sie. Auch Kristin Ahearn nahm es mit Missbilligung zur Kenntnis.

Sie war groß und schlank und hatte pechschwarzes, stellenweise grau meliertes Haar und Augen von einer ungewöhnlichen Farbe, wie verwaschener blauer Flanell. Ihre Lippen waren blass, dünn und ungeschminkt. Grobknochig war eine zutreffende Beschreibung; ihre Knochen waren überall zu sehen, wie das Joch des Schlüsselbeins, das sich unter der elfenbeinernen Haut ihres Dekolletés über der tief ausgeschnittenen Samtbluse im akademischen Zigeunerlook abzeichnete. Ihr langer, geschmeidiger Unterleib steckte in einem beigen Rock im selben folkloristischen Stil: Wildleder, breiter Gürtel, eng an den Hüften, an den Knien ausgestellt und kurz genug, um ihre fest geschnürten Stiefel zur Geltung zu bringen. Eine überhebliche, stahläugige Zicke, die sich nicht viel aus ihren Gästen machte, Lara eingeschlossen.

Eines war seltsam. Ihre ganze soziale Energie war an diesem Abend darauf gerichtet, nervös ihren gut aussehenden Mann zu überwachen. Das Einzige, was sie von dieser Aufseherrolle ablenken konnte, war die Nähe von Norman Cevic. Wenn er nicht bei ihr war, dann, so schien es Lara, fing dieser Elfenbeinturm an zu zittern. Eine Hand ans nachtschwarze Haar, eine leichte Verschiebung des Beckens, die ihre kontrapunktische Stellung veränderte. Sogar ein leichtes Hüftwackeln. Und wahrscheinlich bildete sich Lara das nur ein, aber ihr kam es so vor, als beugte Kristin sich zu Norman hin, um an seinen Lippen zu hängen oder eventuell sogar in der Absicht, ihn ein paar Zentimeter von ihrem ansehnlichen, samtumhüllten, büstenhalterlosen Körper sehen zu lassen.

War sie sich dessen bewusst? Wie viel wusste sie? Lara hatte einen schönen Jungen entdeckt, der sich neben der Hintertreppe versteckte und heimlich die Partygäste beobachtete. Das lange Gesicht und die tintenschwarzen Haare der Mutter, die langbewimperten Augen des Vaters. *Un mignon*, der Sohn der Ahearns.

Ein älterer Professor sang «Die Wacht am Rhein» auf Deutsch. Lara sah, dass Michael allein in der Küche war und Drinks machte. Sie ging hinüber.

«Du solltest nicht so viel trinken», sagte sie zu ihm. «Kein Wunder, dass du nicht schlafen kannst.»

Er drehte sich überrascht um, sah sie einen Moment lang an und lachte.

«Meinst du, es liegt daran?»

«Bestimmt.»

Er stellte die zwei Drinks, die er gemacht hatte, auf ein Tablett und goss sich selbst einen Schuss pur ins nächste erreichbare Glas.

«Wenn schon, denn schon.»

Sie schüttelte in gespielter Besorgnis den Kopf, während er das Glas leerte.

«Ich werde dich von deiner Schlaflosigkeit heilen», sagte Lara.

Er schaute rasch durch die Küchentür, zweifellos um festzustellen, ob Kristins strenger Blick auf ihm ruhte. Lara folgte seinem Blick. Die Luft war rein.

«Du hast mir nachspioniert», sagte sie. «Du hast versucht, mein Passwort zu knacken. Du wurdest beobachtet.»

Er war verblüfft.

«Ich konnte nicht widerstehen, Lara.»

«Brauchst du nicht.» Diesmal war sie es, die sich umschaute. «Nein, nicht!» Ihr warnender Blick war von Angst getrübt.

Die hübsche Schubert-Sängerin kam in die Küche, um Eiswasser zu holen. Lara hatte bereits ein respektvolles Lächeln aufgesetzt.

«Sie haben eine Verehrerin», sagte Lara auf der Heimfahrt zu Norman.

«Ach ja?»

«Aber sicher. Kristin Ahearn.»

«Ach was.»

«Ich irre mich nie in solchen Dingen, lieber Freund. Ich wundere mich, dass Sie es noch nicht gemerkt haben.»

«Aber Kristin ist hundertprozentig monogam», sagte Norman.

Sie wandte sich ihm zu und musterte ihn, wie er angestrengt in die Winternacht hinausspähte. Stränge winziger Schneeflocken wirbelten durch den Lichtkegel der Scheinwerfer.

«Kein Interesse?»

Nach einer kurzen Pause sagte er: «Ich wollte, ich könnte das glauben.»

«Norman, *cher ami*. Glauben Sie es ruhig.»

Er lachte, um seine Verwirrung zu überspielen.

«Hey. Kristin? Das kann nicht sein.»

Als sie vor ihrem Haus angekommen waren, machte er keine Anstalten, mit hineinzugehen.

6 Eines Tages fuhren sie mit Laras Auto bis zu Hunter's Supper Club. So konnte sich Michael eine Flasche Willoughby's kaufen, und Lara konnte die Gegend kennen lernen. Lara trank Coors-Bier aus der Flasche und spielte Johnny Cash auf der Jukebox. Es war Samstagnachmittag, und das Lokal füllte sich allmählich mit Einheimischen, die sich im Fernsehen College-Basketball anschauen wollten. Sie drängten sich am anderen Ende der Bar zusammen, möglichst weit weg von Michael und Lara, als hätten sie Angst, neben Lara wie verschrobene Hinterwäldler aus einem Hollywood-Horrorfilm zu wirken. Sie waren unruhig und feindselig, aber sie benahmen sich. Einen Moment lang glaubte Michael, in einem von ihnen den Mann wieder zu erkennen, den er im November im Wald gesehen hatte.

«Eine richtige Kaschemme», bemerkte Lara und stellte resolut ihre leere Bierflasche auf den Tisch. «Gefällt mir.»

Michael hatte gehofft, Megan, das Barmädchen, wiederzusehen, aber sie ließ sich nicht blicken. Den Whiskey brachte eine dicke Frau mit schütterem Haar. Als sie zu Laras Saab zurückgingen, tauchte ein Mann mittleren Alters mit buschigen Koteletten und imposantem Schnurrbart in der Tür auf. Sein Gesicht war aufgedunsen und bleich, wo es nicht gerötet war. Er starrte sie an, leckte sich hektisch die Lippen und schien drauf und dran, eine Bemerkung zu machen. Aber es fiel ihm nichts ein. Lara winkte ihm anmutig zu.

«Also hierher kommst du, wenn du Inspirationen brauchst, Michael?»

Er saß am Steuer. Einen Saab zu fahren war etwas Besonderes.

«Hierher komme ich, um Whiskey zu kaufen.»

Noch nie war Lara so tief ins Umland vorgedrungen. Für die Rückfahrt nahm Michael eine nur streckenweise asphaltierte Landstraße, die durch die mit Büschen bewachsenen Hügel und tief liegenden Wiesen des County Harrison führte. Es war ein sonniger Tag, mit Schnee und viel Licht.

«Mein Gott», sagte sie, «ist das trist hier. Trist und öde. So weit weg von allem.»

«Du bist hier im Überflugland, meine Liebe.»

«In was?»

«Hast du noch nie gehört, dass die Landesmitte so genannt wird? Überflugland. So nennen sie unser unbedeutendes Fleckchen Erde. An den Küsten.» Er schaltete herunter, als die asphaltierte Strecke aufhörte. Er wollte den schönen Wagen nicht schmutzig machen. «Das hab ich jedenfalls gehört», sagte er. «Mir gegenüber hat's noch niemand gesagt.»

Sie lachte. «Überflugland. Und was hättest du gemacht, wenn es doch mal jemand dir gegenüber gesagt hätte?»

«Weiß ich nicht», sagte Michael. Er dachte an den feisten sabbernden Kerl in der Tür. An den Mann im Wald mit seiner nutzlosen Schubkarre. «Nichts Besonderes.» Er überlegte. «Wir sehen uns ja selber so. Wir erwarten nicht viel.»

«Aber es heißt doch, alle Amerikaner haben ein Recht auf Glück, oder?»

«Wie lange bist du schon hier?», fragte Michael sie.

Sie zuckte die Achseln. «Ein Jahr.»

«Und, hast du den Eindruck, unter Menschen zu sein, die glauben, ein Recht auf Glück zu haben?»

«Aber ja», sagte sie. «Das glauben sie. Deshalb sind sie ja so unglücklich.»

«Irrtum. Du musst mal eine Geschichte der Besiedelung lesen.»

«Ja, vielleicht.»

«Geheimnisse», sagte Michael. «Tiefe Melancholie. Jäher Tod. Das ist es, worauf wir ein Recht haben.»

«Aber doch heute nicht mehr.»

«Innen drin schon.»

«Aber sie haben doch Gott.»

Er warf ihr einen Blick zu, um festzustellen, wie verächtlich sie es meinte. Schwer zu sagen.

«Wir nehmen Gott nicht für uns in Anspruch. Mal sehen wir ihn, mal sehen wir ihn nicht. Die meiste Zeit sehen wir ihn nicht.»

«Nein?»

«Manchmal fliegt er über uns hinweg.»

Diesmal spürte er, dass sie ihn anschaute. Als meinte er es nicht scherzhaft und sie hätte ihn völlig falsch eingeschätzt. Sich an ihn weggeworfen.

«Im Ernst. Auf seinem Flug nach Anaheim. Von Orlando.»

Sie boxte ihn in den Arm. «Du Mistkerl! Mich so auf den Arm zu nehmen!»

«Es macht Spaß, Ausländer auf den Arm zu nehmen. Das gehört auch zu den Dingen, die wir gern machen.»

«Aber Michael», sagte sie, «ich bin doch keine Ausländerin.»

«Du bist ein ausländischer Typ.»

Der Schotter ging wieder in Asphalt über. «Hör mal!»

Sie drehte am Radio und fand fast auf Anhieb, was sie suchte.

«... dass uns die Verheißung Jesu gewiss sein und er in unsere Herzen kommen und uns vor der Sünde bewahren möge! Dass er den ganzen Tag hindurch am Arbeitsplatz auf der Straße inmitten der Gottlosigkeit in unseren Herzen wohnen möge. Dass er unser Schutz und Schirm sei und uns leite ...»

Michael beugte sich vor und schaltete es aus.

«Das ist was Neues», versicherte er eilends. «Das kommt von außen.»

Sie blies die Backen auf, pustete und sagte nichts mehr.

Es wurde dunkel, als sie noch ein paar Meilen von der Stadt entfernt waren. Er mied die Haupteinfallstraße und versuchte, Laras Farmhaus unter Umfahrung der Universität und der Innenstadt zu erreichen.

«Trostlos», sagte sie noch einmal. Eine traurige winterliche Abenddämmerung lastete auf den verschneiten Feldern.

«Für mich sieht das nach erstklassigem Sojabohnenland aus.»

«Hab ich dir schon gesagt, dass mein Bruder voriges Jahr gestorben ist?»

«Nein. Das tut mir Leid.» Er legte ihr die Hand auf die Schulter.

«Wir hatten schon lange damit rechnen müssen», sagte sie. «Es hat mich nicht unvorbereitet getroffen.»

«Leben deine Eltern noch?»

Sie schüttelte den Kopf.

«Ich muss nach St. Trinity, zum Gedenkgottesdienst.»

«Wann?»

«Wahrscheinlich ungefähr in den Osterferien. Es wird ein besonderer freimaurerischer Gottesdienst sein. Er war sehr mit ihren Riten verbunden. Anschließend müssen wir noch etwas aus dem Nachlass verkaufen.»

«Wirst du lange weg sein?»

«Nein, eher nicht. Aber ein paar Wochen wird es sich schon hinziehen. Er ist an Aids gestorben», fügte sie hinzu. «Es war ziemlich schlimm. Er musste sehr tapfer sein, weißt du. Und er war es.»

«Das wundert mich nicht», sagte Michael. «War er allein?»

«Nein, Gott sein Dank nicht. Sein bester Freund war bei ihm. Ein treuer, liebevoller Freund.»

«Ja», sagte Michael, «da kann man Gott danken.»

Er stellte ihr keine weiteren Fragen. Als sie in ihrem Haus waren, schickte er Lara aus ihrem eigenen Schlafzimmer, weil er Kristin anrufen wollte; sie sollte seine Lügen nicht hören. Sie schmollte theatralisch, nahm sich eine Ausgabe der *New York Review of Books* und ging nackt ins Bad.

Er setzte sich auf die Bettkante und hörte sich selbst zu, wie er seine Abwesenheit erklärte, hörte die langen Pausen am anderen Ende und Kristins seltsam weiche, geduldige Silben.

«Natürlich», sagte sie. «Okay. Kein Problem. Komm halt, sobald du kannst.»

Als er den Hörer auflegte, überfiel ihn Dunkelheit. Eine Einsamkeit, die er nicht begriff.

«Sehr erhebend», sagte Lara, als sie aus dem Bad kam. «Auf dem Klo zu sitzen und einen Artikel über *élan vital* zu lesen. Willst du lieber heimfahren?»

Er lächelte verzweifelt. «Jetzt? Wohl kaum.»

«Du bist auf mich fixiert, hm? Und ich auf dich. Traurig.»

«Hier», sagte er, «ich will hier sein.»

Sie stand vor ihm, die Hand auf der bloßen Hüfte, und schaute ihn an.

«Du könntest mitkommen», sagte sie.

«Was? Wohin?»

«Nach St. Trin. Wenn ich wegen John-Paul hinfahre. Du tauchst, ich auch. Zum Tauchen ist es da so gut wie in Bonaire. Wenn die Feierlichkeiten vorbei sind, könnten wir im Hotel meiner Familie wohnen.»

Er schwieg. Dann sagte er: «Sowas mach ich nicht.»

«Nein, aber du könntest es tun. Du hast genug Zeit, um es vorzubereiten.»

Sie ging zu ihm hinüber. Es war etwas Wildes in ihren Augen. «Du musst», sagte sie. «Ich brauche dich, und wir werden viel Spaß haben. Es wird mir über alles hinweghelfen.»

«Also gut.»

Sie sah sich in einem türhohen Spiegel.

«Sieh dir das an. Ich bin schamlos. Ein Skandal. Ich zieh mir was an.»

Er wollte protestieren, ihr versichern, dass sie nackt wunderbar aussehe, was nichts als die reine Wahrheit war. Sie kam ihm zuvor.

«Hol deinen guten Whiskey. Ich möchte was davon. Wir wollen ein Spiel spielen. Ich bring dir was, was dich aufheitern wird.»

Er stand auf und ging hinunter, um den irischen Whiskey zu holen, den er gerne schon früher geöffnet hätte. Er stellte die Flasche auf ein Tablett mit zwei Gläsern und einer Holzschale mit Eiswürfeln. Auf halber Höhe der Treppe war ein Fenster. Er blieb stehen und schaute hinaus. Die dunkle Straße, vom blassen Viertelmond beleuchtete Felder. Er war fast so aufgeregt wie ein Kind – Vorfreude, Überraschung, Schuldgefühl, Angst.

Als er ins Schlafzimmer kam, sah er sie im ersten Moment nicht. Sie war im Ankleidezimmer neben dem Schrank, eine Neuerung – wie das Bidet im Bad –, die Lara in die geräumige Yankee-Eleganz des Farmhauses hatte einbauen lassen. Es war einmal ein florierender Besitz gewesen.

«Willst du was über den *élan vital* hören?»

Er stellte das Tablett ab.

«Sicher. Aber ich glaube nicht, dass ich darüber reden möchte.»

«Möchtest du über die Seele reden? Bist du sicher, dass du eine hast?»

«Nicht mehr.»

«Ich glaub schon. Dass du eine hast, mein ich. Ich hab keine mehr.»

«Wie das?»

«Mir ist meine Seele abhanden gekommen. Ich glaube, jemand bewahrt sie für mich auf.»

Er sah sie nicht, aber es klang nicht wie ein Scherz. Es klang sogar ausgesprochen seltsam und ein bisschen beängstigend. Er goss Whiskey in die Gläser.

«Möchtest du sie hören?», fragte Lara. «Marinette?»

«Wenn du willst», sagte er. Er lauschte. «Wer ist sie?»

«Sie ist meine Patin, die Hüterin meines *ti bon ange*.»

«Deines guten Engels?»

«Nein, Liebster. Meiner Seele, meines Innenlebens.»

Sie kam heraus, für das Spiel gekleidet. Aus ihrem dichten Haar hatte sie einen schwarzen Helm gemacht. Sie trug eine Weste aus schwarzem Leder, enge Hosen, die aus Hirsch- oder Ziegenleder sein mochten, in einem ganz leicht gebrochenen Weiß. Schwarze Stiefel.

Wo hast du denn die her?, hätte er sie am liebsten gefragt. Aber das wäre gegen die Spielregeln gewesen. Bei manchen Spielen durfte gelacht werden, aber nicht bei allen. Und vulgäre Fragen – niemals. Er reichte ihr den Drink, und sie nahm ihn mit einer graziösen kleinen Körperdrehung. Sie machte nie eine Staatsaffäre daraus. Sie hatte ein ziemlich sicheres Gespür fürs Absurde.

Was Michael anging, so war ihm nicht zum Scherzen zumute. Ihre Spiele schnürten ihm die Kehle zu, nahmen ihm den Atem, verursachten ihm Schmerzen. Außerdem riefen sie in ihm eine Art abergläubischer Angst hervor. Er liebte inzwischen die Phantasien, die sie auslebte – wenn man Liebe dazu sagen konnte –, aber sie wurzelten in den dunkelsten, geheimsten und schamvollsten Tiefen seines Wesens. Sie bestanden aus Dingen, über die er nie sprach, die er normalerweise als verdorben abtat. Als verrückt. Schräge Kicks aus der Jugendzeit, Erzählungen, die von irgendeinem exotischen Motiv ausgingen, Sachen, die ihn früher vielleicht fasziniert hätten, promiskuös abgeleitet von irgendwelchen Dingen in der Mitte zwischen ernsthafter Kunst und den schundigsten Comicstrips. Irgendwie wusste sie, was ihn auf Touren brachte.

Marinette? Im Augenblick dachte er an die Große Hure, diese zeitlose Figur. Er dachte an Lara.

Sie war die große Hure ihrer gemeinsamen Vorstellungen, das auf die Welt losgelassene Weib. Unbezähmbar. Sogar in *seinen* Vorstellungen, auch in dem, woran er einst geglaubt hatte. Aber inmitten all der Phantasien und Lüste wurde ihm bewusst, wenn auch vielleicht nur sekundenweise, dass er sie lieben wollte.

«Komm schon, Michael. Wir haben was Gutes.»

Das Gute entpuppte sich als Kokain. Das Zeug war ihm nicht ganz neu; in New York hatte er es oft zu sehen bekommen. Es war immer wieder mal an der Uni aufgetaucht, im Verlauf der Neunziger allerdings immer seltener. Aber es war keineswegs bei abendlichen Partys gang und gäbe gewesen, nicht einmal bei den kompromisslosesten Bohemiens. Ja nicht einmal bei außerehelichen Aktivitäten auf dem Campus.

Der Koks war unglaublich, und sie hatte jede Menge davon, und dazu noch ein paar Joints auf dem Nachttisch, wahrscheinlich für hinterher. Er bekam davon einen trockenen Hals und überreizte Nerven. Das Zittern verdarb ihm manchmal den Spaß an der Lust. Er sah zu, wie sie von ihm wegging, leichtfüßig in ihren Stiefeln und weichen Hosen. Als sie sich umdrehte, hatte sie einen Revolver in der Hand. Sie zeigte ihm ihr Profil wie ein Duellant und legte auf ihn an.

Er kniete neben dem Bett, um sein Kokain zu schnupfen, und plötzlich durchzuckte ihn Angst. Es war durchaus möglich, dass sie abdrückte. Sie war zugedröhnt, verrückt. *Wild in the Country*. Sie würde sie beide erschießen. Auf amerikanischen Campussen waren schon seltsamere Dinge passiert.

«Langweile ich dich?», fragte er. «Wirst du mich umbringen?»

«Schon möglich», sagte sie. «Warum nicht, hm? Töten als Kick.» Es machte ihr sichtlich Spaß, davon zu reden.

«Hab ich noch Zeit für ein Bußgebet?»

«Nur zu», sagte sie. «Sprich mir nach: Lieber Gott, ich bereue aus tiefstem Herzen ...»

«Du kannst mich mal», sagte Michael. «Nimm bitte die Waffe runter.»

Sie trat zu ihm und gab ihm die Waffe.

«Nimm du sie.»

Er wog den Revolver in der Hand, dann öffnete er ihn. In jeder Kammer steckte eine Patrone.

«Um Himmels willen, die ist ja geladen.»

«Eine Waffe taugt zu nichts, wenn sie nicht geladen ist.»

«Dann bist du wohl auch Mitglied der NRA?»

«Ich bin noch nicht mal Irin», sagte sie.

Er strich noch eine Linie ein.

«Du weißt schon», sagte er, «das sind die Leute, die dir sagen, dass deine Waffe immer geladen sein sollte. Außerdem sagen sie, man soll nur dann eine Feuerwaffe auf jemanden richten, wenn man ihn auch erschießen will.»

«Und was sagen sie sonst noch?»

«Ich glaube, sie sagen, wenn man eine Waffe an die Wand hängt, muss man sie irgendwann auch abfeuern.»

«Ist ja verrückt. Die NRA, sagst du?»

«Die Leute von der NRA», erklärte Michael, «verwechseln ständig die Kunst mit der Wirklichkeit.»

«Also habe ich wohl gegen alle ihre Regeln verstoßen. Werden sie mich dafür bestrafen?»

«Ja», sagte er. «Jetzt bist du dran.»

«Wird es mich das Leben kosten?»

«Weiß ich nicht», sagte er. «Wahrscheinlich schon. Was ist das für ein Revolver?»

«Ein belgischer, FN Special. Kaliber achtunddreißig. Fünf Kammern. Parabellum-Munition.»

«Aha», sagte er. «Und was ist daran so speziell?»

«Das werden wir schon noch merken», sagte sie.

Als Erstes zog er ihr die Stiefel aus. Dazu musste er sich mit dem Rücken zu ihr hinknien, und sie legte ein Bein über seine Schulter, während sie den anderen Fuß gegen seinen Rücken stemmte. Diese Verrichtung erinnerte ihn an den Diener in *Fräulein Julie*. Als er den zweiten Stiefel abzog, spürte er kaltes Metall im Nacken. Es war ihm egal, ob es der Revolver war oder nicht. Wie auch immer, er musste sich eingestehen, dass die Prozedur ihm in erotischer Hinsicht nichts brachte.

Er versuchte sich zu erinnern, wer in *Fräulein Julie* erschossen wird. Sie erschießt sich selbst, seiner Erinnerung nach. Und ihren Geliebten? Den auch? Er verwechselte immer wieder Fräulein Julie mit Hedda Gabler, Strindberg mit Ibsen, ein peinliche Schnitzer für einen, der sich so für das Phänomen der Skandinavierin interessierte. Noch kompromittierender als seine Vorliebe für bewaffnete Frauen in hautenger Kleidung.

Er gestattete sich, den oberen Rand des Stiefels zu berühren. Das glänzende Leder war leicht mit Schmutz bespritzt und roch nach Pflegemittel. War Krafft-Ebing eine Person, oder waren es zwei? Lara wusste es bestimmt.

Als er sich zu ihr umdrehte, war er erleichtert, nicht in den Revolver zu blicken. Er strich langsam das warme seidige Leder hinauf, das ihre langen Beine umschloss, mit den Handflächen über ihre Waden und Schenkel, betastete die Lederfalten in den Kniekehlen. Sie drehte sich mit ihm, sodass er auch die festen Rundungen unter dem samtweichen Hosenboden liebkosen, die Spalte unter dem schmiegsamen Leder erkunden konnte.

Sie sagte etwas, was er nicht verstand. Es war über die Maßen köstlich, ihre so exotisch verpackten Gliedmaßen zu spüren und den Klang ihrer Stimme zu hören und ihren Mund zu schmecken, während sie sich mit dem ganzen Körper an ihn presste. Seine Wahrnehmung ihrer Körperlichkeit konzentrierte sich ganz auf die Stellen, die seine Hände gerade erforschten. Als die Hose abgestreift war und nur noch der schon nasse schwarze Slip fallen musste, fand sein Mund ihre Körpermitte, und seine Zunge verrichtete gehorsam die ihr zugedachte Präzisionsarbeit. Lara erwies ihm den gleichen Dienst, und er blieb trotz seiner Erregung Herr der Lage.

Als sie später gleichzeitig kamen, hatte sie plötzlich wieder den Revolver in der Hand.

«Scheiße», sagte Michael.

«Ich brauch ihn», sagte sie. «Ich muss ihn haben. Du bist der Einzige, mit dem ich das machen kann. Du magst es, gib's zu.»

«Nein!»

«Doch, doch.» Sie richtete den Revolver auf ihren Bauch und führte seine Hand an den Abzugsbügel, und er hatte nur den einen Gedanken, ob die Waffe gesichert war, aber er konnte nicht sehen, ob der Kreis rot war.

«Wie wär das, wenn ich bekäme, was ich verdiene?», fragte sie. «Wie wär's, wenn mich die Kugel da treffen würde?»

Das wäre nun allerdings eine Story, lang und schwer zu erzählen. Aber irgendetwas – wahrscheinlich war es ihre zitternde Dringlichkeit – machte, dass auch er es sich wünschte. Verrückt. Sie berührte seinen Schwanz.

«Lange macht er's nicht mehr», sagte er.

Er spürte, dass sie den Revolver auf ihn richtete. Entsetzt schloss er die Augen.

«Du müsstest nicht allein sterben», sagte sie.

Er streckte die Hand aus, nahm ihr ganz sanft die Waffe weg und legte sie auf den Boden. Sie war gesichert. Sie taten, was sie schon das erste Mal getan hatten, erkundeten, sondierten, drangen ein. Keine Geheimnisse, keine Scham. Nichts, was er früher getan hatte, kam dem auch nur halbwegs gleich.

«Verrückt», sagte er. Er zitterte und lachte. Vielleicht weinte er auch. «Was tun wir?»

Sie rezitierte auf Deutsch: «Ja ich sehne mich nach dir. Ich gleite / mich verlierend selbst mir aus der Hand.»

Sie berührte sein Kinn und drehte sein Gesicht zu sich hin. «Ja?»

«Ja. Ich meine, klar. Ja. Was bedeutet es?»

«Schlag's nach. Es ist von Rilke.»

«Du wirst es mir aufschreiben müssen.»

«Denk dran», sagte sie, als sie duschten. «Du darfst meine Seife nicht benutzen. Sie würde es an dir riechen. Nimm die kleine Hotelseife.»

Dann wurde es Zeit für ihn zu gehen. Er wagte nicht, auf die Uhr zu schauen. Sie begleitete ihn zu seinem Auto. Es hatte angefangen zu schneien, die ersten Flocken leuchteten im Licht aus dem Haus auf. So schön, dachte er, der zarte

Schnee. So friedlich. Voller Erinnerungen an die Welt, die er gekannt hatte, bevor der Schnee sein Feind geworden war. Die Welt, die schön gewesen war, geordnet, wenn auch unbegreiflich.

«Wir müssen uns zusammensetzen wegen Phyllis», sagte Lara.

«Was?»

«Der Ausschuss. Phyllis Stroms Prüfungsausschuss. Wir müssen Kontakt mit Fischer aufnehmen.»

«Ja, natürlich.»

«Wir sollten uns zum Mittagessen verabreden. Schick ihm eine E-Mail. Damit er weiß, was auf ihn zukommt.»

«Richtig», sagte Michael. «Das müssen wir tun.»

«Ach», sagte sie, «du wolltest ja auch das Zitat haben. Ich geb's dir schnell.»

Er sah sie verständnislos an.

«Der Rilke», sagte sie. «Du weißt schon!»

«Ah, ja», sagte er. «Der Rilke. Ja, klar.»

«Komm», sagte sie forsch, «ich schreib's dir schnell auf. Aber die Übersetzung musst du dir selbst besorgen.»

«Ja, gut», sagte er. Diese kleinen *jeux d'esprit* des Gelehrtenlebens waren so ungemein erfrischend. Sie lief noch einmal ins Haus, holte einen Klebezettel, schrieb den Vers darauf und klebte ihm den Zettel auf den Ärmel wie ein Abzeichen.

«*Voilà!*», sagte sie. Sie berührte seinen Arm, während er den Zettel abzog. «Guter Stoff, oder?»

«Ah», sagte er, «der Koks», und während er es laut sagte, schaute er sich an diesem isolierten Ort um, schuldbewusst in der wachen Wahrnehmung seiner selbst. «Super!»

«Die Joints heben wir uns fürs nächste Mal auf.»

«Genau», sagte er.

«Bald, mein Liebster.»

«Ja», sagte er. «Bald.»

Er fuhr im Schneckentempo nach Hause, so wie er in seiner Collegezeit gefahren war, wenn er stoned war, über den Campus schleichend, von Straßenschwelle zu Ampel zu Stoppschild.

Daheim angekommen, parkte er vor dem dunklen Haus. Man hatte kein Licht für ihn angelassen. Die Dunkelheit ließ sein Herz erkalten. Nicht einmal die Glühbirne über der Tür.

Er versuchte, die Autotür zu schließen, ohne zu viel Lärm zu machen. Sie zuzuschlagen, ohne sie zuzuschlagen, es tun, aber in der Hoffnung, es dann nicht getan zu haben, die Geschichte seines armseligen Lebens. Die Haustür war abgeschlossen, also musste er seinen Schlüssel nehmen. Er stand mit hängenden Schultern vor der dunklen Silhouette seines eigenen Hauses und kramte blind in seinen Sachen, vor einer Tür, die sich, so schien es, durch seine eigene Schuld nie wieder öffnen würde.

7 Als Michael in der Woche darauf einmal in die Küche kam, saß Kristin am Tisch und glättete ein gelbes Papierröllchen. Sie hatte ihre Brille auf die Stirn geschoben. Sie setzte sie auf und las vor.

«Ich sehne mich nach dir. Ich gleite mich verlierend selbst mir aus der Hand.»

Sie schaute zu ihm auf, dann wieder auf den Zettel.

«Wessen Handschrift ist das?», fragte sie.

«Das muss Phyllis geschrieben haben. Wahrscheinlich ... eine Notiz oder so was.»

Kristin schaute wieder auf den Zettel. «Ich sehne mich nach dir? Mich verlierend? Phyllis?»

Michael zuckte die Achseln.

Kristin starrte ihn an. «Die dumme kleine Gans verliert anscheinend auch noch ihr letztes bisschen Verstand.»

«Das ist von Rilke», sagte Michael.

Sie überprüfte lautlos das Metrum. «Okay. Und warum hat sie's dir gegeben?»

«Das ist doch bloß eine Notiz. Wahrscheinlich hab ich den Zettel aus Versehen in die Tasche gesteckt.»

«In deiner Tasche hab ich ihn jedenfalls gefunden. Ich hab die Hose in die Reinigung gegeben.»

«Gut.»

«Sie scheint ja ganz schreckliche Sehnsucht zu haben. Ist die nicht mehr ganz dicht?» Aber es war Michael, den sie streng musterte.

«Das glaub ich nicht. Wir nehmen gerade den Vitalismus durch.»

«Aha.»

Sie wollte zu einem anspruchsvollen Bibelabend gehen, den ein paar von den Frauen gegründet hatten. Sie musste dafür Griechisch lernen und patristische Literatur lesen. Sie hatte sich über irgendeine kanadische Website Calvins *Christliche Glaubenslehre* besorgt. Außerdem hatte sie noch ein Buch über die Synode von Dort.

«Den literarischen Vitalismus.»

Sie seufzte, aber ihm war nicht klar, ob der Seufzer ihren Ärger über den Unfug des literarischen Vitalismus oder die Trauer über einen Verlust ausdrücken sollte. Er war gerührt und verletzt, fühlte sich daran erinnert, dass er sie liebte.

«Ach, übrigens», sagte sie, als sie schon in der Tür stand, «solltest du dich nicht mal mit Paul unterhalten?»

Er hatte keine Ahnung, was sie meinte, aber die Aussicht darauf, etwas erklären zu müssen, machte ihn nervös.

«Worüber denn?»

Sie verzog den Mund und schaute auf die Uhr.

«Du glänzt in letzter Zeit durch Abwesenheit.»

«Ich hab so viel zu tun.»

Sie nickte ungeduldig. «Sicher. Es ist ja irgendwie drollig, aber ihm macht das furchtbar Angst – er wird in der Schule getriezt wegen einem Valentinsgruß, den er einer Klassenkameradin geschickt hat.»

«O Gott.»

«Die kleinen Scheißer in der Schule machen sich einen Spaß draus», sagte sie. «Die treiben ihn damit zum Wahnsinn. Einer von den Schülern hat es irgendwie von einer Lehrerin erfahren und es rumgetratscht.»

«Der arme Junge.»

«Michael?» Es klang ziemlich verzweifelt. «Könntest du nicht versuchen, ihm wenigstens ein Minimum an väterlicher Führung angedeihen zu lassen?»

«Ich seh mal, was ich tun kann», sagte er.

«Weißt du», sagte Kristin, «er ist in diesen Dingen noch viel unschuldiger als die anderen Kinder in seinem Alter.»

«Ja», sagte Michael. «Das ist mir klar.» Er hielt den Kopf unter den Wasserhahn, um zu trinken.

«Übrigens, mein Tauchclub veranstaltet in den Osterferien eine Reise nach Grand Turk. Das ist ein tolles Tauchgebiet. Der Puerto-Rico-Graben.»

Er drehte sich nicht um.

«Könntest du da nicht Paul mitnehmen?», fragte sie. «Er würde sicher gern schnorcheln.»

«Geht leider nicht. Nur für Erwachsene.»

«Ach, wirklich? Und nur Jungs?»

«Nein, nein. Überhaupt nicht. Du kannst mitfahren, wenn deine Mutter kommt und auf Paul aufpasst.»

«Mom ist schon ziemlich schwach. Ich weiß nicht. Nein, ich mach das nicht.» Er schaute sie an, und sie wirkte so arglos, dass sein schlechtes Gewissen sich noch verstärkte. «Fahr du ruhig mit», sagte sie. «Aber schade ist es schon, dass du ihn nicht mitnehmen kannst.»

«Finde ich auch. Aber irgendwann dieses Frühjahr nehm ich mir mal ein paar Tage Zeit für ihn.»

Er fuhr in sein Büro und stellte sich ans Fenster. In der Nacht hatte er furchtbare Träume gehabt. Er hatte mit Lara und Kristin, zwei Furien, Squash gespielt und kaum noch Luft bekommen. Besonders beängstigend war eine Lara-Kristin-Figur, eine erzürnte Göttin. Sie spielten Squash mit geladenen Revolvern; auf dem Boden lag schmutziger Schnee. Ein bemalter Mann mit einer Schubkarre schaute ihnen zu. Alles in den Träumen war irgendwie wahr. Das sagte ihm eine Stimme, oder es lief im Hintergrund eine Erzählung mit Kommentaren zu den Träumen.

Im echten Leben siegte er beim Squash genauso oft wie Lara. Manchmal bot er seine letzten Kräfte auf, um zu gewinnen.

«Stalingrad», sagte er einmal, nachdem er einen langen, anstrengenden Ballwechsel für sich entschieden hatte.

Das Fenster von Michaels Büro ging auf den Hauptplatz des College hinaus. Draußen war es fade, grau und frostig. Die kurze Tauwetterperiode, in der die Buchen an den Wegen ausgetrieben hatten, war zu Ende. Die Studenten, leicht gekleidet, um den Frühling zu beschleunigen, gingen gesenkten Blicks, irgendwohin unterwegs, wo sie nicht gern hingingen. Am hässlichen Backsteinklotz des Campus-Glockenturms hing ein handgemaltes Plakat, das eine Party ankündigte. Während er zu dem Turm hinübersah, setzte das Glockenspiel ein.

Er hatte sein Büro von Anfang an genossen. Es hatte einen Kamin, Spitzengardinen und eine hohe Decke aus getriebenem Zinn. Auf dem Kaminsims standen Familienfotos und ein Hecht auf einem hölzernen Sockel – den hatte er sich in einem Anfall geistiger Umnachtung präparieren lassen. Idiotisch. Idiotie des Landlebens, hatte Marx gesagt. Oder sonst wer.

Später rief sie ihn an.

«Um vier bei Chequers, okay?»

Sie kam eine halbe Stunde zu spät; sie kam immer zu spät, wie er inzwischen wusste. Die Bar füllte sich bereits, als sie kam, aber trotzdem und trotz der schwachen Beleuchtung und des trüben Nachmittags draußen lud sie durch ihre Gegenwart den Raum elektrisch auf. Er kannte den Effekt. Als junger Mann hatte er mit seiner körperlichen Attraktivität in bescheidenem Ausmaß einen ähnlichen Zauber ausgestrahlt, obwohl ihm das erst spät bewusst geworden war.

Sie trug den schicken Pelzmantel und die verwaschenen maßgeschneiderten Jeans, die im ganzen Staat nicht ihresgleichen hatten. Sie blieb einen Moment in der Tür stehen und kam dann herüber, wo er auf der Polsterbank saß und soff. Er half ihr aus dem Mantel. Sie streifte seine Wange mit den Lippen.

Schlagartig klärten sich die Verwirrungen des Tages. Er war sehr froh, mit ihr zusammen zu sein. Er ging an die Bar, nahm einen Plastikbehälter mit Chicken Wings und Sauce und brachte beides an den Tisch.

«Magst du auch was?», fragte er sie.

Sie hob zimperlich mit einer Plastikgabel einen der Hühnerflügel hoch und schnitt eine Grimasse. «Wie kannst du nur?», fragte sie. «Allmächtiger.»

«So schlecht sind die gar nicht.» Er verdrückte einen und wischte sich die Finger ab. Seine Laune hob sich zusehends.

Sie zuckte die Achseln. «Eines Tages muss ich dir mal erklären, was es mit dem Essen auf sich hat.»

«Zwecklos. Mir fehlen die nötigen Maßstäbe.» Er schaute in ihre tolerante Verachtung und lachte ihr ins Gesicht. «Du bist so was von arrogant», sagte er. «Du bist unmöglich.»

«Ach ja? Findest du?»

Sie legte ihm die Hand auf den Schenkel, in den Schoß, und streichelte ihn. Mit der unschuldigsten Miene. «Wir müssen bald wieder Squash spielen, hm?»

«Unbedingt.»

Er bestellte sich noch einen Drink und für sie einen Martini.

«Dieses Wochenende geht's nicht», sagte sie sachlich. «Ich muss nach Washington.»

«Warum Washington?», fragte er.

«Ach», sagte sie. «Geschäfte im Zusammenhang mit dem Nachlass meines Bruders.»

«Zu dumm» sagte Michael. «Wo ich mir schon allerlei Ausreden zurechtgelegt hatte.»

«Vergiss sie nicht, Michael. Du bist kein guter Lügner. Wir werden sie noch brauchen.»

Daheim schloss er so leise wie möglich die Haustür auf. Eine Zeit lang blieb er stehen, ohne Licht zu machen, und horchte. Es war alles still im Haus; er schloss daraus, dass die beiden schon zu Bett gegangen waren. Er orientierte sich an den glühenden Kohlen im Kamin und setzte sich in einen Wohnzimmersessel. Dabei warf er mit dem Fuß etwas um, das sich als ein halb geleertes Glas Bier herausstellte. Es war so gar nicht Kristins Art, irgendwelche halb verzehrten trink- oder essbaren Sachen herumstehen zu lassen. Auf der Armlehne des Sessels lag ein aufgeschlagenes Buch. Im schwachen Schein vom Kamin las er den Titel: *Kierkegaard: Eine Ein-*

führung. Kristin näherte sich allem mit angeborener Vorsicht. Das Buch war auf Seite VII aufgeschlagen, sie war also anscheinend schon in der Einführung zur Einführung stecken geblieben. Aber sie würde schon noch das ganze Buch lesen.

Ein wiederkehrendes Geräusch von draußen ließ ihn aufmerken. Er zog seine Jacke an und ging hinaus. Als er vor dem Garagentor stand, hörte er das Geräusch wieder. Ein leiser, dumpfer Schlag, ein metallisches Klingen, dann etwas wie das Prasseln von Regen. Autos fuhren vorbei. Wieder war das Geräusch zu hören, diesmal gefolgt vom Kreischen von Bremsen und einem Schleudern. Eine Autotür ging auf und wurde wieder zugeschlagen.

«Du Scheißkerl!», rief eine Männerstimme. «Ich tret dir in deinen Scheißarsch.»

Er hörte das Knirschen schneller Schritte im Schnee und noch ein Kette gotteslästerlicher Flüche. Dann fuhr der Wagen quietschend und kreischend los. Michael zog den Reißverschluss seiner Jacke zu und ging in die Richtung, aus der er die Schritte gehört hatte.

Der Himmel war bewölkt, und der Mond schien nicht. Eine Reihe von Nadelbäumen trennte den Garten neben dem Haus von der Straße. Er ging zum nächststehenden Baum und sah eine reglose Gestalt vor der schwach phosphoreszierenden Flanke eines schmutzigen Schneewalls stehen. Er erkannte seinen Sohn sofort.

Der Anblick von Paul im Schnee löste augenblicklich besinnungslose Panik in ihm aus. Doch anstatt ihn zu rufen, wartete Michael ab, was als Nächstes geschehen würde. Paul kauerte hinter dem Wall, trat Schnee los, scharrte ihn zusammen und formte Schneebälle daraus.

Als das nächste Paar aufgeblendeter Scheinwerfer sich näherte, richtete Paul sich rasch auf, um über den gezackten Schutzwall zu schauen. Als das Auto näher kam, drückte er sich an die Schneemauer und hielt seine Schneebälle auf dem Arm wie ein Infanterist seine Handgranaten. Im entscheidenden Moment stand er auf und warf die eisigen Bälle, nahm sie einen nach dem anderen aus der linken in die rechte Hand und schleuderte sie mit gestrecktem Arm nach dem vorbeifahrenden Wagen. Nach jedem Wurf schrie er etwas, was Michael nicht verstand.

Michael machte ein paar gemessene Schritte über den Schnee auf seinen Sohn zu. Ein weiteres Auto tauchte auf, und er blieb stehen. Trotz der Dunkelheit konnte er erkennen, dass Paul in Bedrängnis war. Wenn er den letzten Schneeball einer Salve geworfen hatte, duckte er sich, ballte die Fäuste und stieß den kleinen Schrei aus. Den letzten Wagen ließ er unbehelligt passieren, offenbar war ihm die Munition ausgegangen.

«Paul?»

Sein Sohn erstarrte, als hätte ihn ein Schlag getroffen. Er fuhr herum und machte einen Ausfallschritt, wie um davonzulaufen, erst nach der einen, dann nach der anderen Seite.

«He, Junge. Immer mit der Ruhe.»

Paul krümmte sich weinend. Michael ging zu ihm, legte ihm den Arm um die Schultern und führte ihn zum Haus.

«Ist dir nicht klar, dass du damit einen Unfall verursachen könntest?» Er sprach sanft, und seine Gelassenheit war nicht aufgesetzt; er war nicht wütend. «Möchtest du, dass jemand ins Schleudern kommt?»

Paul machte sich los.

«Davon geht doch höchstens ein Fenster kaputt, Mann», sagte er. Er rannte zum Haus und verschwand.

Michael ging ebenfalls hinein, wartete ein paar Minuten und ging dann hinauf in Pauls Zimmer. Paul hatte kein Licht gemacht und sich unter der Steppdecke verkrochen. Er hatte all seine abendlichen Rituale weggelassen. Keine Zeit, in einem der Bücher zu lesen, die ordentlich neben der Nachttischlampe aufgestapelt waren, keine Erinnerungsnotizen für den nächsten Tag in der makellosen Handschrift seiner Mutter. Er hatte sich die Zähne nicht geputzt und sein Abendgebet nicht gesprochen. Michael dachte nicht daran, ihm deswegen Vorhaltungen zu machen.

«Du weißt doch», sagte er, «dass du mit mir über alles sprechen kannst. Deine Probleme sind wahrscheinlich ganz ähnlich wie die, die ich in deinem Alter hatte. Oft hilft es, wenn man darüber spricht.» Er erwartete keine Antwort, und er bekam auch keine. «Außerdem ist natürlich deine Mutter immer für dich da.»

Trotzdem konnte er der Versuchung nicht widerstehen, es noch einmal zu versuchen.

«Manchmal denkt man: Warum gerade ich? Aber im Allgemeinen machen wir alle dieselben Fehler. Jeder ist mal nicht so gut drauf.»

Als er in Pauls Alter war, hätte man ihm in so einer Situation gesagt: Lass es raus. Erlöse die Welt durch deine Demütigungen. Das hatte er immer für gefühllos gehalten, aber plötzlich kam es ihm gar nicht so schlecht vor. Es war eine Möglichkeit, Kinder davon zu überzeugen, dass ihre Leiden einen Sinn hatten.

Er stand im Dunkeln vor dem Zimmer seines Sohnes und

spürte, wie der Wandel in der Welt ihn schwindlig machte. Hör auf, dachte er. Kehr um. Zurück zu der wohltuenden Ordnung, die geherrscht hatte, als das Leben noch unschuldig und sorglos gewesen war. Wie er da so stand, glaubte er beinahe, dass es wirklich einmal so gewesen war. Es war natürlich immer noch Zeit.

8 Sie flog erster Klasse von Minneapolis aus, auf Kosten dieser Leute. Sie hatten ihr eine kleine Suite im Mayflower zugestanden, und außerdem – wohl zum letzten Mal – einen uniformierten Chauffeur, der hinter der Absperrung auf dem Reagan National wartete. Sie hielt es für ratsam, sich das Gesicht des Chauffeurs einzuprägen. Eines Tages würde es vielleicht notwendig werden, ihm unter allen Umständen auf Flughäfen aus dem Weg zu gehen, sich vor ihm zu verstecken. Er war ein breitschultriger Cholo mit einem Gesicht wie eine Chac-Maske.

Während er ihren Koffer verstaute, verdrängten die feinen Linien eines Lächelns die steinerne Götzenmiene. Er hatte sich einen kleinen Scherz erlaubt, eine launige Bemerkung zum Amüsement seines hübschen Fahrgastes. Aber Laras normalerweise leidlich brauchbares Spanisch ließ sie inmitten des Verkehrslärms und der startenden und landenden Maschinen im Stich. Sie verstand ihn nicht, was immer er gesagt haben mochte. Als er zu seinem Entsetzen merkte, dass sein Vorstoß ins Leere gegangen war, verschluckte er sein Lächeln, stopfte die Überreste davon zurück in die staubige Erde seines Gesichts. In seinen wilden schwarzen Augen flackerte Furcht.

Während der Fahrt versuchte Lara auf alle möglichen Arten, ihn zu beruhigen. Die Leute, in deren Dienst er stand, hatten ganz allgemein nicht viel für Witze übrig und gerieten außer sich, wenn sie selbst einen Witz machten und keiner darüber lachte. Wenn schon jemand Witze machen durfte, dann sie selbst, auf Kosten von anderen; andernfalls witterten sie Verachtung und Verrat. Im Umgang mit ihnen entdeckte Lara nach und nach, dass Humor, wenn er nicht von ihrer Sorte war, für die Mächte, denen sie dienten, Menschlichkeit und Barmherzigkeit verkörpern konnte. Wie Weihwasser gegen ihre infernalischen Ambitionen. Ironie ließ sie davonstieben wie Ratten, wenn auch nie weit genug.

Der Wagen brachte sie direkt zu dem Haus im Hügelland von Virginia. Sie fragte sich, ob sie die Suite im Mayflower je zu sehen bekommen würde; der Gedanke, die Nacht in dem großen Haus verbringen und ihren Gastgeber unterhalten zu müssen, war ihr zuwider.

Es war ein klassizistisches Herrenhaus einer Pflanzerfamilie. Es hatte makellose Säulen und Viehweiden mit ähnlich makellosen Zäunen, die sich bis zu den dunstigen Hügeln erstreckten. Hier und da weidete ein Pferd. Sie fragte sich, ob es vielleicht Argentinier waren. Das grüne Gras war bereift, das Schilf in den Sümpfen steif gefroren. Am nördlichen Ende der Weide war der Schnee stellenweise noch nicht weggetaut.

Lara hoffte inständig, der Chauffeur hatte nicht die Anweisung bekommen, ihren Koffer aus dem Kofferraum zu nehmen. Er machte keine Anstalten, es zu tun. Ein hoch gewachsener Butler mit einem englischen Gesicht öffnete ihr. Sie wünschte ihm einen guten Tag.

Er antwortete in einwandfreiem Spanisch. Eine kühle Begrüßung, irgendetwas mit *para servirle*. Sie gingen in einen lang gestreckten Raum mit Teppichen, Kronleuchtern und Sofas. Die tragischen Gesichter kreolischer Generäle aus den Befreiungskriegen hingen an den hellgelben Wänden. Jemand hatte den alten Senator überredet, für ein Porträt zu sitzen, das ihn wie El Grecos Großinquisitor darstellte, mit zusammengeknüllten Papieren zu seinen in Alligatorstiefeln steckenden Füßen. Zweifellos Zuckerexportlizenzen, mit denen er Spenden für seinen Wahlkampf gesammelt hatte.

Eine Frau erschien, der mütterliche Typ, mit schwarzer Schürze und einem Gürtel voller Schlüssel.

«Ist das alles?», fragte sie mit einem Blick auf Laras Handtasche. Lara reichte sie ihr. «Möchten Sie sich ein wenig frisch machen?»

Die Frau ging hinter ihr her eine Treppe hinauf in ein Zimmer, das zu Laras Missvergnügen ein Schlafzimmer war. Es hatte eine schöne Aussicht auf die weidenden Pferde und die blaue Hügelkette.

«Das Bad ist zu Ihrer Linken, meine Liebe.»

«Ich brauche meine Handtasche.»

«*No hay problema*», sagte die Frau lächelnd. Sie ließ die Tasche zuschnappen und reichte sie ihr. Hatte sie die Tasche nach Wanzen, nach Waffen durchsucht? Wie auch immer, sie gab sie ihr zurück.

«Ich dachte, ich sollte im Mayflower wohnen.»

«*Claro que sí*. Schwer, dort eine Reservierung zu bekommen, aber wir haben es geschafft.»

Sie lächelten einander an. Sie wurde nicht weiter durchsucht.

«*Para servirle*», sagte die Frau.

Lara verbrachte so wenig Zeit wie möglich vor Spiegeln.

Sie tat, was sie konnte, um die faden Gerüche der Northwest Airlines loszuwerden, und verordnete sich Entspannung. Die Durchsuchung, sagte sie sich, galt Kameras und Recordern, nicht Waffen. So weit war es noch nicht gekommen.

Plötzlich stellte sie fest, dass sie im Spiegel zu sehen war. Sie schaute in ihre eigenen dunklen, fast grünen Augen. Auf den Inseln, in den Gegenden, an die sie sich erinnerte, glaubten die Leute, dass Lara keine Seele hätte.

Viele glaubten es. Es hieß, ihr toter Bruder habe ihre Seele bei sich unter den Wassern der All Saints Bay. *In Guinee.* Es hieß, er habe sie Marinette angeboten, der wilden Frau, deren mörderische Wut sie vor Jahrhunderten zu einer Petro-Gottheit gemacht hatte. Es hieß, dass Marinette von ihr Besitz ergriffen und sie versklavt habe.

Außerdem wurde gemunkelt, ihr Mann, ein lebender Mensch, der Rote Franzose, habe sie bei sich; oder Fidel höchstpersönlich, ein *santero* und Diener von Elegua, bewahre sie in einem Smaragd auf. Oder Marinette habe sie in gespenstischer Umkehrung nach Afrika entführt, wo sie, die Seele, im Schweiße ihres Angesichts nach Smaragden schürfe, als Buße für die schlechte Behandlung, die Laras Familie ihren Sklaven angedeihen ließ, und das sei der Grund, weshalb Lara stets müde wirke und sich manchmal nicht daran erinnern könne, was geschehen sei oder was sie getan habe.

Wenn es ganz schlimm wurde, wenn es unerträglich schien, wenn sie Nacht für Nacht von La Marinette träumte, wenn sie am liebsten sterben wollte, trat Lara vor den Spiegel und bettelte und lachte und rief nach ihrer Seele. Manchmal sang sie, französische Lieder, afrikanische Lieder, Jim Morrison. Manchmal musste sie, wie der Bediente, den sie an dem Tag gesehen hatte, ihre Lieder herunterschlucken. Einmal hatte sie versucht, sich vor dem Spiegel zu erhängen. Schwerarbeit, Tag und Nacht, ohne Seele vor dem Spiegel.

Es gab Zeiten, da hätte sie schwören können, dass sie nicht zu sehen war. Dann erschien eine Unbekannte im Spiegel, und das Zimmer war voller Korallenfächer und Panzer, Altäre für die Jungfrau mit dem Kind, oder auch für andere Gestalten – Mamaye, Agwé, Elegua, Ogoun. Maroon-Heilige, mutierte Taino-Raubtiere, die Eidechsenzungen an den Spiegel gedrückt, um den Geschmack des blassen Fischbauch-Weiß zu kosten, ihrer Seele in Guinee.

Eine Hoffnung immerhin gab es noch. Niemand hatte je behauptet, sie habe ihre Seele für immer verloren. Und es gab – oft und immer wieder – Zeiten, in denen sie überhaupt nicht an solche Dinge glaubte. Als sie noch ein kleines Mädchen war, war noch alles in Ordnung gewesen. Die ersten paar Mal, als sie La Marinette oder Guinee in ihrem Spiegel sah, hatte sie lachen müssen. Sie hatte sich einen Spaß daraus gemacht, die anderen Mädchen in ihrem Schweizer Internat in Angst und Schrecken zu versetzen, sich vor ihnen exotisch, böse und gefährlich zu gebärden. Als sie auf die Insel zurückkehrte, sagte Schwester Margaret Oliver, die ihre eigenen Ansichten über die Mysterien hatte, sie solle sich keine Sorgen machen.

Als sie hinunterging, sah Lara Porträts an den Wänden, die bei ihrem letzten Besuch noch nicht da gewesen waren, Bilder, die wie nach Fotos gemalt wirkten. George Orwell. Arthur Koestler. Ein paar patriarchalische Figuren, die sie nicht erkannte, bei denen es sich aber wohl um lateinamerikanische Militärs handelte. Einer hätte Pinochet sein können.

Im Erdgeschoss hatte eine Art Aufsichtsratssitzung statt-gefunden. Etwa ein Dutzend Männer in italienischen Anzü-gen kamen aus dem Konferenzraum. Angloamerikaner, His-panics, Afro-Latinos. Nur Männer, und ein paar von ihnen kannte sie. Einer war ein junger Haiti-Amerikaner, der im Büro eines Senators arbeitete. Außerdem ein gut aussehender Kuba-amerikanischer Lobbyist, der, so hieß es, jede Zeile von so gut wie jeder Gesetzesvorlage geschrieben hatte, die in den letzten zehn Jahren von gewissen Kongressabgeord-neten eingebracht worden war. In seiner Prosa spiegelten sich die Interessen seiner Klienten, bei denen es sich häufig um Offshore-Unternehmen handelte. Die Männer standen grüppchenweise im Empfangszimmer herum, während der Butler ihre Wagen vorfahren ließ.

Der Kubaner kam auf sie zu. Verängstigt, wie sie war, freute sie sich, ihn zu sehen. Sie hatte eine Schwäche für den kubanischen Charme.

«Hi, Lara. Na, unterwegs in den Süden?»

Sie zuckte die Achseln und küsste ihn.

«In einer guten Sache, hoffe ich.»

«*Semana santa*», sagte sie aus irgendeinem Grund.

«Soll ich Sie vorstellen, bevor alle weg sind?»

«Nein», sagte sie. «Das wäre aussichtslos.»

Er wünschte ihr *buena suerte*. Sie wünschte ihm dasselbe. Er hielt einen Moment lang ihren Blick fest. Sie begrüßte den Haiti-Amerikaner aus dem Stab des Senators, ein junger Mann aus den besten Kreisen. Die beiden Männer gingen beiseite, um etwas zu besprechen, und ein Dritter, den sie ebenfalls kannte, gesellte sich zu ihnen, ein Amerikaner, der irgendeine evangelistische Stiftung vertrat.

«Also», sagte der Kuba-Amerikaner zu seinen beiden Kollegen, «ich hab denen gesagt, Hören Sie zu, den Mann können Sie nicht in den Auswärtigen Ausschuss aufnehmen. Warum? Hey, der Typ ist ein Araberfreund. Der muss hier raus. *Ándale*, Wichser.»

«Aber Pablo», sagte der weltgewandte Haiti-Amerikaner, «er ist alles andere als ein Araberfreund.»

«Aber ich bitte Sie», sagte der Lobbyist. «Er trägt kleine spitze Schuhe. Ich hab in der U-Bahn neben ihm gesessen. Die sind vorne aufgebogen. Das ist ein Muslim-Terrorist. Sein Gegenspieler ist ein gottesfürchtiger Einfaltspinsel, *un hombre muy formal*. Das hier ist der Krieg gegen den Terror.»

Der Amerikaner, von Beruf gottesfürchtiger Einfaltspinsel, lachte gutmütig. Lara lächelte, setzte sich in einen Sessel, um auf Triptelemos zu warten, und versuchte, anderen Gesprächen zu folgen. Die Männer sprachen englisch, spanisch, französisch.

Sie sah mehrere Mitglieder einer gelehrten Gesellschaft, die unter Reagan floriert hatte. Jetzt waren sie ein Relikt, aber früher hatten sie Geld und Macht im Überfluss gehabt, und Lara hatte, dem Beispiel ihres Ex-Ehemanns folgend, für sie gearbeitet, nachdem sie den großen Desmond Jenkins verlassen und die Arbeit im Dienst der sowjetischen Desinformation aufgegeben hatte. Zu dem Zeitpunkt hatte es schon niemanden mehr interessiert, wer Hammarskjöld ermordet hatte oder dass Mobutu Menschenfleisch verspeiste. Südafrika wankte, der Gummiknüppel fiel dem Buren aus der klobigen Pranke. In Eritrea gab es ein Gemetzel, kubanische Soldaten brachten mit ihren Rote-Fahne-Orden Aids mit nach Hause. Der Islam erschien auf der Bildfläche, militant.

Sie und ihr Mann wurden schließlich einer von Fanatikern geleiteten Organisation für Aufträge jeder Art zugeteilt, die immer krimineller wurde und zusehends Geld und Einfluss verlor. Es war ein Fehler gewesen; sie waren von den Franzosen schlecht behandelt worden, die keine Verwendung mehr für sie hatten und sie an die Amerikaner weiterreichten; zu dem Zeitpunkt war der Kalte Krieg in Afrika auf ein paar Pestbeulen des Hungers und des Massenmordes zusammengeschrumpft, in den Augen der Welt eine Randerscheinung. Aber mehr hatte sie vom freien Teil des großen, trostlosen Schlachtfelds des Dritten Weltkriegs aus nicht in Bewegung setzen können.

Der Haiti-Amerikaner las seinen Freunden ironisch aus dem übersetzten Mitteilungsblatt eines rassistischen Nationalisten auf einer Kolonial-Insel vor, der angeblich Gelder von jedem größeren Geheimdienst der Welt kassiert hatte.

«Er nennt es ‹Le Message du Soleil›», erklärte der junge Mann und las weiter:

«‹Die afrikanische Sonne allein hat den Kulturinstinkt zum Leben erweckt. Von Afrika aus hat er sich zum Fruchtbaren Halbmond ausgebreitet. Doch, *hélas*, vorher hat er die Aufmerksamkeit kalter bleicher Zwerge erregt, einer zurückgebliebenen Rasse, kümmerlich von Wuchs und kalt im Herzen. Verschlagen und grausam. Ich meine damit diejenigen, die in der ganzen Welt als ‹die Weißen› bekannt sind. Die weiße Rasse, *enfin.*›»

«Anwesende ausgenommen», fügte der junge Haitianer ein.

«Moment mal», sagte einer der Amerikaner. «Das ist einer von *uns*?»

«Tja, Arthur, in unserem Haus sind viele Wohnungen.» Der junge Mann sah sie fragend an: Ob er weiterlesen solle.

«‹Doch die Sonne allein›», fuhr er fort, «‹war Quell und Sinnbild der Lebenskraft. In einem Ausbruch von Energie nahm deshalb ein Führer der Weißen, vielleicht der begabteste, eine dunkle Strichzeichnung der Sonne zu seinem Zeichen. Denn was, meine Freunde, ist das Kreuz anderes als die Sonne? Und in seinen Händen verformte sie sich zu ihrem wahren Abbild und beschwor die ganze strahlende Überfülle des großen Sterns selbst herauf.›»

«Er meint das Hakenkreuz», fügte der adrette junge Mann erklärend hinzu.

«Ja, das hab ich mitgekriegt», sagte der Kubaner.

Der junge Haitianer räusperte sich.

«‹In ihrem Namen peitschte er seine verkrüppelte Rasse zu dämonischer Energie auf. Diesen fürchterlich großen Führer muss man – muss jeder – bewundern. Auch wenn man in ihm den Feind erkennt, dem man nacheifern muss. Eines Tages nun, wenn die Trompeten für Siegfried erschallen, werden die Trommeln einen Führer für die Söhne und Töchter der großen Sonne ausrufen, die Kinder des Amon Ra. Es wird mir nicht beschieden sein, es mitzuerleben, doch mit den Augen meiner Seele sehe ich es schon heute!›»

«Prost Mahlzeit!», sagte der Amerikaner.

«Der sieht es eben so, Arthur. Er ist ein guter Mann.»

«Adiós und auf Wiedersehen!»

Lara erkannte die Stimme, vor der sie sich gefürchtet hatte. Er war ein ehemaliger argentinischer Offizier namens Marcial Pérez, der sich gern Triptolemos nannte.

«Wünschen wir uns gegenseitig gute Geschäfte.» Er ging

an die Tür und verabschiedete die Männer mit *abrazos*. Aber nicht jeder, der zu einem *abrazo* ansetzte, wurde auch wirklich umarmt.

Früher hatte es viel geheimnisvolles Kommen und Gehen gegeben, die Leute waren ohne Aufhebens durch getrennte Türen verschwunden. Aber jetzt spazierten die Männer aus Triptolemos' Sitzung ganz unbefangen am Butler vorbei und warteten auf ihre Chauffeure. Vielleicht hielt es die Organisation nicht mehr für nötig, ihren Einfluss zu verbergen, und versuchte stattdessen, ihn zu vergrößern. Bisher hatte man sich sein Geld heimlich abholen müssen, aber das hatte sich vielleicht auch geändert, dachte Lara.

Als nur noch Lara und Triptolemos übrig waren, trat er zu ihr, deutete eine Verbeugung an und küsste ihr die Hand.

«Haben Sie gesehen, wie sie Sie im Hinausgehen bewundert haben?», fragte er sie. «Die haben gedacht: Wer ist diese geheimnisvolle Schönheit?»

Lara lachte. «Ich hätte es ihnen sagen können: Eine von vielen. Noch so eine geheimnisvolle Schönheit auf der großen *estancia*.»

Triptolemos bestellte Tee, und sie zogen sich in einen kleinen Salon zurück; englischer Tee, belgisches Waffelgebäck.

«Ich habe mir immer vorgestellt, ‹Waffel› sei ein amerikanisches Wort», sagte er. Er wiederholte es und wackelte dabei mit den Backen. «Waffel. Erfunden in Pittsburgh, als ein Vorarbeiter sein Mittagessen auf den eisernen Boden der Werkhalle verschüttete.»

Als sie nicht reagierte, sagte er: «Das mit Ihrem Bruder tut mir aufrichtig leid. Alle dachten, sie würden zum Begräbnis kommen.»

«Ich konnte nicht», sagte sie. «Ich trauere um ihn, glauben Sie mir. Aber ich unterrichte ja an einer Universität – es wäre schwierig gewesen, jemanden zu finden, der für mich eingesprungen wäre. Und ich bin neu dort. Ich meine, es war unmöglich, ob Sie's glauben oder nicht.»

«Ich glaube Ihnen», sagte Pérez Triptolemos. Triptolemos war ein Name, den er sich vor vielen Jahren auf Acid ausgedacht hatte, obwohl er gar nicht der Typ dafür war. Er behauptete, er habe das LSD von Arthur Koestler bekommen, der Timothy Leary gekannt hatte. Sie hielt es für wahrscheinlicher, dass er es in Buenos Aires von einem CIA-Kollaborateur in dem schmutzigen Krieg bekommen hatte. Sein Deckname hatte etwas mit der Verbreitung der Kultur zu tun, mit dem Kampf gegen den Kommunismus. Eine Acid-Vision. Er glaubte an eine bestimmte Spielart der neofaschistischen Revolution, und Lara war eines Tages zu einer seiner geheimnisvollen Schönheiten geworden.

«Wir nahmen nach dem Tod Ihres Bruders an, dass wir auch etwas bekommen würden.»

«Sie wissen vermutlich, dass wir das Hotel verkaufen? Roger kümmert sich um die Kunstsammlung meines Bruders. Ich fahre hinunter, um ihm dabei zu helfen.»

«Wir machen uns so unsere Gedanken», sagte der Offizier. «Was ist mit dem Rest? Wir müssen die Kolumbianer bezahlen.»

Soviel Lara wusste, hatte sich die Hotelgesellschaft mit einer der rechtsgerichteten kolumbianischen Milizen zusammengetan. Ihr Bruder hatte für sie gearbeitet. Sie hatten das Hotel und die Insel für ihre Transaktionen benutzt, doch Lara hatte sich so weit wie möglich herausgehalten.

«Roger ist jetzt der Chef», sagte sie zu Oberst Trip.

«Roger? Ach ja, Roger.» Ein scheinbar gutmütiges Lachen. «Roger.» Als bewundere er sich selbst für die gütige Toleranz, mit der er der gesamten Menschheit begegnete.

«John-Paul hat ihm vertraut.»

«Dann tun wir es auch. Es gibt eine Gedenkzeremonie, nicht wahr? Vielleicht werde ich dabei sein.»

Sie traute ihren Ohren nicht, fürchtete, sie könnte blass geworden sein. Dass *er* auf die Insel kommen wollte! Der Gedanke ließ sie erstarren.

Er tätschelte ihr die Hand. «Nur im Geiste. Ich würde es mir nicht im Traum einfallen lassen, mich in diese Rituale zu drängen.»

«Sie waren immer freundlich zu uns», sagte Lara.

«Unsere Arbeit ... dieser Teil davon geht zu Ende. Aber es wird andere Strategien und andere Schlachten geben. *Compañeros* kämpfen in Kolumbien weiter. Nun, da Ihr Bruder nicht mehr lebt, schenken wir unser Vertrauen Ihnen und den kolumbianischen Bruderschaften.»

«Tja, wissen Sie, Triptolemos, ich habe mich zurückgezogen. Wir verkaufen.»

«Ja, ich weiß.» Er griff in seine Tasche und brachte ein Schmuckschächtelchen zum Vorschein. Als er es öffnete, sah sie den Smaragd und nahm ihn heraus.

«Señor!» Sie schaute ihn an und bot all die gelassene weibliche Ehrerbietung auf, deren ihr Verstand und ihr Körper fähig waren. Die Seele blieb in Reserve.

«Der ist ja wunderbar!», sagte sie. Sie verschlang ihn mit den Augen, bis ihr die Tränen kamen. *«Oh, Señor!»* Sie beugte sich vor, und sie berührten sich mit den Wangen.

«Jetzt müssen Sie es mir sagen», sagte er. «Sie müssen aufrichtig sein. Hat Fidel Ihnen auch einen geschenkt?»

Sie lächelte nur.

Er senkte den Blick. «Ich bin indiskret.»

Er begann von der Situation auf St. Trinity zu sprechen. Auch ohne ihr Zutun war er offenbar bestens unterrichtet.

«Sie wissen, dass die Amerikaner dort unten sehr präsent sind. Die Geheimdienste des alten Regimes können uns nicht einmal sagen, wo sie überall sind. Überall, wo Junots Armee im Feld steht, sind die *yanquis* auf seiner Seite. Sie kontrollieren offenbar die Straßen. Also werden Sie und Roger sich mit Junot arrangieren müssen. Die Amerikaner verlangen alles von ihm.»

Sie hätte ihm gern gesagt, dass das für sie ohne Bedeutung war. Natürlich wusste sie es besser. Welche Ironie, dachte sie, dass ein brutaler Folterer wie Trip einen auffordert, ihn ins Vertrauen zu ziehen.

«Also», sagte er, «Junot wird mit den Amerikanern sprechen, mit denen, die zählen. Roger Hyde wird mit den kolumbianischen Milizen reden.»

«Roger zieht sich demnächst ins Privatleben zurück. Wenn das Hotel verkauft ist, geht er wieder nach Mexiko.» So sollte es jedenfalls nach ihren Vorstellungen laufen.

«Vielleicht kann er ja trotzdem noch eine Zeit lang mitarbeiten. Ein paar Steine für die Malls von Boca und Hilton Head. Bis die Schuld beglichen ist.»

Lara nickte. Als das Gespräch beendet war, knallte der Mann, der sich Triptolemos nannte, die Hacken zusammen, wie es in der Armee seines Landes üblich war.

«Viel Glück mit Ihren amerikanischen Beschützern», sagte

Oberst Trip. Das beunruhigte sie. Wie viel wusste er tatsächlich?

Triptolemos, so hieß es, hatte den Menschen, die er bei lebendigem Leib in den Südatlantik warf, vorher im Flugzeug französische Gedichte vorgelesen. Seine Crew stieß sie in dem Moment aus der Maschine, in dem die Sonne über dem Horizont erschien. Oder aber in dem Moment, in dem sie im Meer versank. Er hatte ein Taschentuch, um ihre Tränen zu trocknen. Manchmal war es das Taschentuch der Ehefrau, dessen Duft der Verurteilte plötzlich erkannte, eine grausame Erinnerung vor dem blendenden Horizont. Oder das des Ehemanns, der Mutter.

«Ich verwirre die klugen Professoren», sagte Triptolemos gern von sich. «Ich bringe die Machos zum Weinen.»

«Manchmal», pflegte er zu sagen, «sind sie wie Kinder. Sie sind wieder Kinder, und ich bin ihr Vater. ‹Papi.› Schniefend, kein Sarkasmus mehr. ‹Gibt's da unten Haie?› Da haben wir sie beruhigt. ‹Im Südatlantik? Vor unserer Küste? Aber nein. Du wirst schon sehen.›»

Es war zehn Uhr vorbei, als sie in ihrer Suite im Mayflower ankam. Rechtzeitig vor der letzten U-Bahn verließ sie das Hotel. Niemand schien sie zu beobachten, aber genau wissen konnte man das nie. Auf dem Weg zum Dupont Circle fand sie ein öffentliches Telefon und wählte die Geheimnummer.

In der Connecticut Avenue nahm sie die U-Bahn zum Zoo und ging dann zurück Richtung Kalorama. Es gab ein äthiopisches Restaurant in der Newark Street, das noch geöffnet hatte und eine gemischte Kundschaft von Ostafrikanern und Washingtoner Nachtschwärmern bediente. In einer Nische im hinteren Teil trank eine junge Frau in Joggingsachen ein alkoholfreies Bier. Sie hatte lange, glatte schwarze Haare, ziemlich dunkle Haut und semitische Züge. Sie hätte alles sein können, dachte Lara und setzte sich ihr gegenüber an den Tisch.

«Also, was ist jetzt?», fragte die Frau.

«Das Leben nach John-Paul.»

«Ja, das wissen wir», sagte die junge Frau. «Tragisch. Aids, stimmt's?»

«Also, wenn Sie es genau wissen wollen», sagte Lara. «Wir haben nie das getan, was wir eurer Meinung nach getan haben.»

«Von wegen.»

«Wir haben nie getan, was Sie dachten. Die Leute auf dem Hügel hätten es Ihnen sagen können.»

«Ah. Tatsächlich?»

«Und wir sind draußen. Wir sind draußen, weil wir den Besitz verkaufen. Das können Sie überprüfen.»

«Wissen Sie was? Sie sind nicht draußen. Wir sagen Ihnen, wann Sie draußen sind. Mein Gewährsmann hat ein Bild von Ihrem Arsch an der Wand hängen. Beim Nacktbaden mit Fidel. Es hängt direkt unter dem Porträt des Präsidenten. Sie sind uns was schuldig.»

«Ich nehme ein Risiko auf mich, wie Sie sehen. Um reinen Tisch zu machen.»

«Wenn hier jemand reinen Tisch macht, dann sind wir das. Merken Sie sich das.»

«Jetzt werden Sie ordinär», sagte Lara.

«Tja», sagte die junge Frau. «Wir sind eben nur Polizisten. Wir sind eben ungebildet.»

9 An einem frühlingshaften Sonntag mit strahlendem Sonnenschein und warmen, schmeichelnden Brisen gingen Ahearns zur Messe. Kurz vor zehn Uhr stiegen sie zu dritt die Schiefertreppe von St. Emmerich hinauf. Es war eine weiße Holzkirche, die von zwei kleinen, in Preußischblau abgesetzten Türmen flankiert war. St. Emmerich war eine deutsche Gründung, auf subtile Weise anders als die französisch-irischen Kirchen der Stadt.

Sie gingen hintereinander, Kristin hoch gewachsen voran. Einen Schritt hinter ihr trottete gesenkten Blicks Michael, dem sein Kater zu schaffen machte. Paul folgte ihm. Er wirkte zerstreut und melancholisch und raffte sich nur hin und wieder zu dem großspurigen Gang auf, den er immer übte, wenn er sich unbeobachtet glaubte. Er hatte ihn aus der Schule mitgebracht.

Oben angelangt, drehte Michael sich um und sah ihn an.

«Was ist denn los mit dir? Hast du's im Rücken oder was?»

Paul richtete sich auf, würdigte ihn aber keiner Antwort. Michael musterte ihn scharf und meinte in seinen Augen so etwas wie Trotz aufblitzen zu sehen.

Er folgte seiner Frau in das betäubende Duftgemisch von schalem Weihrauch, Lack, altem Holz und Lilienblüten. Das

Innere der Kirche war ein Muster aus Grautönen. Statt eines bildhauerisch gestalteten Altars nur ein schlichter Tisch, auf dem zwei Kerzen brannten. Jedes der undurchsichtigen grauen Fenster enthielt eine einzelne, mit einer stilisierten Ikone verzierte Scheibe. Hinter dem Opfertisch glomm eine ewiges Licht vor einer grauen Fahne mit den Buchstaben Chi und Rho.

Michael trat beiseite, um seine Frau und seinen Sohn in die Bank ziemlich weit hinten zu lassen, die sie sich ausgesucht hatten. Paul beugte das Knie und bekreuzigte sich. Michael und Kristin gerieten versehentlich in Blickkontakt, sahen einander gleichgültig an und nahmen Platz.

Von seinem Platz aus konnte Michael zusehen, wie sich die Kirche füllte. Die Universität war stets durch ein kleines, buntes Kontingent vertreten. Der betagte Professor Doroshenko, Philologe und ungeheuer gelehrte Autorität für slawische Mythologie, führte seine gebrechliche Frau zu einem Platz weit vorne. Die zahlreichen dicken Bände des Professors über Waldgeister und Flusselfen erschienen regelmäßig in einer Emigrantenpresse in Winnipeg. Hinter den Doroshenkos beteten kniend Mr. Giorgio und Mr. Cushing, ein Paar älterer homosexueller Bibliothekare von bemerkenswerter Frömmigkeit. Hinter ihnen saß Dr. Almeida mit Frau und vier seiner Kinder. Der fruchtbare Doktor aus Goa war der Guru des Computerzentrums. Dann waren da die paar Dutzend Studenten, denen es die Kirche möglichst angenehm zu machen suchte. Es waren überwiegend junge Frauen, die zum ersten Mal von zu Hause fort waren.

Die übrige Gemeinde bestand aus Städtern und Farmern. Drei, manchmal vier Generationen, Abkömmlinge der rheinischen und böhmischen Siedler des neunzehnten Jahrhunderts, uralte Männer und Frauen und Babys auf den Armen ihrer Mütter. Immer mehr ländliche Kirchen wurden geschlossen oder zusammengelegt; Wanderpriester mit transportablen Kommunionsgeräten und Tonbandkassetten mit *Tennessee Ernie's Sacred Songs* verbrachten das Wochenende damit, in einem halben Dutzend baufälliger Gotteshäuser inmitten der Sojabohnenfelder die Messe zu lesen. Dort draußen war nur noch ein Bruchteil der Familienfarmen übrig.

Die Deutschen waren knollengesichtig und breitschultrig, kläräugig und sauber gewaschen. Ihre Kinder hatten Sommersprossen und blondes Haar und strahlten vor Unschuld.

Am anderen Ende der Kirche sah Michael einen Mann namens Harold Lawlor, der zusammen mit seiner Frau Frances den harten Kern des örtlichen Vereins der Abtreibungsgegner bildete. Michael setzte seine Brille auf und rückte sich so zurecht, dass er besser beobachten konnte, wie Mr. Lawlor den Rosenkranz betete und beim Ave Maria die Augen zum Himmel erhob.

Lawlors älterer Cousin, ein Mann namens Brennan, hatte in South Dakota einen Priester zum Krüppel geschossen, weil dieser einem zwölfjährigen Mädchen erlaubt hatte, bei der Messe als Ministrantin zu dienen. Es hieß, er habe an dem Tag, an dem er den Schuss abfeuerte, der Zwölfjährigen aufgelauert, deren junges Leben nur durch Zufall seiner Neun-Millimeter-Kugel entgangen sei. Vor Gericht hatte er auf Alzheimer plädiert. Brennan war achtzig gewesen und noch im selben Jahr gestorben. Als Märtyrer.

Michael beobachtete Mr. Lawlors wässerig-blaue Augen, die verklärten Blicks aufs Unendliche gerichtet waren, und plötzlich packte ihn eine ungeheure Wut. Sein Kinn zitterte; seine Hände ballten sich zu Fäusten. Er musste sich vorsagen, dass dies nicht der Mann war, der geschossen hatte. Lawlor beendete das letzte Gesätz seines Rosenkranzes. Oh, die Schmerzhaften Geheimnisse, dachte Michael. Lawlor bekreuzigte sich mit dem Kreuz des Kranzes, küsste es und heftete seinen trüben Blick erneut auf die unendliche Glückseligkeit.

Der Priester, der kleinwüchsige, untersetzte Father Schlesinger, las aus der Heiligen Schrift.

«Ich gehe zum Altar Gottes», erklärte er. Und der blasse Messdiener mit dem Bürstenschnitt, der mit den Sohlen seiner Reeboks zur Gemeinde hin kniete, antwortete: «Zu Gott, der meiner Jugend Freude gibt.»

Neben Michael betete Paul. Artig den Kopf gesenkt, las er in seinem Messbuch. Die Stürme der bevorstehenden Pubertät hatten sich für den Augenblick gelegt. Seinem Aussehen nach, dachte Michael, war er dabei, Kontakt herzustellen. Er warf die Leine dort hinauf, richtete das ehrfürchtige Auge ins Leere, hielt Zwiesprache mit der leeren Luft. Michael sah, wie der Junge die Hände vor der Brust verschränkte, so wie er es als kleines Kind getan hatte, und es sah in der Tat so aus, als ergriffe er etwas und drückte es ans Herz. Dass er erkannte und bekannte, frohlockte und teilhaftig wurde. Draußen zwitscherten Frühlingsvögel, die in diesen Breiten nicht heimisch waren.

Zu seiner Linken saß Kristin; Michael sah, dass auch sie Paul beim Beten zuschaute. Sie konnten beide den Blick nicht abwenden. Ihr Sohn lebte, Gast – wie alle anderen auch – einer zufälligen Singularität. Die zufällige Singularität, eine bloße Maschine, erforderte kein Opfer. Doch ringsum stiegen mit dem Weihrauch und dem Gesang Geheimnisse in die Höhe. Die Farmer und Büroangestellten und Polizisten, die Professoren, die jungen, auf sich gestellten Frauen, sie alle kämpften darum, ihr verzweifeltes Innenleben mit dem Frieden in Einklang zu bringen, der, so stand geschrieben, über das Verstehen hinausging.

Michael hätte fast zu zittern angefangen, er loderte vor Scham und wütender Selbstverachtung. Die Kirche, die Demütigung als Segen lehrte, demütigte ihn bis an die Grenze des Erträglichen. Er bereute es, seinen Sohn jemals in diese duftenden, von Kerzen erhellten Räume geführt zu haben. Er dachte an Kristin im Krankenhaus, wie sie sich an ihren Gott geklammert, wie sie um die Gnade von Träumen gefleht hatte. Er wollte hier raus. Einmal schweiften seine Gedanken von seinem Wutanfall ab, und er stellte sich vor, dass eine verhutzelte alte Frau neben ihm saß, ein puppenähnliches Wesen mit dem Lächeln eines Totenschädels. Marinette. Sie roch nach einem Duftkissen. Einer der Wachträume in dem leeren Raum, über den nachzusinnen er in die Kirche gekommen war.

Auf der Heimfahrt reichte seine sonntägliche Meditation gerade so weit, dass er sich Lara inmitten von Korallenbögen vorstellte, wie ihr langer Körper an leuchtenden Fangarmen vorüberglitt oder an einer seidigen Oberfläche.

Zum uralten Summen der Zeit nach dem Gottesdienst machten sie sich auf den Heimweg. Pfannkuchen für den jungen Kommunikanten. Eiswasser und Basketball im Fernsehen für ihn selbst. Kristin legte ihren Sonntagsstaat ab und zog enge Jeans an, die seine Aufmerksamkeit erregten. Er stand am Fenster, ignorierte das Basketballspiel und sah zu, wie sie die im Winter abgestorbenen Pflanzen zusammenrechte. Diese warmen Rundungen an der Hüfte und die köstlichen am Hosenboden. Die Mittelnaht straff, tief hinein. Es war seltsam, aber seit Lara in sein Leben getreten war, befand er sich in einem Zustand sexueller Spannung, der auf beide Frauen gleichermaßen gerichtet war. Er war, auf verschiedene Art, auf beide versessen. Der schrille Schmerz des Verlangens war stets nur eine Empfindung entfernt.

Als sie hereinkam, dachte er, sie müsse gemerkt haben, wie er sie beobachtet hatte. Aber sie sagte nur: «Wann war noch der Termin dieser Taucherreise?»

«Der vierundzwanzigste. Ostern.»

«Dort ist es bestimmt schön.»

«Willst du nicht doch mitkommen?» Er überlegte, ob er mit dieser falschen Frage nicht zu lange gewartet hatte.

«Soll ich?»

«Klar», sagte er, «wenn du willst.»

«Ja?»

Er fragte sich: Was spielen wir hier?

«Es ist nur», sagte sie, «ich weiß, dass es dir ohne mich besser gefallen wird.»

Es war nicht ganz das, was er hatte hören wollen.

10 In San Juan spielte Lara mit Fünf-Dollar-Chips die 18, und zwar in allen möglichen Setzungen: *Carré, Kolonne, Cheval, manque, rouge, zweites Dutzend* und *plein.* Nach dem vierten Coup gewann sie. Daraufhin setzte sie 36, ebenfalls mit allen Möglichkeiten, und gewann wieder.

Der gut gelaunte Croupier gratulierte ihnen. Michael sah, wie Lara zwinkerte und ihm einen Fünfzig-Dollar-Chip hinschob.

«Na und», sagte sie, «ist doch mein Geld.»

Der Flugdienst nach St. Trinity war ausgesetzt worden, bevor sie in Puerto Rico landeten. Es gab Schwierigkeiten nach den dortigen Wahlen, und die Armee war in sich zerstritten. Die Fluggesellschaft spendierte ihnen eine Übernachtung in einem Hotel in Isla Verde. In ihrem Zimmer sechzehn Etagen über dem Strand konnten sie die Brecher hören, aber Lara zog es an die Spieltische.

Sympathische puerto-ricanische Teenager in Abendkleidung hasteten durch die Korridore, ihren Familien voraus, die sich zweisprachig unterhielten. Nach Laras Gewinn fanden sie eine Bar auf einem Felsen am Strand. In dem Lokal herrschte eine angenehm heitere Stimmung, als wären all die Intrigen nur Spaß und der Dschungel ein Ort, an dem man unter dem tropischen Mond kühle Drinks schlürfte. Der

Mond allerdings war tatsächlich da. Er war fast voll und versilberte das Riff. Die Lichter von San Juan erweckten den Eindruck einer sorgenfreien Stadt.

Sie hob ihr Glas. «Auf den, dem wir das zu verdanken haben.»

Nachdenklich trank Michael einen Schluck.

«Bitte glaub nicht, dass ich gefühllos bin. Oder dass ich meinen Bruder nicht geliebt hätte. Ich hab dir gesagt, dass ich um ihn getrauert habe.»

«Ich war mir nicht sicher, ob du John-Paul damit gemeint hast. Es hätte ja auch irgendein Gnom in Washington sein können.»

Sie sah ihn an, ohne zu antworten. Er nahm eine brennende Kerze von einem anderen Tisch, damit sie etwas mehr Licht hatten.

Sie telefonierte auf Englisch, Französisch und Kreolisch, um einen Flug aus San Juan zu ergattern, alles mit dem Glückslächeln, das ihr den Gewinn beim Roulette beschert hatte. «Komm, gehen wir auf unser Zimmer», sagte sie, «da kann ich besser telefonieren.»

Sie lag auf dem Bett und führte ein Verzweiflungstelefonat nach dem anderen, und er streckte sich neben ihr aus. «Gibt es noch etwas, was du mir über unsere Reise sagen solltest?»

«Was denn zum Beispiel?», fragte sie. Nach einer Weile sagte sie: «Wo soll ich anfangen?»

«Vielleicht dort, wo die Zeitungen aufhören», schlug er vor. Er hatte die Geschichte verfolgt, obwohl er nie darüber sprach. Es war seine Strategie gewesen, niemals von St. Trinity anzufangen, bevor sie es tat. Der *Miami Herald* berichtete von brennenden Barrikaden und Übergriffen. Er setzte sein Glas ab und starrte aufs Meer hinaus.

«Schau nicht so bekümmert drein, Michael. Es wird alles gut für uns laufen. Ich liebe dich wirklich, weißt du. Deswegen habe ich dich gebeten mitzukommen.»

«Ich bin mitgekommen, weil ich mit dir zusammen sein wollte, Lara. Ich hätte heute Abend zurückfliegen können, wenn ich es gewollt hätte.» Tatsächlich war er darauf aus, mit ihr zusammen die Gefahr zu genießen. So tief hinabzusteigen, so viel von ihr zu nehmen, wie er tragen konnte, und sogar noch mehr zu riskieren.

«Bist du mein im Angesicht des Todes?», fragte sie lachend.

Sie schlang ihr Bein um seines. Er presste sich an sie und legte seine Hand auf sie, auf ihre nasse Seide, ihr Haar.

«Weißt du», sagte sie, «es geht nicht um Leben und Tod. Glaub ich jedenfalls. Ich brauche keinen Beschützer. Nur die Gesellschaft von jemandem, der mir was bedeutet.»

Ihr Tonfall hatte sich fast unmerklich geändert.

«Was immer du brauchst», sagte er, «was immer ich dir geben kann ...»

«Ich hab dir doch gesagt, dass wir das Hotel verkaufen, stimmt's?»

«Ich nehme an, das Hotel wurde irgendwie finanziert», sagte Michael. «Zu politischen Zwecken.»

«Ja, und jetzt versuche ich, meinen bescheidenen Anteil zu kassieren. Nach der Gedenkfeier, die auch so eine Art Abschied sein wird, legen wir fest, wer was bekommt. Damit komm ich schon klar. Ich wollte nur nicht völlig allein auf der Insel sein.»

143

«Du hast einen amerikanischen Pass, sagst du?»

«Ja, ich bin durch meine Mutter amerikanische Staatsangehörige. Das Hotel hat der Familie meines Vaters schon gehört, als es noch eine Zuckerfabrik war. Als es noch Sklaven gab. Wie viele andere auf der Insel kam die Familie meines Vaters im neunzehnten Jahrhundert von Haiti. Ihre Sklaven brachten sie mit.»

«Aber sie waren Weiße?»

Sie lächelte und zuckte die Achseln.

«Auf St.Trinity ist Purcell ein guter Name. Aber für die obersten Schichten der Kolonialgesellschaft» – sie schüttelte in gespieltem Bedauern den Kopf – «nicht gut genug. Und viele von den ältesten Kolonialfamilien würden sagen: Die Purcells? Wunderbare Menschen. Südlicher Teil der Insel. Aus Haiti, wissen Sie. Mit dem einen oder anderen Einschlag. Franzosen. Kreolen. Verstehst du?»

Michael nickte.

«Immerhin wurde meine Großmutter in den Südstaaten nie aus dem Schlafwagen verwiesen.» Er sah sie ernst an. «Verdammt, Michael, John-Paul hat damit immer einen Lacher eingeheimst.»

Sie rechne nicht damit, Ärger zu bekommen, aber sie wolle Wertgegenstände mit nach Hause nehmen, und die politische Lage sei äußerst unsicher. Jeder Zeitungsleser wisse das.

«Außerdem haben mein Bruder und sein Partner mit Leuten in Südamerika Geschäfte gemacht, und ich weiß nicht, wie entschieden die beim endgültigen Kassensturz auftreten werden. Ich glaube nicht, dass es Gewalttätigkeiten oder so was geben wird. Ich will nur nicht ohne Begleitung hingehen.»

Er dachte an das tropische Fabelwesen, das im Internet über sie wachte.

«Wir werden getrennt ankommen», sagte sie. «Es gibt also ein paar Sachen, die du beachten solltest.»

Dass sie getrennt ankommen würden, war Michael neu.

«Warum getrennt?»

«Ach, das hat sich so ergeben. Die hatten einen Platz in der American-Maschine nach Rodney, den hab ich für dich gebucht. Ich selber bekomme wahrscheinlich einen Flug nach All Saints Bay über Vieques.» Sie nahm seine Hand. «Schau nicht so kläglich drein, mein armer Schatz. Zurück fliegen wir zusammen. Ich muss nur unbedingt rechtzeitig für die Riten da sein.»

«Die Trauerfeier.»

«Nein, die katholischen Zeremonien sind vorbei. Das sind jetzt lokale Riten. Freimaurerisch, wenn du so willst.»

«Aber ich krieg dich schon mal zu sehen auf der Insel?»

Sie schloss die Augen und spielte ihm vor, wie selig sie sein würde.

«Von Rodney musst du mit dem Bus weiterfahren», instruierte sie ihn. «Die Leute sind bettelarm. Du kannst niemandem trauen. Lass deinen Koffer nicht aus den Augen.»

«Ich könnte mir einen Wagen mieten.»

«Würde ich nicht empfehlen. Allein.»

«Auch nicht bei Tag?»

«Am ersten Schlagloch erwischt dich irgendein Halunke. Ein entlassener Soldat mit einer teuren Waffe. Nimm den Bus oder besser noch ein Sammeltaxi. Es ist nicht Haiti, aber zurzeit kann es auch dort ganz schnell brenzlig werden. Aber das kennen wir ja, oder?»

«Ja, das kennen wir. Ich hoffe, es ist eine schöne Strecke. Regenwald.»

«Eine schöne Strecke», wiederholte sie. «Ja, doch.»

«Mir ist natürlich klar, dass die Straße durch das eine oder andere Unruhegebiet führen kann ...»

Er merkte, dass sie ihn unterbrechen wollte.

«Ich will dir was sagen, Michael. Die freimaurerischen Rituale sind typisch für die Insel. Lokale Sitten und Gebräuche. Sie sind anders als alles, was du jemals erlebt hast.»

Sie senkte die Stimme und schaute ihm in die Augen.

«Ich sag dir, was die Leute dort glauben. Sie glauben, dass die Seelen von Menschen, die vor einem Jahr gestorben sind, an einem Ort auf dem Meeresgrund sind, der Guinee heißt. Ungefähr nach einem Jahr werden die Seelen wieder aus dem Meer geholt. Dazu dient unsere Zeremonie.»

«Verstehe», sagte Michael. Dass es eine alte Tradition war, beruhigte ihn.

«Mein Bruder war ein sprunghafter, ruheloser Mensch. Die Leute glaubten, er besitze besondere Kräfte und könne Böses tun.»

«Und, hat er? Böses getan?»

«Die Leute glauben, dass er meine Seele verschenkt hat. Dass er sie einer alten Frau gegeben hat, die La Marinette heißt.»

«Deine Patin.»

«Sie hat vor Jahrhunderten gelebt», sagte Lara. «Ich gehöre ihr. Ich gehöre zu ihr.» Er schaute ihr in die Augen, während sie sprach. «La Marinette», wiederholte sie flüsternd. «Sie hat mit dem Töten angefangen. Sie hat das erste französische Blut vergossen.»

«Und du willst deine Seele wiederhaben.»

«Ich muss John-Paul bitten, sie mir zurückzugeben, wenn wir seinen *ti bon ange*, seine Seele, von Guinee heraufholen.»

«Lara», sagte er langsam, «ich finde, du hast durchaus eine Seele, und sie ist absolut in Ordnung.»

«Nein, da irrst du dich», widersprach sie. «Du hast mich noch nie richtig gesehen. In gewisser Weise.»

«Das kann nicht sein», sagte Michael. «Dann wäre alles zwischen uns nur Illusion.» Keiner von beiden rührte sich. Er überlegte, was er da eben gesagt hatte. Im Grunde genommen war es ein einfacher Gedanke, den er nicht zu Ende zu denken wagte.

Sie hielt seinen Blick fest und legte ihm die Finger auf den Mund. «Es steht mir frei zu lieben. Noch mehr zu lieben. Ich liebe dich über den Tod hinaus, das schwöre ich.»

«Über den Tod hinaus ist nicht nötig.»

«Vielleicht doch», sagte sie.

«Ich muss dir glauben», sagte Michael. Er machte sich über beide lustig.

«Manche sagen das.»

«Ja. Ich sage es. Hier bin ich.»

«Wirklich?»

«Ja, wirklich.»

«Schau», sagte sie, «mehr kann ich dir nicht erklären. Sag mir, dass du mich jetzt nicht verlassen wirst.»

«Eigentlich wollten wir ja hier unten tauchen.»

«Keine Sorge», sagte sie. «Wir werden tauchen, wie es besser nicht geht. Wir werden an den schönsten Riffs tauchen, die die Zeit je gesehen hat.»

Er fand das eine seltsame Art, es auszudrücken. Doch dann legte er, vielleicht um die Zeit zu illustrieren, ihre Hand auf seinen Körper, schob sie sanft die Wand seines Bauches hinab.

In diesem Augenblick, in dem Hotelzimmer, mit den weichen Lichtern der Altstadt im Fenster hinter ihr, kam sie ihm so zerbrechlich und ängstlich vor, wie er sie noch nie gesehen hatte. Irgendwo in der Ferne regte sich Wahnsinn. Nicht unbedingt der von Lara. Und auch nicht sein eigener. Nicht der Wahnsinn irgendeines Menschen, vielleicht nur eine andere Anordnung der Dinge über irgendeinem Horizont.

«Also gut», sagte er. «Vorausgesetzt, wir kommen noch zum Tauchen.»

«Aber sicher.»

Das Telefon klingelte, und nach kurzem Zögern hob Lara ab. Sie sprach in aufgeregtem Spanisch mit einer Frau. Ohne den Hörer vom Ohr zu nehmen, legte sie Michael die Hand aufs Knie.

«Michael, ich bekomme einen Flug über Vieques, wenn ich sofort losfahre. Sie haben nur einen Platz frei, und ich muss möglichst bald dort sein, sonst vergeben sie ihn anderweitig. Du weißt, warum. Ich darf nichts verpassen. Verzeihst du mir, wenn ich ihn nehme? Bitte?»

«Natürlich», sagte er. «Nur zu.»

Sie verfügte in heiterem Tonfall über Michaels Zukunft und legte auf.

«Und du hast morgen einen bestätigten Flug nach Rodney. Verpass ihn nicht.»

«Ich habe kein Flugzeug, keinen Bus und keinen Zug mehr verpasst, seit ich elf war.»

«Na schön, aber verpass auch den Bus in Rodney nicht.» Sie strich ihm das Haar zur Seite. «Es wird ein Schock für dich sein nach dem Caribe Hilton. Vergiss nicht, auf deinen Koffer aufzupassen.»

«Mein Koffer wäre eine herbe Enttäuschung für einen Räuber.»

«Mach keine Witze darüber, Liebster. Es ist wirklich gefährlich. Bleib in der Nähe von dem Bus – es wird ein Wachmann da sein. In Rodney arbeiten alle mit privaten Wachdiensten. Versuch nicht, den weltläufigen Reisenden zu spielen – man würde dich umbringen. Aussteigen musst du auf dem Marktplatz in Chastenet. Geh in den Laden von einem Mann, den sie den Faktor nennen. Er ist kein echter Beamter, aber er kann dir sagen, wie du zum Bay of Saints Hotel kommst. Die meisten Leute sind richtig nett. Wenn du im Hotel bist, bleib dort.»

«Gut», sagte er. «Ich glaub, ich hab alles verstanden.»

«Nein», sagte sie, «du hast nicht verstanden, warum ich dir das alles gesagt habe. Ich seh's dir an der Nasenspitze an.»

«Meinst du das mit dem Bus? Das war doch deutlich genug.»

«Ich meine nicht den Bus. Ich meine die anderen Dinge. Du hast kein Wort verstanden.»

«Das ist nicht meine Welt, Lara.»

«Und es wäre dir ein Leichtes, nach Hause zu fahren. Mich hier zurückzulassen und heimzufahren zu ... allem. Aber du musst mit mir mitkommen.»

Er versuchte, alles zu überdenken. Alles schien verloren, eingetauscht gegen etwas Reiches und Helles, eine tiefere Dunkelheit, ein fremdes Licht, gefährlich ungreifbar.

«Ja, ich komme mit.» Es klang wie eine Lüge; zugleich wusste er aber, dass er ihr folgen würde. «Natürlich komme ich mit.»

11 Von der Veranda aus konnte Lara über die hohen, mit bunten Glasscherben gespickten Mauern sehen, die das Haus ihrer Familie umgaben. An die Aussicht erinnerte sie sich noch aus ihrer Kindheit: der Himmel, die Blauschattierungen der Bucht, dahinter die Berge. Sie war schon bei Tagesanbruch aufgestanden. Die frühmorgendlichen Düfte hatten sich gehalten, bis die Sonne hinter dem Morne auftauchte und die kühne Geometrie der Berge anstrahlte.

Am Abend zuvor, nach dem Flug, hatte sie den Trommeln von der verfallenen Freimaurerloge in den nahen Hügeln gelauscht. Sie waren fast die ganze Nacht nicht verstummt.

Ihr war, als hätte es in ihrer Kindheit mehr Vögel gegeben, die gefälliger gesungen hatten. Jetzt sammelten sich Scharen von Krähen in den hohen Palmen, zusammen mit den Geiern, an die sie sich erinnerte. Auf der Landseite des Hauses verschwand der Berggipfel fast hinter den von Holzkohlenfeuern aufsteigenden Rauchschleiern. Die höchste Spitze des Berges bestand aus blankem Fels.

«Ich hab gestern Abend den Trommeln zugehört», sagte sie zu Roger Hyde.

«Hast du geträumt?», fragte Roger.

«Überhaupt nicht», sagte sie. «Hier ist alles wie ein Traum. Es kommt mir so seltsam vor.»

«Es ist kein Traum, Schätzchen. Es ist ein Fehler. Du hättest nicht kommen sollen. Vor allem nicht mit so einer Maschine.»

Roger Hyde war mit John-Paul in Harvard gewesen. Er war seit ihren Zwanzigern der Gefährte ihres Bruders gewesen und hatte fast John-Pauls ganzes letztes Jahr auf der Insel verbracht, ihm seine Medizin gegeben und die Ärzte von der amerikanischen Krankenstation überredet, ihn zu behandeln.

«Ich bin hier, um zu beanspruchen, was mir gehört. Ich habe ein Recht darauf.»

«Ich hätte nie gedacht, dass du so gierig bist, Schätzchen.»

«Mach dich nicht lächerlich», sagte Lara. «Ich habe auch meine Bedürfnisse.»

Roger ging ein paar Schritte von ihr weg und blieb an einer Stelle stehen, wo er die zerfurchte Straße sehen konnte, die in die rauchige Ebene hinab und bis ans Meer führte. Reglos stand er da und schaute.

«Du bist schön, Roger», sagte sie. «Wenn ich gierig wäre, würde ich dich nehmen. Notfalls mit Gewalt.»

Rogers Vater war Verfasser historischer Romane gewesen, ein Afro-Amerikaner aus Boston, dessen Bücher die Südstaaten vor dem Bürgerkrieg romantisch verklärten und allesamt Dauer-Bestseller wurden. Ihre Helden waren gestiefelte und gespornte Kavaliere, deren Galanterie und imaginäre Fechtkünste das Herz feiner Damen im amerikanischen Süden höher schlagen ließen. Die Romane des älteren Hyde waren oft in Hollywood verfilmt worden, aber das Bild des Autors tauchte nie auf den Schutzumschlägen auf.

«Und ich würde keinen Widerstand leisten», sagte Roger.

Er wirkte besorgt, aber wohlauf. Sein Leben war genau das richtige für ihn, fand sie.

Rogers Mutter war Französin, und die Familie hatte in Mexiko gelebt. Eine Zeit lang hatte Roger versucht, in die Fußstapfen seines Vaters zu treten, sein Erfolgsrezept nachzuahmen. Aber nach den ersten paar Romanen war es nicht mehr weitergegangen. Die Themen waren peinlich geworden. Deshalb war er aus Mexico City auf die Insel gezogen, hatte mit John-Paul im Bay of Saints Hotel gelebt, Reiseberichte und Interviews geschrieben und im Büro geholfen.

«Hör auf mich: Nimm dir, was dir deiner Meinung nach zusteht, und reise wieder ab. Ich meine es sehr ernst. Es ist ziemlich gefährlich hier.»

«Ich will aber noch ein paar Tage tauchen. Außerdem hab ich einen Freund mitgebracht.»

«Soll das ein Witz sein?», fragte Roger. «Bitte sag, dass das nicht wahr ist.»

Den Gefallen konnte sie ihm nicht tun. Sie teilte ihm mit, dass Michael Ahearn schon bald einfliegen werde.

«Du weißt, dass die Armee von Eustace Junot die Wahl verteidigt. Er hat die Amerikaner auf seiner Seite. Im Übrigen herrscht das totale Chaos. Plünderungen und Raubüberfälle am helllichten Tag.»

«Da ist es im Wasser gemütlicher. Ich geh schwimmen.»

«Lara!»

«Roger», sagte sie, «ich bin's doch. Deine Freundin Lara. John-Pauls Zwillingsschwester in den Mysterien. Ich musste für das *retirer* herkommen.»

«Ich hatte gedacht, du hättest das alles längst vergessen, Liebste. Warum vergisst du es nicht?»

Sie zuckte lächelnd die Achseln. «Unmöglich.»

«Na schön», sagte er nach kurzem Überlegen. «Ich treffe mich am Spätnachmittag mit dem EU-Beobachter. Es gibt Dinge, die wir wissen müssen. Möchtest du mitkommen?»

«Erst geh ich schwimmen.»

«Außerdem wirst du unsere Geschäftspartner kennen lernen, sie kommen heute an.»

«Sind die wie der Pilot, der mich hergebracht hat? Er hat die ganze Zeit kein Wort geredet.»

«Ja, so sind die auch», sagte Hyde. «Reserviert.»

Sie zog sich um und stieg die alte Steintreppe hinunter zum Wasser. Der Strand war steinig und mit Abfall übersät, aber es herrschte noch das reine Morgenlicht, der Himmel war noch nicht von Rauch und Sonnendunst getrübt. Als sie ein kleines Mädchen war, hatte man ihr beigebracht, dass sie zu Ehren des Gottes immer erst einen Stein ins Wasser werfen müsse. Wenn sie es vergaß, hatte ihr Kindermädchen einen hineingeworfen.

Sie warf einen sauberen Stein hinein und sprach den Namen des Gottes aus. Agwe.

Sie suchte sich vorsichtig einen Weg zwischen den stachligen Seeigeln hindurch und sprang mit einem Salto in Wasser. Sie kannte die Riffe und Strömungen seit ihrer Kindheit.

Das Wasser fühlte sich gut an, beruhigend und erfrischend. Sie fühlte sich stark und gefasst, obwohl sie Michael vermisste. Die Aussicht auf die Riten erregte sie, und zugleich hatte sie Angst vor ihnen.

Von der Sonne geblendet, war sie zu weit hinausgeschwommen. Sie trat Wasser und schaute sich um. Unter den Füßen spürte sie samtigen Geweihfarn – das mittlere Riff. Der Geheimstrand ihres Bruders lag hinter dem nächsten Vorsprung; sie kraulte energisch daran vorbei. Auf halbem Weg drehte sie sich um, schwamm mit abwechselnden Schlägen beider Arme auf dem Rücken weiter und orientierte sich dabei an den langsam aufziehenden Wolken. Eine halbe Meile weiter, hinter den Korallenspitzen und nur bei ablaufender Tide sichtbar, war die Mauer, die zur Quelle der Schöpfung hinunterführte, zu dem Ort, den die Maroons Guinee nannten, das purgatorische Afrika, wo Tod besser war als Knechtschaft und die schutzlosen Seelen auf Visitationen, Erlösung, Heimkehr warteten. An diesem Ort tanzten die zornigen Toten mit Marinette.

Fischer und Müßiggänger am Strand, Mütter und watende Kinder, beobachteten sie. Obwohl sie seit über einem Jahr nicht mehr auf der Insel gewesen war, hatte sie das Gefühl, dass sie genau wussten, wer sie war und wohin sie unterwegs war. Sie schwamm weiter. Die Erinnerung kam mit dem Geschmack des Salzwassers, der Kraft der zurückweichenden Flut. Hin und wieder ruhte sie sich auf dem Rücken aus. Als Taucherin auch im Rückenschwimmen geübt, kam sie mit langen Zügen gut voran.

In ihrer Kindheit war die Insel ein Paradies ohne Schlange gewesen, wenn man eine bestimmte Art Mensch war. Ihre Königliche Hoheit war auf den Banknoten abgebildet, und das amerikanische Außenministerium duldete lächelnd die lokale Korruption.

Und sie, Lara, war eine kleine weiße Prinzessin (so gut wie), und die Insel war, wie die nostalgische Redewendung besagte, für ihresgleichen so sicher wie die eigene Badewanne. Aber der Gang der Geschichte macht auch vor dem Paradies nicht Halt, und so kam dieses Wort als Bezeichnung für die Insel auch bei den verblendetsten Lokalpatrioten nach und nach aus der Mode, und das sich anbahnende Verhängnis ließ seine Trommeln ertönen, obwohl der Schrei auf der Straße nur undeutlich wahrgenommen wurde. Anfangs war *la violencia* eine Novität aus Kolumbien. Niemand besaß eine Walther – eine Machete genügte.

Eines Abends näherte sich ihr auf einem diplomatischen Empfang in Rodney ein gut aussehender Franzose. Er war Lehrer und arbeitete auf der Insel bei einer pädagogischen Stiftung. In seinem weißen Smoking war er der attraktivste Mann, den sie je gesehen hatte, ernst, aber charmant. Alles an ihm wirkte dramatisch, aber kein bisschen theatralisch.

«Sie sind keine Amerikanerin?», fragte er sie, nachdem sie einander vorgestellt worden waren.

«Nein», log sie. Warum auch nicht? Es war wirklich nichts, worauf man stolz sein konnte.

«Kreolisch, wie ich?»

Auf den französischen und spanischen Inseln nannten sich einheimische Weiße manchmal Kreolen. Auf den britischen nie.

«Ja», sagte sie, von Neugier gepackt.

Er wandte sich einem Amerikaner zu, der zu Besuch auf der Insel war, ein Kahlkopf fortgeschrittenen Alters. «Sehen Sie diesen Mann, Lara? Diesen fröhlichen Menschen?»

Lächelnd drehte sie sich um, auf einen starken Eindruck gefasst.

«Bei diesen Leuten ist der Hass auf die dunkelhäutigen Rassen das Einzige, was man als eine Art Ehrgefühl bezeichnen könnte.»

Sie stand da und lächelte noch einen Moment, errötete und fand endlich ihre Sprache wieder.

«Wie können Sie so etwas Schreckliches sagen!»

«Schönste Lara», sagte der Franzose, «kommen Sie mal und sehen Sie sich unsere Arbeit in Williamstown an. Unsere Schule. Und dann sage ich so lange schreckliche Sachen, bis Sie sie mir glauben.»

Irgendetwas an ihm zwang sie, ihm seine erschreckende Bitterkeit zu verzeihen. Sie wollte nicht in Reichweite seines Zorns geraten, wollte, dass man ihr verzieh. Er behauptete, Kubaner zu sein; er hatte die Staatsangehörigkeit gewechselt, um dem fortschrittlichen Teil der Menschheit anzugehören. Sie dachte über ihre Vorstellungen von sich selbst nach. Im Paradies konnte man sein, was man wollte.

«In diesem Semester unterrichte ich täglich an der St. Brendan.»

«Wir werden schon einen Tag finden», sagte der gut aussehende Franzose.

Sie hatte ihn geheiratet, und sie waren nach Paris gezogen. Dann war sie Einflussagentin geworden, wie man das damals nannte, ein kleines Rädchen im Getriebe des Ostblocks, unter der Ägide ihres Mannes und des großen Desmond Jenkins, dem Magier des Einflussagentenwesens in der Dritten Welt und bei den Vereinten Nationen. Sie hatte Castro und Graham Greene kennen gelernt. Ihnen beigelegen.

Dann hatten sie und ihr Mann die Seite gewechselt und waren vom französischen Geheimdienst im Austausch an die Triptolemos-Brigade weitergegeben worden. Pech gehabt, aber jetzt, dachte sie, würde das korrigiert werden, sobald das Hotel verkauft war.

Das Wichtigste aber war, dass sie bei John-Pauls *retirer* vielleicht ihre Seele zurückverlangen konnte, die er, ihr Bruder, um sie zu ärgern in die Obhut seiner eigenen Schutzgeister gegeben hatte. Er hatte es getan, um sie dafür zu bestrafen, dass sie auf das Schweizer Internat gegangen war, und für andere Vergehen. Sie war verliebt, so schien es; sie dachte mit Wohlgefallen an Michaels Körper. Aber das Beste war, dass sie wieder ein Ganzes sein würde.

Silbrige Barracudas tummelten sich um sie herum im seichten Küstenwasser. Ein Schwarm Stachelrochen huschte über den Sand, als sie aus der sanften Brandung an Land watete.

Als sie geduscht und sich wieder angezogen hatte, war Roger schon weg. Das Haus hatte eine ständig wechselnde Population von Dienern und Gelegenheitsgästen, aber es ließ sich niemand blicken. Das Telefon funktionierte, und sie rief im Hotel an. Michaels Maschine aus San Juan war nicht gestartet. Niemand wusste Bescheid über den Busverkehr in die Hauptstadt.

Die Schlüssel, die sie aus den Staaten mitgebracht hatte, passten noch. In der Garage stand der alte Land Rover mit zu drei Vierteln vollem Tank, nicht genug für die Fahrt nach Rodney und zurück. Es waren zwar auch ein paar volle Benzinkanister da, aber sie hatte Angst, sie auf eine solche Fahrt mitzunehmen. Wenn Michael abgeholt werden musste, würde sie fahren. Dann entschloss sie sich spontan, über die Küstenstraße zu dem Kloster zu fahren, an dem sie früher unterrichtet hatte. Auf der Straße begegnete sie niemandem außer einer alten Frau, die ihren Limonadenstand zusperrte. Sie hängte gerade ein Vorhängeschloss an einen zerbeulten Fensterladen aus Blech.

Als sie vor dem Klostertor hielt, hörte sie von drinnen die Geräusche eines Fußballspiels. Der alte haitianische Diener ließ sie ein, und sie sah die Sportler auf dem ausgedörrten Feld; zwei Teenagermannschaften spielten Gälischen Fußball. Die eine Seite war mit Rugby-Trikots ausgestattet worden. Ihre Gegner, die mit nacktem Oberkörper spielten, hatten den knotigen Körperbau der ärmeren Inselbewohner. Lara stellte den Wagen vor dem einstöckigen Schulgebäude ab und schaute eine Zeit lang zu. Auf einer Terrasse im Obergeschoss sah sie Schwester Margaret Oliver, mit Sonnenbrille, die auf der Lehne ihres Schaukelstuhls saß und offenbar gespannt dem Spielverlauf folgte. Das sah ihr ähnlich, dachte Lara, mitten in einem Aufstand die Jungen hinter den Klostermauern Gälischen Fußball spielen zu lassen.

Das Gewicht einer weiteren Erinnerung ließ sie auf der Treppe verharren. In den Gängen hielten sich noch immer die ausländischen Schulzimmergerüche, die sich ihr vor Jahren eingeprägt hatten. Metallpolitur und Kerzenwachs, Tinte und Schnittblumen, Ameisenspray und englische Seife. Als sie auf den Balkon hinaustrat, rief die Nonne den Jungen auf dem Spielfeld etwas auf Irisch zu. Lara zögerte, bevor sie an den Rahmen der Lamellentür klopfte.

Wieder schrie die Schwester ihren Jungs etwas zu. Ihre Mannschaft, dachte Lara, mussten natürlich die Hemdlosen sein. Lara fühlte sich plötzlich überwältig von der Masse all der verrückten, promiskuösen Kräfte ihrer Insel. Nonnen riefen schwarzen Kindern, die irische Spiele spielten, etwas auf Gälisch zu. Zuckerrohrschneider sangen in mittelalterlichem französischem Patois zum Rhythmus ihrer Machetenhiebe. An Traktorbatterien angeschlossene Plastikradios spielten Rhythm and Blues. Vom Schulbalkon sah man über Zuckerrohrfelder, die sich bis zum blauvioletten Kamm des Morne Chastenet erstreckten, wo die Abkömmlinge haitianischer Maroons Voodoo-*loas*, afrikanische Gottheiten und primitive Taino-Geister in dürftiger christlicher Verkleidung verehrten.

Seit hundert Jahren hatten die Maristenschwestern und -brüder schwarze und braune Kinder zu Höchstleistungen im Gälischen Fußball angespornt, indem sie ihnen Aufmunterungen in der alten Sprache zuriefen. Natürlich mussten sie auch Kricket anbieten – neben den Predigten von Kardinal Newman und den Reden von Edmund Burke die Passion der Inselbewohner. In den siebziger Jahren war es ihnen irgendwie gelungen, für die Bibliothek *Im gelobten Land* von Claude Brown und einen New Yorker Gang-Roman mit dem Titel *Kalte Welt* anzuschaffen, neben Winston Churchills *Geschichte der englischsprachigen Völker* und Erbauungsliteratur wie *Die Herrlichkeiten Mariens*.

Im Einklang mit der Religiosität und der liberal angehauchten Geschichte der Schule gab es auch Bücher über Benimm und Anredeformen, sodass ein St.-Brendan-Schüler, sollte er einmal den Wunsch verspüren, mit einem Marquis oder einer ähnlich hoch gestellten Persönlichkeit zu korrespondieren, jederzeit die vorschriftsmäßigen Anrede- und Grußformeln finden und verwenden konnte. Lara hatte ihren Drittklässlern befohlen, *Onkel Toms Hütte* zu lesen. Das Buch war immer noch populär.

Aber während Laras Zeit als Lehrerin hatten die Maristen mit Unterstützung des Bischofs alles darangesetzt, die schrecklichen Rastas und ihre schrecklichen Frisuren und die Symbole der *black power* zu unterdrücken, die Schwester Margaret Oliver amerikanischen Mist nannte. Eldridge Cleaver und Frantz Fanon waren zu der Zeit in den Regalen der Bibliothek aufgetaucht, Fanon auf Laras Betreiben.

Als sie Lara in der Tür stehen sah, nahm Schwester Margaret ihre Sonnenbrille ab, die mit ihren runden Gläsern an einer alten Nonne grotesk modisch wirkte, ja geradezu unheimlich, an amerikanischen Mist erinnernd.

«Ach, liebste Lara. Ach, Gott segne Sie, teures Mädchen.»

Lara wollte sie daran hindern, ihretwegen aufzustehen. Vom Spielfeld drang ein vielstimmiger Schrei herauf; jemand hatte ein Tor geschossen.

«Tor», sagte Lara leise.

Schwester Margaret schüttelte verwundert den Kopf. Sie rief den Schiedsrichter.

«Jack? Glauben Sie, Sie können ohne meine Unterstützung weitermachen?»

Der junge Schwarze, der das Spiel pfiff, reckte den Daumen hoch. Die Nonne bestellte Tee bei dem Mädchen vom Lande, das in der Küche arbeitete. Umarmt und geküsst wurde nicht. Bei den irischen Maristen und ihren Schülern waren Umarmungen nicht üblich.

«Ist es denn nicht zu gefährlich, sie an so einem Tag alle in die Schule kommen zu lassen?», fragte Lara. «Ich meine, wären sie denn zu Hause nicht besser aufgehoben?»

«Aber ganz im Gegenteil», sagte die Nonne. «Ganz im Gegenteil. Die Junta würde ihnen bloß ein Gewehr in die Hand drücken. Ich behalte sie hier, bis Junot und die Amerikaner die Oberhand gewinnen. Was nicht heißen soll, dass ich Beifall klatschen würde.»

«Aber Sie sind doch wohl nicht für die Junta?»

Schwester Margaret lachte. «Von wegen! Wo wir für die Erziehung von Oberst Junot verantwortlich waren? Er war einer von uns, wissen sie. Er ist ein Ehemaliger.»

«Natürlich.»

«Aber ich will nicht, dass meine Jungen als Zielscheiben herhalten müssen, und diese Mauern haben schon mehr Armeen getrotzt, als im Buch der Könige zu finden sind.» Sie musterte Lara. «Ich nehme an, Sie sind gekommen, um das Hotel zu schließen.»

«Ja, ich sage allem hier ade, Schwester. Ich komme nicht wieder.»

«Ach, das tut mir aber Leid», sagte Schwester Margaret. «Als ich hörte, dass Sie zu uns nach Hause kommen, dachte ich ... Ich dachte, was sie wohl für Geschichten zu erzählen hat. Man hätte abends noch etwas anderes zu tun gehabt als amerikanischen Mist im Fernsehen anzuschauen.»

Der Tee kam endlich, heraufgebracht oder besser heraufgeschleppt von einem verdrossenen, kurzatmigen Teenager; die Kleine war ebenso unwirsch wie übergewichtig.

«Ich hatte gehofft, Sie würden wieder als Lehrerin bei uns anfangen», sagte die Schwester. «Nachdem Sie sich lange genug die Welt angesehen haben.»

«Das wäre schön», sagte Lara. «Nein, ich habe eine Stellung in den Staaten angenommen. Politikwissenschaft.»

Sie sahen dem keuchenden Dienstmädchen nach.

«Sie hätten Medizin studieren sollen», sagte die Nonne. «Das hätte gut zu Ihnen gepasst.»

Lara lächelte. «Sie hatten mein Leben schon geplant.»

«Ich habe ununterbrochen Ihr Leben geplant, Lara.» Sie

schien tatsächlich zu weinen. «Keine Sorge, es war ein gutes Leben, das ich für Sie geplant habe.» Draußen schrien die Jungen wieder. Für einen kurzen Moment wurde Lara von Kummer und Reue gepackt. Offenbar konnte sie nicht anders, als die Stimmungsschwankungen der alten Frau zu übernehmen. Kummer, Reue und auch Angst. «Nun denn», sagte die alte Schwester Margaret und schluckte ihre Enttäuschung über Lara herunter, «Politikwissenschaft, sagen Sie? Und in den Staaten.»

«In Afrika habe ich niemandem was genützt.»

«Und ob Sie das haben! Und ob!»

«Ich war sowjetische Agentin, Schwester.»

Schwester Margaret Oliver blickte sich um, ob womöglich jemand mitgehört hatte.

«Soll das ein Scherz sein?»

Lara musste tatsächlich lachen. «Nein, es stimmt. Desmond Jenkins hat uns angeworben. Meinen Mann auch.»

«Sie sollten nicht solche Sachen sagen, meine Liebe. Unsere Regierung wird von der CIA geleitet.» Margaret Oliver schaute sich erneut um. «Seit der Yankee-Intervention. Sie könnten ins Gefängnis kommen.»

«Die wissen bestimmt alles über mich, Schwester. Genau wie Sie», sagte sie. Draußen ertönte abermals ein «Tor!».

«Wer?», empörte sich Schwester Margaret. «Ich?»

«Ein Scherz, Schwester. So tüchtig sind die in Wirklichkeit gar nicht. Jetzt sind wieder Leute in der Regierung, die in Kuba studiert haben.»

«Dr. Desmond Jenkins», sagte Schwester Margaret, «wurde überall verehrt. In der ganzen Dritten Welt. Und sogar in Amerika. Ich kann nicht glauben, dass er ein Spion war.»

«Er war kein Spion, Schwester. Er war ein Einflussagent. Er hat den Russen geholfen, in den englischsprachigen Ländern gut auszusehen. Dafür wurde er bezahlt. Und dafür, die Amerikaner bloßzustellen.»

«Genau», sagte die Nonne. «Weil er sie bloßgestellt hat, haben sie ihn einen Kommunisten genannt. Das machen sie immer so.»

«Tja», sagte Lara, «Jenkins hat sich jedenfalls geschickter angestellt als Laurent und ich. Wir wurden eigentlich auch als Einflussagenten geführt. Aber wir haben von unserem Gehalt als Universitätsdozenten gelebt. Der gute Desmond hatte seine steuerfreien Bezüge und Vortragshonorare.»

Sie erzählte Schwester Margaret kurz von ihrer Scheidung.

«Wir haben uns gemocht», erklärte Lara. «Aber Laurent wurde immer wieder in die frankophonen Länder dort beordert, und ich hatte die englischsprachigen.»

«Er ist älter als Sie», sagte Margaret Oliver.

«Ja», sagte Lara, «das auch.»

«Und wie ist der jetzige Stand?», erkundigte sich die Nonne nach einer kurzen Pause. «Immerhin haben die Yankees Ihnen ein Visum erteilt. Und Ihnen eine Dozentenstelle gegeben.»

Das war eine raffinierte Frage, die gewisse Kompromisse und Komplikationen einschloss. Lara gab ihr die einfachste Antwort.

«Meine Mutter war Amerikanerin. Und ich bin auch eine, mehr oder minder. Ich bin in New Orleans geboren, habe also einen amerikanischen Pass. Den habe ich immer verlängern lassen, aber in Afrika nie benutzt. Dort kommt man mit einem Diplomatenpass von der UNO besser durch, wenn man weiß, wie das läuft. Desmond hat es uns gesagt.»

Tatsächlich waren sie beide aus Desmond Jenkins' Bolschewisten-Fan-Club desertiert. Ihr Mann war zum französischen Geheimdienst gegangen, Lara zu einer amerikanischen Stiftung. Jenkins war als Lehrer in Amerika gestorben, ein auf großem Fuß lebender schwuler Betrüger, von dem man nicht wusste, auf welcher Seite er stand. Er hatte sich zusammen mit dem Kalten Krieg verabschiedet. Praktisch in derselben Woche, in der die Berliner Mauer gefallen war.

«Ist also», fragte sie ihre alte Lehrerin, «die Geschichte Gottes Wille?»

«Gottes Plan ist das, woran wir gemessen werden», sagte die Nonne. «Die Geschichte ist das, was wir uns zuschulden kommen lassen, Gott helfe uns.»

Sie horchten auf das Fußballspiel draußen.

«Glauben Sie an *les mystères*?»

«Das gehörte denen», sagte Schwester Margaret unglücklich. Sie nickte zu dem Feld hin, auf dem die Jungen spielten. «Für uns ist das nichts, wir haben schließlich ... alles, was wir haben. Unsere Religion und unser Wissen.»

«Also nur was für die?»

«Das sind alte, uralte Dinge», sagte Schwester Margaret nach einer Weile. «Die sind von der Schöpfung übrig geblieben. Von der Finsternis, beinahe.»

«Beinahe? Sind sie das Böse?»

«Nicht das Böse», sagte die Nonne. «Es hilft ihnen, in der Finsternis ihren Weg zu finden. Alles führt zum Licht.»

Von den Hängen des Anse Chastenet hörte man Schüsse aus automatischen Waffen.

«Die Sache ist die», sagte Lara, «dass ich persönlich verwickelt bin. Es war John-Paul. Er war für mich immer wie ein Zwilling. Er hat meinen *petit bon ange* eingesperrt. Sie wissen ja, er besaß die Kräfte eines *houngan*. Er hat meine Seele Marinette anvertraut.»

Marinette war eine Gestalt der Wut und der Gewalt. Keine Göttin, sondern eine Frau, die einmal gelebt hatte. Eine schreckliche gottähnliche blindwütige Frau. Sie gehört zu *petro*, den ihr Bruder bevorzugt hatte, die gewalttätige Seite.

«Hat es Sie verändert?», fragte Schwester Margaret.

«Ich spüre sie. Manchmal ist mir, als hätte ich keine Seele.»

«Gott wird Ihnen helfen, wenn Sie ihn darum bitten. Gott ist stärker als diese Geister.»

«Wie auch immer», sagte Lara, «ich muss die nächsten Abende zu dem *retirer*. Und ich kann nur hoffen ... dass ich sie wiederbekomme. Sie wissen, wie schwer es ist, über so etwas zu reden. Man kann das niemandem erklären. Ich hab's versucht.»

«Sie sind so stark», sagte Schwester Margaret. «So gescheit. Halten Sie den Blick auf den Himmel gerichtet. Die Kraft wird von ihnen abfallen.» Sie nahm Laras Hand und flüsterte etwas, was Gälisch oder Kreolisch hätte sein können. «Den Segen unserer lieben Frau für Sie. Sie zertritt die Schlange.»

«Ich werde glücklich sein», sagte Lara. «Ich spüre es.»

12 Am Nachmittag fuhren Lara und Roger zum Bay of Saints hinüber, um die Lage zu sondieren. Der einzige Gast im Hotel war ein älterer Holländer namens Van Dreele, der im Auftrag der EU die Wahlen beobachtet hatte und gerade einen Bericht verfasste. Van Dreele wohnte immer im Bay. Es war weit von Rodney entfernt und konnte nicht mit den Faxgeräten und den Wachdiensten aufwarten, die in der Hauptstadt zur Verfügung standen. Aber das Essen war gut, und Van Dreele hatte seine eigenen verlässlichen Informationsquellen. Jeden zweiten Tag wurde er in einem der blauweißen UN-Wagen die ganze Strecke hin und zurück gefahren, um sich ein Bild von der Situation in der Hauptstadt und den am Weg liegenden Gegenden zu machen. Im Bay of Saints konnte er besser nachdenken.

Als Roger und Lara im Patio des Hotels ankamen, war Van Dreele damit beschäftigt, seine Aperitifs aufzureihen. Er war tags zuvor in Rodney gewesen, und den ganzen Vormittag über waren E-Mails eingegangen, in denen ihm der Tod angedroht wurde.

«Früher wurden hier Drohungen zusammen mit einem geköpften Hahn in einem Rupfensack zugestellt», erzählte er Lara. Er aß zu Mittag, in Badeschlappen und einem zu großen gelben Badeanzug. «Heute kriegt man E-Mails.»

«Und was ist schlimmer?», wollte Lara wissen.

«Einen Hahn kann man nicht einfach löschen», sagte Van Dreele und strich sich über seinen tragikomischen Schnurrbart. «Aber damals ging es den Leuten natürlich noch besser. Heute hat niemand einen Hahn übrig.»

«Wird die Soziale Gerechtigkeit an die Macht kommen?»

«Junot und die Amerikaner. Diesmal werden sie dafür sorgen, dass das Wahlergebnis auch umgesetzt wird. Aber die Junta wird natürlich tun, was Juntas immer tun.»

«Und Sie wollen das alles durchstehen?», fragte Lara. Sie strich eine Strähne seines strubbeligen Strandläuferhaars zurück. Die sonnengebleichten Locken fielen ihm in die breite Stirn.

«Egal, ich bin sowieso zu alt, um Angst zu haben. Das rede ich mir jedenfalls ein.»

«Nehmen Sie's nicht persönlich», sagte Lara.

«Aber die haben was gegen mich persönlich», sagte der Holländer.

In den E-Mails wurde ihm etwas angedroht, was man in Haiti, wo der Brauch herstammte, fromm «Père Lebrun» nannte. Gemeint war, dass jemand bei lebendigem Leib verbrannt wurde. So etwas konnte man in keinem Alter auf die leichte Schulter nehmen, und Van Dreele war ein tapferer Mann. Manche sagten, er habe es sich zur Aufgabe gemacht, Buße zu tun für das, was seine Landsleute in Srebrenica angerichtet hatten.

Madame Robert, eine Einheimische, die sich vom Zimmermädchen zur Hausdame hochgearbeitet hatte, kam, um ihnen zu sagen, dass man Besuch von der Presse erwarte. Eine junge amerikanische Reporterin namens Liz McKie aus

Miami, die auf diese Gegend der Welt spezialisiert sei, habe ein Zimmer reserviert und hoffe, mit ihnen sprechen zu können.

«McKie?», fragte Lara. «Ist das nicht die, die wir nicht leiden können? Hast du gewusst, dass sie kommt?»

Roger nickte.

«Miss McKie und das Bay sind sich nicht grün», sagte er. «Aber sie ist die Freundin von Eustace Junot.»

Lara versuchte vergeblich, sich an Junot zu erinnern. Er hatte St. Brendan schon vor ihrer Zeit verlassen, weil er ein Stipendium für eine amerikanische Privatschule bekommen hatte.

«Eustace ist der Mann, dem die Amerikanisierung der Streitkräfte zur Last gelegt wird. Es wäre also nicht opportun, seine gute Freundin abzuweisen. Außerdem findest du sie ja vielleicht amüsant.»

«Ich finde sie attraktiv», sagte Van Dreele. «Ich wollte sie als Assistentin haben, aber leider ist mir Eustace zuvorgekommen. Aus dem wird noch unser lokaler André Chénier. Toussaint. Bolívar. Und sie wird dafür sorgen, dass alles in die Geschichtsbücher kommt.»

«Wir müssen sie doch nicht freihalten, oder?», fragte Lara. «Schließlich ist sie keine Reiseschriftstellerin.»

Roger schüttelte den Kopf. «Doch, wir werden sie natürlich bewirten.»

Lara überlegte. «Weißt du», sagte sie, «Francis hat die Angewohnheit, Zicklein nicht genügend durchzubraten – widerlich. Vielleicht sollten wir ihr zu Ehren eins schlachten?»

«Das Zicklein von Francis ist göttlich», widersprach Roger. «Es wird mir fehlen. Nein, nein, Miss McKie ist eine

Scheiß-Asketin. Die isst nur, um ihren Hunger zu stillen. Sie wohnt in der miesesten Absteige in Rodney. Freddy's Elite.»

«Da haben doch immer die hippen weißen Kids logiert.»

Roger nickte bitter. «Wem sagst du das, Schätzchen.»

«Ist das wahr, Rog? Du hast bei Freddy weiße Jungs aufgerissen? Das ist ja mal was Neues. Wer hat gezahlt?»

«Manchmal», seufzte Roger, «waren die Sitten ganz schön rau.»

«Wenigstens hat sie uns nicht dorthin bestellt», sagte Lara.

Van Dreele stand auf. Ein Wagen fuhr vor dem Haupteingang vor.

«Ich will nicht mit der Presse reden», erklärte der Holländer. «Und die McKie ist ein Minenfeld. Übrigens», sagte er im Hinausgehen, «Junot hat sich Rodney und den ganzen Südteil der Insel gesichert. Seine Truppen werden in ein paar Stunden hier sein, und sie haben zur Unterstützung auch ein paar amerikanische Einheiten dabei. Und in der Vorhut Spezialeinheiten.»

«Das bedeutet», meinte Roger, «wir werden Horden hungriger Exsoldaten an diesem Ende der Insel haben. Hier werden sie sich verstecken.» Miss McKie kam die Treppe herauf, und er winkte ihr fröhlich zu. «Wir müssen zur Loge rüberfahren und die Sache hinter uns bringen. Allmählich löst sich alles auf in dieser Inselrepublik.»

Lara umklammerte die Tischkante. «Wir müssen bei Einbruch der Nacht dort sein», erinnerte sie Roger. «Für das *retirer*.»

«Hab ich nicht vergessen», sagte Roger. «Wir reden mit der McKie, und dann fahren wir.»

Miss McKie hatte für das Treffen mit ihnen Khakihosen und Sandalen angezogen. Außerdem trug sie ein marineblaues T-Shirt und eine Strickjacke wegen der Abendkühle. Sie war hübsch; mit ihrem schlanken Hals und den feinen Zügen wirkte sie wie eine Tänzerin, aber sie war nicht besonders groß. Das Kerzenlicht bei Tisch schmeichelte ihr. Zu Laras Überraschung fühlte sie sich offenkundig wohl.

«Ich werde nie drüber wegkommen, wie schön es hier ist», schwärmte McKie. «Ich werde es nie vergessen.»

«Und jetzt», sagte Roger, «haben Sie auch noch Bindungen. Der karibische Mond macht jeden unwiderstehlich.» Er spielte auf Eustace Junot an.

«Ich habe gehört, Ihr Vater war Roger Hyde, der Romanautor», sagte McKie rasch. «Stimmt das?»

Roger lächelte, als horchte er auf etwas in weiter Ferne, als hörte er ganz andere Worte.

«Der ganze alte Kram mit Säbelrasseln und so, nicht wahr?», beharrte McKie. «Der galante Süden. Aber Sie haben nicht hier oder in den Staaten gelebt?»

«Wir haben in Coyoacán gelebt», sagte Roger. «Praktisch Tür an Tür mit Trotzki.»

McKie entblößte lächelnd ihre langen Zähne. Dann wandte sie sich Lara zu und musterte sie ein wenig unhöflich.

«Ich höre, Sie unterrichten Politische Wissenschaften in Fort Salines, Miss Purcell.»

«Nennen Sie mich Lara.»

«Beschäftigen Sie sich auch mit der neueren Geschichte dieser Insel? Mit der Korruption und der Armut?»

«Es tut mir Leid, aber wir können nicht lange bleiben, Liz», sagte Lara. Sie strich sich über die Schultern und warf den

Kopf herum, wie um sich von Liz McKies Impertinenz zu reinigen. «Wir haben keine Zeit für die großen historischen Fragen.»

«Meine Fragen», sagte McKie, «drehen sich alle um die jüngere Geschichte. Die Unabhängigkeit bis zur Gegenwart. Darf ich wenigstens ein paar davon stellen?»

«Wir fürchten», sagte Lara, «Ihre engen Verbindungen zur Partei der Sozialen Gerechtigkeit – und den Streitkräften – könnten Ihre Interpretation färben. Und wir haben heute Abend noch etwas vor.»

«Wenn ich Sie wäre», schaltete Roger sich ein, «würde ich zu meinen Freunden zurückfahren.»

«Wir haben hier eine historische Situation geerbt», sagte Lara. «Wir alle. Jeder Einzelne. Wir betreiben hier ein Geschäft, schon seit zweihundert Jahren. Wir zahlen anständige Löhne für gute Arbeit. Höher als die amerikanischen Offshore-Unternehmen oder die europäischen Firmen.»

«Stimmt es, dass Sie mit dem Drogenverkauf in die Vereinigten Staaten zu tun haben?» Liz McKie zeigte noch immer dasselbe Lächeln.

«Es hat noch nie einen Drogenskandal in Verbindung mit St. Trinity gegeben», sagte Roger. «Keinen einzigen. Alle hiesigen Geschäftsleute werden verdächtigt. Während die Unternehmen in amerikanischer Hand angeblich eine reine Weste haben. Woran liegt das?»

«Das sagen Leute, die es eigentlich wissen müssen. Sie sprechen auch von einem politischen Hintergrund.»

«Möchten Sie über Nacht hier bleiben?», bot Lara ihr an. «Nach Einbruch der Dunkelheit ist es auf den Straßen gefährlich.»

Sie brachten sie zu ihrem Wagen und verabschiedeten sie. Ihr Fahrer war einer von Junots in Amerika ausgebildeten Soldaten, und er wirkte besorgt, als er losfuhr. Miss McKie saß vorn, neben ihm.

«Pure Zeitverschwendung», sagte Roger, als auch sie wieder im Auto saßen. «Wir müssen die Fracht weiterbringen, ob die Kolumbianer nun gekommen sind oder nicht. Der Pilot steht auf Abruf bereit.»

«Er wartet ab, bis es dunkel ist», sagte Lara. «Ist es derselbe Mann, der mich hergebracht hat?»

«Also ehrlich», sagte Roger, «ich versuche erst gar nicht, einen vom andern zu unterscheiden.»

«Ich frage dich nicht nach den Drogen», sagte Lara.

«Brauchst du auch nicht. Die Leute haben keine Ahnung.»

«Nein?»

«Ach, weißt du», sagte er, als sie von der Landstraße abgebogen waren und sich auf einer Piste durch den Regenwald quälten, «wir sind auch bekannt dafür, dass wir keine Drogen befördern. Oder waren es jedenfalls mal. Wir sind hauptsächlich im Kunsthandel tätig. Man fragt uns immer wieder nach Smaragden.»

Es wurde schnell dunkel. Dann setzten die Trommeln ein.

«Ich bin voller Hoffnung, weißt du», sagte Lara. «Ich habe einen Segen, und ich rechne fest damit, dass nichts schief geht.»

Roger, der am Lenkrad kurbelte, warf ihr einen Blick zu und lächelte.

«Was?», fragte er.

Die Trommeln waren jetzt lauter und näher. Sie hörten,

wie der Ogan, die große Metallplatte, einen Rhythmus vor-
gab und die anderen Trommeln einfielen.

«Du bist ihm so ähnlich.»

«Ah», sagte sie fröhlich. «Zwillinge im Mysterium.»

«Ich hoffe auch, dass nichts schief geht», sagte Roger. «Und
ich hoffe, du bekommst ihn zu sehen.»

13 Der Pilot war ein in Kolumbien geborener Baske namens Soto. Bevor er ein paar Jahre zuvor fliegen gelernt hatte, hatte er zusammen mit seinem Bruder einen Elektronik-Großhandel betrieben. Die Geschäfte waren gut gelaufen, aber das Leben hatte ihn gelangweilt.

Als sich die Dunkelheit auf die Berge herabsenkte, stand er bei den Holzbänken vor der Loge, rauchte und hörte den Trommeln zu. Er kannte Lara flüchtig von dem kurzen halsbrecherischen Flug von Vieques. Er hatte eine neue Maschine ausgeliefert, eine wunderschöne Beechcraft, die ihm gefiel, weil sie an Bogey und Ilsa auf dem Flugplatz von Casablanca erinnerte. Die Maschine, mit der er nach Norden fliegen würde, wurde am Rand der Zuckerrohrfelder betankt, umgeben von Bewaffneten. Kolumbianer und andere Inselfremde hatten den lokalen Sicherheitsdienst ersetzt, dem die Bosse nicht mehr trauten. Es war ein gutes Flugzeug, eine Cessna 185 Taildragger, gut geeignet für holprige Starts und Landungen. Die Maschine war am Vormittag von einem exilkubanischen Mechaniker gewartet worden, der außerhalb der Stadt eine kleine Zigaretten- und Rumfabrik betrieb.

«Setzen Sie sich, wenn Sie möchten», sagte Lara zu dem Piloten. Sie bereitete sich auf die Zeremonie im *hounfor* vor und hatte dem Mann eigentlich nicht begegnen wollen. Der

Klang der Trommeln hatte ihn angelockt. Er schaute von den Trommlern zu dem verfallenen Gebäude.

«Ist ja seltsam.»

Sie zuckte die Achseln. Er holte Zigaretten hervor und hielt ihr die geöffnete Packung hin. Sie lehnte ab.

Es war sogar für diejenigen seltsam, die schon viel gesehen hatten. Die Loge war ein Gebäude aus verputzten Ziegeln aus dem neunzehnten Jahrhundert und hatte einen hohen, schlanken Turm und vorne drei ionische Säulen. Über dem Portal waren die *vevers* der Götter um das Freimaurersymbol aus Winkel und Zirkel gemalt. Das Gebäude stand in einem jetzt verlassenen Dorf mit strohgedeckten Häusern im haitianischen Stil. Die umliegenden Zuckerrohrfelder waren abgeerntet worden, sodass eine grasbewachsene Landebahn entstanden war, an deren anderem Ende ein flacher, mit Tarnfarben bemalter Werkstattschuppen stand.

«So ist das hier», sagte sie.

Der *hounfor*, der Tempel, in dem sie John-Paul Purcell zurückfordern würden, lehnte sich an die Mauer des Gebäudes. Er war aus Ästen und Blättern gebaut. In seiner Mitte stand ein spiralförmig verdrehter, schlangenartiger Pfosten, der bis zum Strohdach reichte, der so genannte *poto mitan*, der Dambala darstellte, die Schlange der Weisheit, die mit ihrer geschmeidigen Gestalt Erde und Himmel verbindet.

Der Pilot grinste Lara viel sagend an. Sie hatte keine Ahnung, was er meinte. Vielleicht eine Art Komplizenschaft – man spendet keinen Trost, erwartet aber auch keinen.

«*Buena suerte*», sagte sie lächelnd.

Er flog diesmal nach Norden. Roger hatte entschieden, dass alles abtransportiert werden müsse, bevor die Insel im

Chaos versank und die Amerikaner und ihre Freunde den Luftraum sperrten.

Aus dem *hounfor* kamen die Worte des Rosenkranzes auf Kreolisch, gesungen zum eisernen Rhythmus des Ogan, einer zu einer Art Gong geschmiedeten Pflugschar. Der Beginn wurde von der *mambo* intoniert, die tagsüber Marktfrau und jetzt Priesterin war. Während die Gemeinde im Chor antwortete, nahm der Schlag der *seconde* seinen Platz in dem Gebet ein.

Über die Landebahn hinweg sah Lara, wie der Pilot seine letzte Zigarette wegwarf und sich bekreuzigte. Sie hatte diese Geste vor dem Start in diesem Teil der Welt schon oft beobachtet – der opernhafte Heroismus bestimmter Piloten, drahtiger Einzelgänger des unnachahmlichen spanischen Typs. Obwohl sie die Zigarette anscheinend immer in Richtung der nächsten Benzinleitung warfen, war die Bekreuzigung ein kurzer Moment der Demut, bevor sie an Bord gingen und starteten. Die Yankee-Piloten machten es anders: Ihr heroisches Vorbild war Chuck Yeager, und ihr Stil war konventionell – heute dies, morgen das.

Die Cessna rollte unter anschwellendem Trommelklang ans Ende der Landebahn, wendete und startete, dem dunklen Horizont entgegen. Zwei brennende Benzinfässer markierten das Ende der Startbahn. Die Maschine flog über sie hinweg und verschwand.

Die Trommeln verstummten. Lara drehte sich zum *hounfor* um und sah die Menschen, die sich ihr zuwandten. Die Tänzer hatten ihre Bewegungen dem langsamen Takt des Ogan angepasst. Die *mambo* rief leise nach ihr.

«Madame.» Feuer brannten vor der Schlange.

Die Zeremonie für John-Paul wurde auf Kreolisch *wete mo danba dlo* genannt. Eine englische Bezeichnung dafür hatte Lara nie gehört. Auf Französisch hieß sie *retirer les morts d'en bas de l'eau*. Ihr Sinn und Zweck war es, die Seelen der Toten aus Guinee zurückzurufen, um sie wohlbehalten an einen Ehrenplatz zu bringen, von wo aus sie den Lebenden Hilfe gewähren konnten. Eine Seite des Tempels bestand aus Reihen verzierter Krüge in leuchtenden Farben, den *govi*, die später den *ti bon ange* des zurückgeholten Toten aufnehmen würden. Lara sah in der Zeremonie ihre letzte Chance, mit dem ruhelosen Geist ihres Bruders zu sprechen und durch ihn ihre Seele zurückzuerlangen.

«Madame Lara.»

Lara ging über das Feld zum *hounfor*, schritt zwischen den Feuern hindurch und stellte sich an den *poto mitan*. Die *mambo* fixierte sie mit starrem Blick, als wollte sie durch bloße Willenskraft erreichen, dass Lara mehr verstand, als mit Worten gesagt werden konnte. Sie sprach in einem derart akzentuierten Kreolisch, dass Lara fast nichts verstand. Es war eine ganz andere Sprache als die, die sie jeden Dienstag und Donnerstag auf dem Markt sprach. Einer der Hoteldiener übersetzte für sie.

«Heute Nacht nur der Rosenkranz. Mr. John-Paul kommt nicht. Nicht heute Nacht.»

«Warum?», fragte Lara, an die *mambo* gewandt.

«Du wirst ihn morgen rufen. Er wird morgen Nacht kommen.»

«Gibt es Schwierigkeiten?»

Die *mambo* hielt sie noch einen Moment mit ihrem durchbohrenden Blick fest und nahm dann ihre Hand.

«Keine Schwierigkeiten», sagte der alte Diener, obwohl die *mambo* nichts gesagt hatte. «Heute ein guter Rosenkranz, morgen ein guter Übergang.»

Roger fuhr mit ihr zurück in das Haus der Familie am Strand, ein paar Kilometer südlich des Hotelareals.

«Das kommt vor», sagte Roger, als sie durch das Buschland fuhren. «Du kennst doch John-Paul. Immer kontra. Du wirst noch für ein zweites *retirer les morts* bezahlen müssen.»

«Aber es schien doch alles gut zu laufen», sagte Lara.

Im Haus nahm Roger einen Drink, und Lara leistete ihm Gesellschaft.

«Weißt du mehr, als du mir sagst, Rog? Wenn das der richtige Tag war, warum haben sie dann nicht weitergemacht?»

«Weil es gefährlich ist.»

«Warum gefährlich?»

«Gefährlich für den *ti bon ange*. Für John-Pauls Seele. Weißt du, er muss ja aus dem Meer geholt werden. Aus Guinee. Die Seele ist verletzlich im Übergang.» Er lachte und ließ seine Eiswürfel klappern.

«Warum lachst du, Roger?»

«Ich stelle ihn mir dort vor, Lara. Ich habe ihn geliebt. Ich lache nicht wirklich.»

Sie musterte ihn. Es sah so aus, als lachte er, aber sie beschloss, ihm zu glauben.

«Außerhalb des Körpers ist die Seele immer gefährdet», sagte er. «Das sagt jede Religion. Jetzt und in der Stunde unseres Todes? Die Zeit des Übergangs zieht die Feinde der Seele an.»

Lara dachte an ihre eigene Seele, die ebenfalls da draußen sein musste, unter dem Riff.

«Ein paar Kolumbianer kommen», sagte Roger. «Ich hätte eigentlich ihr Okay abwarten müssen.»

«Sie sind bestimmt einverstanden.»

Roger schenkte sich nach.

«Sie schicken Hilda Bofil. Eine Nervensäge sondergleichen. Ein streitsüchtiges Weib.»

«Roger», sagte Lara, «es tut mir Leid, dass wir da hineingeraten sind. Du verstehst, warum ich kommen musste.»

Roger schaute sie lange an und trank seinen Rum aus.

«Klar, Baby.» Er stand auf, küsste sie und ging zum Auto.

Draußen über dem Meer kam der erste Teufel, als die Dunkelheit ihre Farbe veränderte. Die Bergkämme blieben zurück, und unter ihm breitete sich der phosphoreszierende Schimmer der Bucht aus. Vor ihm lag unversöhnlich die monochrome Fläche des Meeres. Über der Insel türmte sich eine riesige schwarze Wolke, schlangenförmig. Als der Motor zu stottern begann, flackerten die Instrumentenlichter. Dann gingen sie ganz aus. Die Instrumente zeigten nichts mehr an.

Keine Informationen mehr, dachte Soto, Ursache unbekannt. Du schöne Maschine, was plagt dich? Der Teufel.

Als er den Gashebel nach vorn schob und spürte, wie die Maschine starb, versuchte er, sie wieder landeinwärts zu drehen. Wie von den toten Instrumenten angezeigt, war das Flugzeug dem Nichtwissen ausgeliefert, ein beliebiges Objekt irgendwo am Himmel. Und auch er war ein beliebiges Objekt, in der Luft und aller Kraft beraubt, lautlos schwebend wie in dem alten Traum vom Fliegen. Dem schlechten.

Er dachte: Wasser im Tank! Womöglich hatte jemand Wasser in den Tank geschüttet, als die Maschine unbewacht war!

Wasser, simples Wasser. Er schloss die Augen und hielt sich die Arme vors Gesicht.

Zwei Krabbenfischer, die zwischen den Riffen ihrer Arbeit nachgingen, sahen, wie er aufschlug und sofort unterging. Sie hatten das übliche leise Motorengeräusch eines startenden Flugzeugs gehört, dann Stille, und aus der Stille auf einmal einen Aufprall, gewaltiges Krachen von zerrissenen Metallverbindungen, Zischen, Dampf, eine Reihe von Strudeln, von denen einer den anderen auszulösen schien. Die Krabben verschwanden. Hinterher schworen die Fischer, sie hätten gespürt, wie die Flügel der Maschine die Luft durchschnitten.

Als Roger gegangen war, konnte sie nicht einschlafen. Schon allein deshalb, weil die Trommeln nicht verstummten, als die Zeremonie zu Ende war; die Laute des Rosenkranzes in der Ferne wechselten ins Kreolische, Gesang zu Ehren der Götter.

Nun da sie den Tempel an der Loge wieder gesehen hatte, die govi-Krüge, in denen Geister transportiert wurden, bekam sie die Bilder nicht mehr aus dem Kopf. Sie dachte an ihre eigene Seele, die in den Rhythmen der unterseeischen Tiefe larvenähnlich atmete. Die eigene Seele wieder zu sehen, wie würde das sein? Sie stellte es sich als ein Urteil vor. Ich sehe mich selbst im Spiegel, aber meine Gedanken erzeugen kein Spiegelbild. Meine Worte werfen keine Schatten, dachte sie. Sie stellte sich ihr derzeitiges Selbst als aus zwei Dimensionen bestehend vor: eine Einflussagentin, eine Professorin der Lüge. Morgen würde sie wieder dieselbe sein wie früher, wer immer das gewesen sein mochte. Nur ihre Augen würden sich ändern.

Plötzlich fehlte ihr Michael. Es war töricht gewesen, ihn mitzunehmen, aber sie hatte es gewollt – er sollte sehen, was mit ihr geschah, sollte in der Nähe sein. Dann würden sie wahrhaft verbunden sein. Sie würden neu anfangen. Da seine Lage der ihren so ähnlich war, konnte es kein Zufall sein, dass sie zusammen waren.

Sie fing an, mit einer Taschenlampe nackt durch die Zimmer zu wandern. Dann, als sie irgendwo im Haus Dienstboten hörte, zog sie sich einen Bademantel an. Einmal glaubte sie, Regen auf den Blättern draußen zu hören, aber es waren nur Kapokzweige, die im Wind auf das Blechdach klopften.

Sie ging durch die Innenhof-Galerie im ersten Stock in John-Pauls Zimmer. Die Tür war nicht abgeschlossen; sie stieß sie auf und führte den Strahl ihrer Lampe über die an die Wände gemalten *vevers* und die auf dem Boden gestapelten Intarsientruhen. Sie richtete den Lichtkreis in die Ecken des Raums. Es waren Zeichnungen da, die sie noch nie gesehen hatte, sogar gewebte *vevers* von Göttern, die sie nicht kannte. Nichts davon war da gewesen, als sie das letzte Mal John-Pauls Schlafzimmer gesehen hatte. Es war, als hätte jemand eine geheime Totenwache in seinem Sterbezimmer arrangiert. Um die Fenster und auf die Rahmen der Bilder an den Wänden waren Zweige einer Pflanze angebracht, die sie nicht kannte. Sie verströmten einen stechenden Modergeruch.

Sie ging weiter, und der Strahl ihrer Lampe blieb auf einem glühenden Augenpaar stehen. Ein Mann kauerte in der Ecke. Er wirkte aufgeregt, er lächelte. Vielleicht nur schuldbewusst oder überrascht. Als er aufstand, erkannte sie in ihm einen Mann namens Armand. Er war Bootsbauer gewesen und hatte in der *habitation* als Hausmeister gearbeitet.

«Madame», sagte er lachend.

Er sah ungesund aus, fand sie. Sie hatte ihn immer als sensiblen Mann gekannt, der angeblich bei den Zeugen Jehovas war.

«Was ist das?», fragte sie und zeigte auf die seltsamen *ververs*.

«*Bizango*», sagte er, und sein Lächeln erstarb.

Es war ein Wort, das man kaum jemals hörte, der Name eines Geheimbundes, dem John-Paul angeblich angehört hatte. Die Menschen hatten Angst davor. Sie fragte sich, ob ihre Seele in Marinettes Obhut irgendetwas mit *bizango* zu tun hatte.

«Aber Armand. Du hast die doch nicht hierher gebracht?»

«Nein, Madame», sagte der alte Mann.

Vor dem Haus fuhr ein Auto vor. Sie trat ans Balkongeländer und leuchtete nach unten. Roger Hyde fuhr einen der Jeeps mit Tarnlackierung aus der Loge. Auf dem Rücksitz saßen zwei weiße Männer, deren Uniformen die gleichen Farben hatten wie der Jeep. Das mussten kolumbianische *milicianos* sein. Sie wollten sich nicht anleuchten lassen und schrien sie an, bis sie den Strahl wegnahm. Einer richtete seine Waffe auf sie. Sie knipste die Lampe aus und hörte Roger die Außentreppe heraufkommen. Er ging schneller als sonst.

«Lara?»

«Ich bin hier, Roger. Was gibt's?»

Er nahm ihre Hand.

«Ganz ruhig, mein Schatz. Wir haben das Flugzeug verloren. Es ist über dem Riff abgestürzt.»

«O mein Gott. O Roger.» Sie hob die Hand ans Gesicht. «Und der Pilot?»

«Den hat's erwischt», sagte Roger. «Der Arme. Und wir Armen: Die Kolumbianer aus Rodney sind da. Sie sind alles andere als erbaut.»

«Aber sie können doch nicht uns die Schuld geben.»

Roger lächelte unglücklich. «Irgendwem müssen sie die Schuld geben, Lara.»

«Müssen wir zur Loge fahren?»

«Ja, sie wollen, dass wir hinkommen. Es wird schwierig werden. Die Frau, die sie geschickt haben, ist sehr» – er zuckte die Achseln – «schwierig.» Sie hatte ihn noch nie so außer sich erlebt.

Als sie zur Loge fuhren, auf die Bankette gerieten, Schlaglöchern und Geröllhaufen auswichen, sagte sie: «Roger, du musst mir von *bizango* erzählen.»

Er machte ein Geräusch, das wie ein Lachen klang. «Irgendwann mal vielleicht, Baby. Jetzt nicht.»

«Du machst mir Angst.»

«Du hast niemandem etwas getan», sagte Roger. «Vergiss das nicht.»

Das kann nicht stimmen, dachte sie. Sie war nicht beruhigt.

14 Der Faktor, ein angegilbter Mann in einem blau
karierten Hemd, saß am Eingang eines unaufge-
räumten Ladens hinter der Theke. Es roch in dem Laden so
beißend nach Tabak und irgendeinem bitteren alkoholischen
Getränk, dass einem die Augen tränten. Eine zweite Tür im
Hintergrund führte auf einen Hof, in dem Männer Säcke von
einem zerbeulten Lastwagen abluden.

Michael stellte sich vor.

«Wie sind Sie hergekommen?», fragte ihn der verfärbte
Mann.

«Mit dem Bus», sagte Michael.

«Ja?»

«Ach», fügte Michael hinzu. «Nach Osten.» Das war die
Formel, mit der sich, soviel er wusste, Freimaurer in Fort Salines einander zu erkennen gaben. Er dachte, das könnte auch
hier angebracht sein. «Ja. Ostwärts. Nach Osten.»

Der angegilbte Mann verstand offensichtlich nicht, was
Michael damit sagen wollte. Trotzdem zeigte er ihm eine
Karte, die ihn als Edouard Ashraf auswies.

«War es schön?», fragte er. «Nein? Aha.» Er schien angenehm berührt.

«War schon okay», sagte Michael. «Natürlich hat's den
ganzen Tag und die halbe Nacht gedauert.»

Der Faktor schien ihn aufrichtig zu bedauern.

Der Bus hatte ihn ein paar Minuten vor Tagesanbruch im Dunkeln abgesetzt. Seine nächtliche Fahrt war von kreolischem Geflüster geplagt gewesen, und von Gelächter, das ihn zugleich ein- und ausschloss. Bei seiner Ankunft hatte sich dann plötzlich im jähen Morgenlicht der nördlichen Stadt ein Markt um ihn herum versammelt. Das Meer war nicht weit, ein heiteres Glitzern. Der Gebirgszug, über den er gekommen war, tauchte unversehens aus dunkelgrünem Schatten auf. Er hatte sich vor dem Tag gefürchtet, davor, allein dort zu stehen, wo die tropische Sonne die Blutschuld seiner Haut beleuchten würde. Aber dann hatte doch alles ganz normal gewirkt.

Das Gelb des Faktors Ashraf war beunruhigend. Die Gelbsucht, an der er litt, hatte auf die Augen übergegriffen und das Weiße der Augäpfel durchtränkt. Seine Haut hatte die Farbe von altem Leinenpapier. Im Verein mit dem fast blonden Haarschopf, der rätselhafterweise von seinem zitronengelben Schädeldach aufragte wie ein Kerzendocht, ließ sie ihn in Michaels Augen wie einen wächsernen *santo* erscheinen. Aber sicher lag das alles nur an seiner Erschöpfung, hypnagogisch-halluzinatorische Impressionen. Das Schwindelgefühl, das er nicht loswurde, war jedoch eine Art sensorischer Infektion. Als gäbe es tatsächlich überall eine Art grober Magie.

«Man hat mir gesagt, Sie könnten mir den Weg zum Bay of Saints Hotel beschreiben», sagte Michael. Vorsichtig blickte er sich um, aber es war sonst niemand in dem kleinen Laden. In den verstaubten Regalen stapelten sich mit Bindfaden verschnürte Päckchen neben Arzneiflaschen, die aussahen, als wären sie hundert Jahre alt. Die Flaschen enthielten Flüssigkeiten, deren Farben von Kristallklar über faktorfarbenen Safran bis zu Bernstein reichten.

«Ich hatte jemand anderen erwartet. Einen Amerikaner.»

«Tja», sagte Michael, «der bin ich.»

«Sie sind Michael?»

«Ja. Michael.»

«Sie müssen sich in Acht nehmen», warnte ihn der Faktor.

«Ja», sagte Michael. «Haben Sie meine Freundin gesehen?»

Der Faktor ignorierte die Frage. «Es ist gefährlich», sagte er. «An bestimmten Tagen ist es nicht ratsam, die Stadt zu verlassen. Passen Sie nach Einbruch der Dunkelheit auf. Meiden Sie die ärmsten Viertel.» Es klang wie eine auswendig gelernte Litanei.

«Ich verstehe», sagte Michael. «Ich werde mich vorsehen.»

«Vielleicht helfen Ihnen ja Ihre Soldaten.»

«Also ich hoffe doch, dass es nicht so weit kommt.»

Der Faktor beschrieb ihm den Weg zu seinem Hotel. Es sei zu Fuß erreichbar, und der Weg dorthin sei ungefährlich.

Auf dem Markt wurden geschlachtete Hundshaie feilgeboten, neben Fässern mit wuselnden Kreaturen, lebenden Knäueln von Antennen und Tentakeln inmitten blutig gehackter Schalen. Herzmuscheln, Miesmuscheln, Kegel und Kiefer und Trilobiten. Alles war nass, glitschig, hell, übel riechend und von Fliegen umsummt. Frauen mit Klingenmessern öffneten Kartons voller Batterien oder Garnspulen. Grüppchen von Kindern wanderten von Stand zu Stand, schweigend und ohne zu lächeln. Nur ein paar bettelten lustlos.

«Geld», murmelten sie leise. *«Lajan, blan.»*

Er verteilte die kleinen, zerfledderten Scheine, die er für seine nächtliche Passage durch die Straßensperren der Armee eingetauscht hatte. Mitten in der Nacht hatten ihn kleine, spindeldürre Jungen mit schimmernden Augen von Baracke zu Baracke geführt, wo verschlafene Beamte im Licht einer Petroleumlampe seinen Pass überprüften, stempelten, ihn entweder auslachten oder finster anschauten und ihn mit unverständlichen Fragen behelligten.

«*Lajan, blan*», jaulten die Marktkinder in ihrem Bettler-Patois.

Er ging in Richtung Meer, wie geheißen. Die Straßen waren arm, doch es war eine Armut, die noch einstige Eleganz ahnen ließ. Da standen Häuser im spanischen Stil, mit dicken Mauern und schmiedeeisernen Balkonen, auf denen Wäsche zum Trocknen hing. Teenager in makellosen Schuluniformen kicherten freundlich, sagten *bon jour* zu ihm und bettelten nicht. Der Schmerz vergeblicher Hoffnung, die Jugend. Manche der Kinder waren etwa so alt wie sein Sohn.

Das Meer zu seiner Rechten, machte er sich auf zum Westende der Stadt, in das Viertel, das den Namen Carénage trug. Der Wind roch stark nach Orangen. Irgendwo hatte er gelesen, dass in dieser Gegend Orangenlikör hergestellt wurde.

Himmel und Meer vereinten sich zu einer überwältigenden Helligkeit. Immer wenn der Wind umsprang, roch er abwechselnd die saure Fäulnis vom Spülsaum unter der Hafenmauer und die unwiderstehliche Orangensüße. Alles blendete. Noch mehr uniformierte Kinder kamen vorbei, und ein Mädchen, langbeinig wie ein Fohlen, hielt ihre Kameradinnen an und kam über die leere, mit Abfällen übersäte Straße auf ihn zu.

«*M'sieu*», sagte sie. «*Une plim? Souple, m'sieu.*»

Michael blieb stehen und schaute sie an.

«*Souple, m'sieu. Une plim.* Schenken Sie mir einen Federhalter, bitte, Monsieur.»

Michael durchwühlte seine Taschen, die voller Reisekram waren: Kreditkartenbelege, Platzkarten, Reste von abgerissenen Tickets, zerknüllte Geldscheine. Irgendwo musste er einen Kugelschreiber haben. Das Licht schmerzte in seinen Augen. Fröhliches Gelächter. Er war der privilegierte Komödiant. Er gab ihr den Kugelschreiber, mit dem er die Formulare an den Straßensperren ausgefüllt hatte. Die Regierung der Insel, mochte sie noch so revolutionär sein, glaubte an Formulare. Im Weitergehen klopfte er zum zehnten Mal auf die Tasche, in der sein Pass war.

Er ging auf dem Strandboulevard bis zu einem Felsen am Stadtrand. Die Straße gabelte sich. Der eine Arm schlängelte sich um die kahle Felswand und folgte dem Küstenverlauf, der andere führte im Bogen in eine Sackgasse mit einer Betontreppe am Ende, die in einer von Kletterpflanzen und Kakteen überwucherten Mauer verschwand.

Michael stieg die Stufen hinauf und gelangte in einen Garten mit einem Swimming-Pool mit Blick über die Bucht, und dahinter standen auf dem Gipfel des Morne die abweisenden Ruinen einer spanischen Zitadelle, die er von Fotos her kannte. An der Bar neben dem Pool stand ein hoch gewachsener Mann in Sommeranzug und dunklem Sporthemd und schaute zu, wie Michael nach dem anstrengenden Treppensteigen wieder zu Atem kam.

«Hi», sagte Michael. Der Mann nickte. Er sah gut aus, auf eine etwas altmodische Art – im Hollywoodstil der 1940er-

Jahre. Er hatte einen grau melierten schwarzen Schnurrbart, einen schön gebräunten Teint und große, ausdrucksvolle Augen. Die Augen eines Schauspielers.

Ein Hoteldiener kam herausgeschlendert und nahm Michael den Rucksack ab. Niemand forderte ihn auf, eine Anmeldung auszufüllen. Er bekam ein Zimmer mit Seeblick, gab dem Boy einen Dollar und ließ sich in die Kissen sinken.

Gleich darauf klopfte es. Er stand steif auf und knöpfte sich das Hemd zu. Als er die Tür aufmachte, stand der Mann von der Bar draußen. Der Mann schaute ihm über die Schulter, als wollte er feststellen, ob sie beobachtet wurden.

«Willkommen auf St.Trinity», sagte er. «Michael?»

Michael entspannte sich und streckte die Hand aus.

«Ich möchte Sie jetzt in aller Form begrüßen», sagte der Mann. «Ich bin Roger Hyde.»

«Ich habe von Ihnen gehört.»

«Hoffentlich nur Gutes.»

«Ja», sagte Michael, «natürlich.» Der Mann schien überzeugt, dass Lara nur Gutes über ihn gesagt hatte.

«Lara lässt grüßen.»

«Danke», sagte Michael. «Wo ist sie?»

«Ich muss Ihnen sagen, Michael, dass wir mit unseren Transaktionen ernste Schwierigkeiten bekommen haben. Der Krieg, wissen Sie.»

«Natürlich», sagte Michael.

«Die Lage ist ziemlich ernst.»

«O Gott», rief Michael aus. Eine tölpelhafte Äußerung, wie ihm sofort klar wurde.

«Wir müssen das in Ordnung bringen. Lara und ich. Sie wird es Ihnen erklären, wenn sie kommt.»

«Und wann kommt sie?»

Roger lächelte, ein bisschen wie ein Hotelier, der zu viele Reservierungen angenommen hat. «Sobald es ihr möglich ist.»

«Kann ich sie erreichen?»

Roger schüttelte den Kopf. «Der Krieg. Sie wird es Ihnen erklären. Ich weiß, dass Sie ein guter Freund von Lara sind. Aber das sind lokale Angelegenheiten, könnte man sagen. Einstweilen sind Sie unser Gast. Getränke gehen aufs Haus. Alles.» Er war äußerst angespannt, hatte sich aber im Griff. «Ich sag am Empfang Bescheid.»

«Wunderbar», sagte Michael. «Vielen Dank.»

«Mrs. Robert ist am Empfang, falls Sie etwas brauchen.» Auf dem Weg zur Tür hielt er inne. «Sie gehen nicht aus, oder? Ich meine, weg vom Hotel?»

«Ich wollte eigentlich auf Lara warten.»

«Das wird das Beste sein. Sollten Sie doch ausgehen – wir haben hier nicht viel für dunkle Farben übrig –, dann tragen Sie auch etwas Rotes. Und lächeln Sie. Okay?»

«Okay», sagte Michael. «Aber warum?»

Roger hatte etwas in der Hand, was nach einer Krawatte aussah. Er hielt sie ihm hin, ohne auf seine Frage einzugehen.

«Die könnten Sie sich um den Kopf binden. Wenn Sie heute Abend das Hotel verlassen. Verstehen Sie?»

«Ja, sicher.»

«Mal ein Urlaub anderer Art. Haben Sie genug Kleingeld? Kleine Scheine? Gut. Wir sagen Lara Bescheid, ja?»

«Ich verstehe», sagte Michael. «Danke.»

Die Krawatte war schmal und scharlachrot; sie erinnerte

ihn an einen Konfirmationsschlips. Sie war zerknittert, als gehörte sie einem kleinen Jungen. Vor nicht allzu langer Zeit hatte er so eine für seinen Sohn gekauft.

Seine Angst hielt sich an der Grenze des Erträglichen. Er wünschte sich, dass Lara bei ihm wäre. Er ging eine Zeit lang im Zimmer auf und ab, bis er den Leinenkissen auf dem großen Eisenbett nicht mehr widerstehen konnte. Er legte sich hin, erschöpft und vom Geratter des Omnibusses völlig gefühllos, und schlief ein.

Als er erwachte, stand die Sonne tief über dem westlichen Viertel der Bucht. Sofort griff er nach dem Telefon, in der Hoffnung, es sei eine Nachricht für ihn hinterlassen worden. Das Telefon funktionierte anscheinend nicht. Er duschte und putzte sich die Zähne, wofür selbst die zünftigsten Reiseführer Mineralwasser empfahlen. Die Fahrt war schwierig, aber auch aufheiternd gewesen. Er fühlte sich besser. Der Gedanke, dass er Lara wiedersehen würde, dass er in ein anderes Leben ausgebrochen war, ließ sein Herz höher schlagen. Er merkte, dass er Hunger hatte.

Draußen erzeugte die sinkende Sonne eine Beleuchtung wie an einem schönen Oktobernachmittag. Die wenigen Wolken waren hoch am Himmel und trocken. Ein Kellner stellte Kerzen auf einen der Tische am Pool. Michael ging zum Empfang, wo eine sehr alte Frau mit einem Elfenbeinfächer ihm mitteilte, dass keine Nachrichten für ihn da seien. Die alte Dame hatte eine entfernte Ähnlichkeit mit Lara.

Er setzte sich an einen Tisch, bestellte sich ein Getränk mit Rum, und sofort kam ein Mann zu ihm, ein *blan* mit offenem Hawaii-Hemd und Sandalen. Der Mann ließ sich schwer auf den Stuhl ihm gegenüber sinken.

«Van Dreele», verkündete der schwergewichtige Mann. «Sie sind für eine Hilfsorganisation tätig, stimmt's? Amerikaner? Kanadier?»

«Ich heiße Michael», sagte Ahearn. «Ich arbeite für keine Organisation, nicht hier jedenfalls. Ich bin hier, um mich ein bisschen umzuschauen. Und um mir Gemälde anzusehen. Ich bin das erste Mal hier.»

«Uff», sagte der Holländer, als hätte er einen Schlag in die Magengrube bekommen. «Wie war die Fahrt vom Flughafen hierher? Sind die Straßen frei?»

«Ich weiß es nicht», sagte Michael. «Ich bin aus Rodney gekommen. Mit dem Bus. Die Straßen waren in ziemlich schlechtem Zustand.»

Van Dreele schaute ihn mit großen Augen an und schwieg. Als der *plat du jour* gebracht wurde – es waren Crevetten –, machten sie sich beide gierig darüber her. Ab und zu schaute Van Dreele von seinem Teller auf und sah Michael forschend an.

«Ich war im September hier, um den ersten Wahlgang zu beobachten. Die haben gedacht, sie können mich diesmal so einschüchtern, dass ich wegbleibe. Aber nicht mit mir», sagte der alte Holländer triumphierend. Er wischte sich dezent die Sauce vom Schnurrbart ab. «Ich hab ihnen ganz schön zugesetzt.»

«Und, waren es faire Wahlen?», fragte Michael.

«Na ja, die Favoriten der Amerikaner haben gewonnen», sagte Van Dreele. «Ihre neuen Favoriten. Die neue, verbesserte Armee.» Er schaute auf und sah eine junge Frau die Stufen zum Restaurant heraufkommen. «Aber da kommt jemand, den Sie fragen können.»

Er stellte Michael einer Journalistin namens Liz McKie vor.

«Was führt Sie her, Michael?», erkundigte sie sich. «In solchen Zeiten. Schreiben Sie?»

«Nein, ich tauche.»

McKie tat verblüfft und interessiert. «Wie bitte?»

«Ich bin wegen des Strandes hier.»

«Wollen Sie mich verarschen?», fragte die Reporterin. «Wegen des Strandes, hm?»

Van Dreele lachte dunkel.

«Na ja», sagte Michael, an beide gerichtet, «auch wegen der Volkskunst. Vielleicht ein paar Bilder kaufen.»

«Hey, Dirk», sagte sie zu Van Dreele, «ich weiß, dass Sie mir aus dem Weg gehen. Machen Sie mal eine Ausnahme. Was wissen Sie über diesen Menschen, Dirk?», fragte sie. «Ist er ein Gespenst? Ich meine, er sieht ja nicht aus wie ein ...» Was immer sie hatte sagen wollen, es blieb ungesagt.

«Vielleicht ist er hier, um das Hotel zu kaufen», meinte Van Dreele. «Es ist jedenfalls zu haben.»

Draußen fuhren Lastwagen vor. Eine Gruppe einheimischer Soldaten kam von der Straße heraufgetrampelt. Mrs. Robert lief hinaus, um sie abzufangen.

«Hey, Jungs», rief sie. «Ihr könnt hier nicht reinkommen.» Die drei Soldaten lachten, blieben aber stehen. Ein hoch gewachsener, imposanter Offizier, im britischen Stil uniformiert, tauchte hinter ihnen auf. Er lachte ebenfalls. Liz McKie ging zu ihm hinüber. Sie begrüßten sich mit einem herzlichen Händedruck. Dann verschwanden der Offizier und die drei Soldaten wieder in der Nacht. Noch mehr Lastwagen fuhren vor.

«Die sind hinter mir her», sagte Van Dreele. Er meinte es offenbar nicht scherzhaft. «Jedes Mal, wenn sie bei einer Wahl falsch zählen, erwische ich sie. Die wollen mich loswerden.»

«Ich glaube, sie umstellen das Hotel.»

«Aber es wird in diesem Moment verkauft», sagte Michael.

«Sind Sie wirklich hier, um es zu kaufen?», fragte Liz McKie. «Zusammen mit den Bildern?» Ohne sich von Michael abzuwenden, fragte sie Van Dreele: «Will er es im Ernst übernehmen? Ich hoffe, Roger bleibt als Geschäftsführer. Wo steckt er eigentlich, unser guter Rog?»

«Er ist mit Lara in der Loge», sagte Van Dreele. «Ich nehme an, die machen die Papiere fertig.»

«Sie sind nicht zufällig wegen Lara hier?», fragte Liz McKie Michael. «Sind Sie ein Freund von ihr? Einer ihrer *tontons macoutes*?»

Einer der alten Kellner kam an den Tisch und sagte Michael, es sei eine Nachricht für ihn gekommen. Michael entschuldigte sich und ging zum Empfang. Mrs. Robert hatte die Nachricht. Offenbar hatte sie ein kleiner Junge gebracht, der erwartungsvoll in der Nähe stand. Die Nachricht war von Roger Hyde. Miss Purcell sei in einer Besprechung, und die Besprechung könne sich bis spät in die Nacht hinziehen. Michael gab dem Jungen einen seiner zusammengefalteten Geldscheine. Der Junge war außer sich vor Freude. Michael sagte den Leuten an seinem Tisch gute Nacht und ging auf sein Zimmer.

Er lag auf dem Bett und hörte, wie in einer Mischung aus britischen und amerikanischen Akzenten leise Befehle gegeben wurden. Rennende Soldaten, das Klatschen ihrer Waffen, Gelächter. Er hörte das Meer. Aber lauter und immer lauter vernahm er aus unbestimmbarer Entfernung Trommeln. Die Trommelschläge hallten von den Hügeln hinter der Stadt wider, sodass man die Richtung nicht bestimmen konnte.

Er konzentrierte sich darauf, versuchte, die Rhythmen zu durchschauen und die Trommeln zu zählen. Es waren zu viele – so viele, dachte er, dass es unmöglich war, sich die Trommler bei ihren Riten vorzustellen. Die Stimmen der Trommeln waren praktisch endlos mit ihren Wendungen und Schatten, sie verdoppelten und verdreifachten sich, wiederholten sich und kommentierten ihre eigenen Wirbel. Sie überdeckten einander, zelebrierten die Vorahnung eines Taktes, den Takt selbst, sein Echo. Jedes Muster klang zwingend, sodass das, was als Nächstes kommen musste, auch tatsächlich kam, erst nachträglich erkennbar, überraschend. Dann, in der Wiederholung, überraschte es abermals. Wenn man auf die Abfolge der Schläge achtete, wusste man, was man gleich hören würde, hörte es dann und bekam es wiederholt, aber jedes Mal ein bisschen anders. Die Trommeln woben Muster, die dem Zuhörer den Kopf bis zum Rand füllten.

Ihm kam der Gedanke, dass er sich, wenn er sich den Trommeln öffnete, überall wieder finden könnte. Er könnte seiner selbst entleert werden, sich in Treibsand auf dem Grund des Meeres draußen vor dem Fenster verwandeln. Die Trommeln gehörten zur Natur, dachte er, so sicher wie ein Vogelruf und die Antwort darauf. Sie kamen von einem Ort, an dem das Menschliche alles andere auf der Welt berührte, einem geheimen Kreuzweg, wo sie die Geister aus der Dunkelheit heraufbeschwören konnten.

Im Halbschlaf dachte er, dass es an den Malariapillen liegen müsse, die er genommen hatte, dass er die Trommeln im Traum höre. Aber als er aufstand und aus seiner Wasserflasche trank oder aus der Flasche Duty-free-Rum, die er sich ans Bett gestellt hatte, wurde ihm klar, dass sie immer da sein, nie aufhören würden. In ihnen vollzogen sich Ereignisse, von denen er sich keinen Begriff machen konnte, in ihnen lief eine andere Art Zeit ab. Sie bildeten den Kontrapunkt zum Meer, das seinen eigenen Rhythmus hatte.

Er war in einem seltsamen Zustand der Lust gefangen, erigiert und allein, so als wartete er vergeblich auf eine Frau, die er verloren, und nicht auf eine, die er gefunden hatte, eine Frau, deren Züge zu Formen schmolzen, die er aus seinem Bewusstsein verbannte. Er überließ sich den Trommelklängen, ihm war nach Tanzen zumute, und er tanzte, ein Irrer, der einen einsamen fiebrigen Tanz tanzte, erregt und verängstigt in seinem schäbigen Hotelzimmer in der Stadt am Meer, mit den Armen fuchtelnd. Er zwang sich aufzuhören, aber es war schwer, von den Trommeln loszukommen. In ihren vielen Stimmen hörte er seinen Namen.

Lara. Manche seiner Träume handelten von ihr. Manche von Kristin. Seine Haut war vom Fieber gespannt. Die Trommeln zogen ihn auf den Balkon hinaus, von dem aus man über das Carénage-Viertel bis zum Meer schauen konnte.

Kein Entkommen in den Schlaf; immer wieder ging er zurück, um das Meer zu betrachten, die Trommeln wollten es so. Das Wasser war gleichmäßig dunkel, der Mond schien nicht. Aber gestern Abend, dachte er, hatte er geschienen. In einer anderen Welt. Die Trommeln hörten nicht auf, so wenig wie sein Ringen mit den Träumen. Das Meer vor seinem

Fenster war ihm jetzt unheimlich. Seine Dunkelheit verhüllte nur. Er versuchte, im schwachen Sternenlicht die Linie des Riffs auszumachen, und fragte sich, an welcher Stelle sie tauchen würden. Es gab hier so viel Verfall und Geschichte, die ein Meer zudecken konnte. Hasserfüllte zornige Götter, von denen man nichts ahnte, herrschten dort draußen womöglich in anderen Dimensionen, Götter, die ihm oder der Vernunft nichts schuldeten. Er fühlte sich so einsam wie nie zuvor.

15 Tags darauf war keine Nachricht für ihn am Empfang, und offenbar gab es niemanden, der wusste, wie er Lara erreichen konnte. Den ganzen Vormittag schlenderte er durch die Carénage, sah sich die Märkte an, weigerte sich, Körbe zu kaufen, verteilte Kugelschreiber an Schulkinder. Fischerboote mit notdürftig ausgebesserter Takelage lagen mit dem Bug landwärts vertäut, wo die Carénage zu Ende war, obwohl man sich ihrem Aussehen nach kaum vorstellen konnte, auf was für Fische sie aus waren. Auf einem lag der vertrocknete Kadaver einer Seeschildkröte auf der offenen Vorderluke. Alle waren nach haitianischer Art bunt gestrichen, hatten kreolische Namen und waren mit Bildern von Heiligen und mit Symbolen geweiht, bei denen es sich, wie er noch erfahren sollte, um *vevers* handelte, Symbole für die Götter des haitianischen Pantheons, die auch von den christlichen Heiligen verkörpert wurden. Die Vorfahren der Bewohner dieses Endes der Insel, so hatte er gelesen, waren nach der dortigen Revolution von Haiti gekommen oder herübergebracht worden.

Am Stadtrand geriet er unversehens in ein Militärlager. Die Uniformen der Soldaten hatten eine andere Farbe als die der Soldaten, die er in der Nähe des Hotels gesehen hatte, und ihre Helme hatten eine ungewöhnliche Form. Die Männer starrten ihn schweigend und feindselig an. Ihre Gewehre, die sie nach alter Infanteriesitte in der Mitte des Lagers zusammengestellt hatten, sahen wie Antiquitäten aus. Bei manchen hätte es sich um M1 aus dem Zweiten Weltkrieg handeln können. Zwei der Soldaten kamen auf ihn zu, wurden aber von einem Unteroffizier in einer Sprache zurückgerufen, die Englisch sein musste, doch Michael verstand trotzdem kein Wort. So lässig wie möglich trat er den Rückzug an.

Als es ihm in der Sonne zu heiß wurde, ging er ins Hotel zurück. Noch immer nichts von Lara. Er zog eine Badehose an und paddelte inmitten der Frangipaniblüten im Pool herum. Dann legte er sich in seinem Zimmer eine Weile hin. Am Spätnachmittag zog er sich an und ging hinaus. An den Tischen im Innenhof saßen mehrere Soldaten, Offiziere der neuen Armee der Inselrepublik, alle in neuen Kampfanzügen und mit Seitenwaffen. Soldaten in den gleichen Uniformen standen Wache auf der Treppe, die zur Straße hinabführte, und auf der Böschung hinter dem Pool, von der aus man auf die Bucht hinaussah.

Van Dreele saß an dem Tisch, der dem Empfang am nächsten stand. Liz McKie saß mit einem hoch gewachsenen Offizier mit bräunlicher Gesichtsfarbe zusammen, der mit seinem militärisch gestutzten Schnurrbart und seinen schweren Augenlidern ebenso auffällig wie attraktiv war. Er wirkte nachdenklich und sehr wach, und Liz McKie sah ihn bewundernd an.

Michael setzte sich an Van Dreeles Tisch und bestellte ein Bier.

«Na, vertreiben Sie sich die Zeit?», fragte der Holländer.

Michael zuckte die Achseln.

«Waren Sie in der Stadt?»

«Ich bin bis ans andere Ende gegangen.»

«Dann haben Sie die Junta-Armee gesehen.»

«Ja», sagte Michael. «Ich bin beklagenswert uninformiert.»

Van Dreele hatte zwei Zeitungen, eine holländisch, die andere ein Exemplar des *Miami Herald*. Er gab Michael den *Herald*, und Michael versuchte, sich auf die Lektüre zu konzentrieren. Das Außenministerium erklärte, es werde die neue Regierung unterstützen; bei den Wahlen sei es möglicherweise nicht ganz korrekt zugegangen, aber die Junta habe eindeutig verloren und man hoffe, die Armee der Junta werde sich ohne Blutvergießen zurückziehen.

«Und, wird sich die Junta-Armee zurückziehen?», fragte er Van Dreele.

«Kommt darauf an, was Sie unter ‹zurückziehen› verstehen. Wenn ihnen keiner mehr was zu essen gibt, gehen die alle nach Hause. Aber dann gehen hier die Lichter aus.»

Von dem Tisch am Pool rief ihn McKie.

«Hey, Michael! Darf ich mal in Ihren *Heraldo* reinschauen?»

Van Dreele verzichtete mit einer Handbewegung auf seine Zeitung, und Michael brachte sie an den Tisch, an dem McKie mit ihrem Offiziersfreund saß.

«Setzen Sie sich, Michael», sagte sie. Sie stellte den Offizier als Oberst Junot vor und nahm die Zeitung.

«Nichts über dich, Sweetie», sagte sie zu ihrem Freund.

«Nur nicht auffallen.» Er zwinkerte Michael zu. «Ich bin der geheime Kandidat, der sich ganz, ganz langsam hinter den Thron schleicht.» Er ließ seine Hand wie ein Wiesel hinter den Tisch huschen. Er trug eine Rolex. «Wie auch immer», sagte er zu McKie, «du bekommst die Exklusivrechte. Ich werde dramatisch in deinen Augenzeugenberichten auftauchen. Erstaunliches Amerika!»

«Bitte nicht zu dramatisch, ja?», sagte sie. «Ich finde, wir sollten meine Berichte als aus erster Hand bezeichnen, nicht als Augenzeugenberichte. ‹Augenzeuge› klingt immer so, als hätte man etwas Schreckliches gesehen. Stimmt's, Mike?»

Michael nickte.

«Wie war der Strand?», fragte sie.

«Was?»

«Der Strand. *La playa. La plage.* Deswegen sind Sie doch hier? Wegen dem Strand?»

«Ja», sagte er. «Aber ich war nur spazieren.»

«Ach, wirklich?», fragte sie.

«Bis an den Stadtrand.»

«Irgendwelche amerikanischen Soldaten gesehen?»

«Amerikanische Soldaten? Nein.»

McKie und Oberst Junot wechselten einen Blick. Dann zuckte Junot die Achseln. «Angeblich liegt bei Dajubon eine medizinische Einheit. Und ein paar Spezialeinheiten. Die sind auf unserer Seite.»

«Na», sagte McKie, «bist du dir da so sicher, Sweetie?"

«Absolut sicher. Amerika auf ewig und immer. Du hast einen Veteranen der Operation Urgent Fury vor dir.» Er sah Michael herausfordernd an. «Nie davon gehört?»

Michael hatte davon gehört. «Die Invasion von Grenada.»

«Als junger Spund wie man in Fort Benning sagt. Als frisch gebackener Offizier. Ich glaube, wir kamen gerade recht.»

«Die Operation, bei der die Navy das Irrenhaus bombardiert hat», erinnerte McKie die beiden. *«Friendly fire.»*

Einen Moment lang schwiegen alle.

«Oh», sagte sie, «hört mal. Trommeln – am helllichten Tag.»

«Retirer», klärte der Oberst sie auf. «Für John-Paul Purcell. *Retirer les morts d'en bas de l'eau.»*

McKie sprach, als wollte sie ihn korrigieren: *«Wete mo danba dlo.»*

«Sehr gut», sagte der Oberst. «Du machst dich, Liz.»

Auch Michael lauschte den Trommeln.

«Was meinen Sie, wie viele es sind, Mike?», fragte Liz McKie.

«Ich weiß es nicht», sagte er.

«Vier», sagte sie. Sie sah Junot unverfroren an, stolz auf ihr Wissen.

«Nur vier?», fragte Michael.

Sie legte die rechte Hand auf die rostige Tischplatte und zählte die Trommeln an ihren langen, wohl geformten Fingern ab.

«Vier Trommeln», erklärte sie, «für die *rada*-Riten. Das, was so metallen klingt, ist ein Stück Eisenblech, ein Ogan.» Sie zwinkerte ihm zu. «Hören Sie, Michael.» Ihr offenes, schmales Gesicht wirkte vollkommen glücklich. «Die *petite*. Die *seconde*. Und *maman*, die Große. Hören Sie sie?»

«Ja.»

«Sind sie nicht gut?»

«Ja», sagte er, «sie sind toll.»

«Größer als wir», sagte der Oberst. «Größer als wir alle zusammen.»

Michael ließ sich von ihnen zu Drinks einladen, bis er wieder benommen war. Die Aussicht auf sein Hotelzimmer, die von Trommeln heimgesuchte Stille, die Dunkelheit und das wenig tröstliche Licht, jagte ihm Angst ein. Diese ganze Welt des Andersseins wartete dort auf ihn, von den Trommeln aus dem Meer gerufen. Dort war nicht sein Platz.

Als er hineinging und die Nachttischlampe anknipste, sah er Lara.

«Michael.» Sie wirkte blass und müde. «Hab keine Angst. Nicht vor mir.»

Sein erster Impuls war, sie in die Arme zu nehmen, aber im nächsten Moment wurde er aggressiv, riss sie aus den Trommeln. Sie war geschaffen worden, um wie er zu sein, vertraut, ihre Düfte – die französische Seife, ihr Atem, so süß wie der Atem der kleinen Jungfrau eines Troubadours. Aber sie bekam keine Luft; sie befreite ihren Hals aus seinen Händen, um etwas zu sagen. Er drückte ihr die Luft ab.

«O Gott, Michael», sagte sie. «Du bist ...» Sie schüttelte ihr gelöstes Haar, lachte und berührte seine Erektion. «Du bist ja ganz *engage*», sagte sie, weder englisch noch französisch.

«*Engagé. Engaged.*»

«Dann sind wir also verlobt?"

«Sicher», sagte er, «wir sind Verlobte.»

Sie zog ihn aufs Bett und schmiegte sich an seine Schulter. Er konnte ihr Gesicht nicht sehen.

«Was ich zu sagen habe, ist nicht so gut, hm?»

Er streichelte ihr glänzendes Haar. Er musste beinahe lachen über die traurige Schicksalsergebenheit in ihren Worten. Was sie gesagt hatte, hatte er schon vorher gewusst. Vielleicht hatten es ihm die Trommeln telegrafiert, warum nicht?

«Jemand ist mir hierher gefolgt. Jemand wartet darauf, dass ich wieder herauskomme. Wenn ich nicht rausgehe, werden sie reinkommen und mich holen.»

Für einen kurzen Moment fühlte er sich gedemütigt, als Zielscheibe, als Opfer eines Gaunertricks.

«Jemand wartet auf dich?», fragte er leichthin. «Ich dachte, dir gehört das Hotel. Ich dachte, wir wären zusammen.»

Er drückte sie zurück, sodass sie nebeneinander lagen. Er spürte, wie sie sich neben ihm entspannte.

«Ich wollte, es wäre ein Scherz», sagte sie. «Ich habe etwas verloren, wofür ich verantwortlich war. Ein Mann ist ums Leben gekommen.»

Er überlegte und sagte: «Du hast gesagt, keine Drogen.»

«Das hatten sie mir auch versichert», sagte sie. «Ehrlich.»

«Ach, Scheiße.»

«Das sind Südamerikaner», sagte sie. «John-Paul und Roger haben mit ihnen zusammengearbeitet, und möglicherweise ging es doch um Drogen.»

Er lachte freudlos. Sie setzte sich auf.

«Behandel mich jetzt bitte nicht, als ob ich eine Kriminelle wäre. Als ob ich dir was vorgespielt hätte.»

«Ich glaube aber, dass du mir was vorgespielt hast. Ich muss, verstehst du? Sonst komme ich mir wie der letzte Idiot vor.»

«Ach, liebster Michael», sagte sie. «Du wirst mir schon vertrauen müssen.» Sie presste sich an ihn. «Ich wollte einfach nur niemandem wehtun, ich schwöre es. Leider ist jetzt der schlimmste denkbare Fall eingetreten.»

«Ich schau ständig zur Tür», sagte Michael. «Ich denke ständig an deinen Schatten.»

«Die kommen noch nicht», sagte sie.

«Was soll ich nur tun, Lara?»

«Du musst immer daran denken, dass ich dich liebe. Ich weiß, was Liebe ist, ich bin keine Spinnerin. Vielleicht bleibt es ja nicht ewig so, aber jetzt liebe ich dich.»

«Kein Problem», sagte Michael. «Was noch?»

«Du musst zu einem Wrack tauchen. Du musst drei Kisten aus dem Heckraum einer Cessna 185 bergen.»

Er saß schweigend da, bis er sich zu einem lahmen, unpassenden Witz aufraffen konnte: «Kokain? Krieg ich auch was davon ab?»

Sie sah ihn entsetzt an.

«Soviel ich weiß», sagte sie, «sind es keine Drogen. Ich habe ein paar Smaragde und ein paar alte Zeichnungen eingepackt. Es stimmt, dass die Smaragde Schmuggelware sind. Aber das ist mir egal. Dir nicht?»

«Ich weiß nicht, ob ich das schaffe, Lara.»

«Du tauchst doch jeden Sommer im Lake Superior zu Wracks hinunter. Du machst das schon.»

«Ist der Pilot noch in der Maschine?»

Sie zuckte die Achseln. Ein Achselzucken, das aufrichtiges Mitgefühl auszudrücken schien.

«Und wenn ich's vermassle?»

«Vergiss nicht, es sind keine Drogen.»

«Und wenn ich's doch vermassle?»

«Dann werden die mir einen Strick daraus drehen. Und du gerätst auch in Gefahr. Es könnte sein, dass du zu den Amerikanern laufen musst. Was würdest du ihnen sagen?»

«Ich lauf nicht so gern. Ich dachte, du bist amerikanische Staatsbürgerin.»

«Bin ich. Aber die werden ... du weißt schon. Ich bin durch meine Familie gebunden. Die werden mich nicht gehen lassen. Außer wenn ich ihnen die Fracht ausliefere.»

Dann erzählte sie ihm mehr, als er hören wollte. Sie und Roger waren wegen des Putsches in Panik geraten. Sie hatten eine Razzia in der Loge befürchtet, und deshalb hatten sie die Maschine losgeschickt, ohne sich mit ihnen abzusprechen. Mit den Südamerikanern. Außerdem machte sie sich Sorgen wegen dieser Zeremonie um die Seele ihres Bruders.

«Ich glaube nicht, dass wir eine Chance haben», sagte Michael. «Ich kenne die Hintergründe nicht, aber ich habe so ein Gefühl. Darf ich dir eine unhöfliche Frage stellen?»

Sie blies ungeduldig die Backen auf.

«Du kannst doch auch tauchen», sagte er. «Und du bist bestens durchtrainiert. Warum gehst du nicht selber runter?»

«Ich hab noch nie bei Nacht getaucht.»

«Das gibt's doch gar nicht!»

«Noch nie. Und noch nie zu einem Wrack. Mir kommt es auf die Riffe an. Darauf, an der Wand entlang in die Tiefe zu gehen. Mein Gott, meinst du nicht, ich würde es selbst machen, wenn ich es könnte?»

Das hab ich mir selbst zuzuschreiben, dachte er. Wenn er nicht in Panik geriet, sich keine Folterqualen vorstellte, wenn er die Konsequenzen seines Handelns akzeptierte, wenn er stark war, konnte er sich als den glücklichsten Menschen betrachten. Die schönste Frau, die er je gesehen hatte, hockte auf seinem Bett und verlangte heroische Taten. So war es nun mal gekommen. Er dachte an den Mann mit der Schubkarre. Er horchte auf die Trommeln.

«Wenn es schief geht», sagte sie, «können wir zusammen sterben. Dafür kann ich sorgen.» Es war, als hätte sie seine Gedanken lesen können. Dein im Angesicht des Todes. «Aber ich glaube, es wird ein einfacher Tauchgang.»

Während er sie auszog und ihren angespannten Körper in die Arme nahm, kam ihn die Lust an, sie auf der Stelle umzubringen. Die vollkommene Form der Entropie zurückzugeben, die sie geschaffen hatte, sie durch die Trommeln zurückzuschicken.

Sie sagte «Ich liebe dich», das alte Lied, aber es sagte ihm: Eine Gefährtin ist in Gefahr. Wir zwei gegen die Mauer. Eine Gefährtin hat sich in ein Abenteuer verstrickt. Hierhin, dachte er, und klammerte sich an den Gedanken, hierhin hatten ihn die Trommeln geführt, in eine Welt, die so ganz anders war als eine angejahrte Ehe und eine Professur und die kleine Welt von Fort Salines. Er war nie ein Feigling gewesen. Ohne physischen Mut, hatte er einmal einigen seiner Kollegen gesagt, gibt es keinen moralischen Mut.

Er entkleidete sie und nahm sie zu sich wie einen Trank. Er drehte sie auf den Bauch und sagte: «Mal sehen.»

Sie fragte: «Was?»

Er hatte gemeint, sehen wir mal gemeinsam in allen Räumen dieser Körper am Rande nach, bei den schwimmenden gelben Tonnen, die das Vergessen markieren, auf dem Weg die Wand hinunter, sehen wir mal, ob wir entdecken, woraus die andere Seite der Trommeln besteht. Sehen wir mal, ob dunkle Giftblumen in deiner Möse sind, ob mein Finger auf dieser kleinen Kuriosität, wo die Liebe ihre Wohnstatt genommen hat, heute Nacht furchterregende Visionen hervorruft.

«Mal sehen», sagte er.

Als er sie zum Höhepunkt brachte, sprach alles Erschaffene zu ihm, das sein Begriffsvermögen überstieg.

Hinterher nahm er ein paar Schlucke aus der Rumflasche und bot sie ihr ebenfalls an. Sie weinte, wollte seinen Schwanz nicht schrumpfen lassen, ein rührendes kleines Unterfangen – wie ein Kind, das an seinem Luftballon herumfingert.

«Erzähl mir nochmal», sagte er, «vom Grund des Meeres.» Er bat sie darum, weil er irgendwie die Vorstellung hatte, dass dies sein Bestimmungsort werden sollte.

«Guinee», sagte sie. «Weil die Sklaven glaubten, sie würden nach Afrika zurückkehren, wenn sie über Bord sprangen. Deshalb kommt die Seele vorübergehend dorthin. Guinee. Da ist es sehr schön.»

«Vielleicht kommen wir da ja beide hin.»

«Wir kommen hin. John-Paul ist schon dort. Meine Seele ist manchmal dort.» Dann sagte sie: «Es ist nicht immer schön. Sie sind einsam dort.»

Jemand klopfte an die Tür, so leise, dass man fast an ein Kind denken konnte. Sie waren sich gar nicht sicher, ob sie es wirklich gehört hatten, aber es war da. Lara riss angstvoll die Augen auf, ein Blick ins Herz der Trommeln.

«Die kommen mich holen.»

«Lara.»

Sie schmiegte sich an ihn und sagte etwas, was er nicht verstand.

«Lüg mich nicht an», sagte er. «Ich werde dir alles geben.»

«Nein, nie. Bei meiner Seele.» Sie lächelte schwach und entfernte sich von ihm. «Wenn ich eine habe.»

16 Der Tauchershop des Hotels war am Strand ein paar Kilometer außerhalb der Stadt vor einem Palmenhain, in dem Soldaten saßen und rauchten. Michael und Roger Hyde gingen leise hinein, machten das Licht an und warteten, ob jemand sie beobachtete, aber das war nicht der Fall. Etliche Minuten später erschien ein Insulaner, der in dem Shop angestellt war, mit zwei kleinen Kindern, die gleich anfingen, in dem Laden herumzutollen. Sie spielten wie Kinder überall spielten, mit einem Unterschied. Sie lauerten einander über Fässern und Regalen auf und flüsterten in Patois.

Der Laden war nicht groß. Es war offensichtlich, dass er allmählich verwahrloste und dass die Ausrüstungsgegenstände bald unbrauchbar sein würden. Es gab einen Hochdruck-Kompressor geringer Kapazität mit einem Elektromotor, der von einem Generator angetrieben wurde. Die Geräte waren schon länger nicht mehr geschmiert worden. Roger sah zu, wie Michael und der bis zur Taille nackte Trinitianer, der Hippolyte hieß, mit den Ausrüstungsgegenständen hantierten. Sie nahmen Leinöl und Dichtungsringe, kontrollierten die Ventile und wuschen das Salz von Tauchermasken ab. Die trinitianischen Soldaten waren wieder auf die Straße gegangen.

Die Flaschen und Lungenautomaten waren offenbar noch

gut in Schuss, und der Kompressor saugte anscheinend Luft aus dem Kokospalmenhain hinter dem Laden an. Michael war einmal zum Tauchen in Niederkalifornien gewesen, wo sich der Kompressor, mit dem die Flaschen gefüllt wurden, in einer Tankstelle befand. Die Luft in den Flaschen war deshalb mit Dünsten von billigem verbleitem Benzin angereichert, und schon nach ein paar Minuten unter Wasser entwickelte man Symptome wie nach einer Pilzvergiftung. Dieser trinitianische Laden dagegen war offenbar sehr sicherheitsbewusst geführt worden. Roger zufolge hatte ihn ein Ehepaar aus Martinique betrieben. Die beiden hatten nach dem Ausbruch der ersten schweren Unruhen noch lange ausgeharrt und waren erst seit ein paar Wochen weg.

«Der Laden scheint ja gut gegangen zu sein», sagte Michael zu seinen neuen Freunden.

«Ja, früher schon», sagte Roger. «Richtig gut.»

Michael nahm eine der 2000-Liter-Flaschen und versuchte, sie direkt an den Kompressor anzuschließen. Er hatte bislang nur mit tragbaren Maschinen gearbeitet, aber die Verbindung schien zu funktionieren. Er pumpte die Flasche auf rund 220 bar auf, schraubte den Lungenautomaten auf und atmete einmal tief ein. Die Luft war gut. Der Geschmack der Luft in dem Mundstück weckte Vorfreude und Abenteuerlust. Er probierte die Flasche noch einmal aus.

«Das ist ein schönes Riff da draußen», sagte Roger. «Sie nennen es Petite Afrique, wegen seiner Form.» Er deutete mit den Händen die Form des Kontinents an, die schwellende Brust und das Horn. «Zwei Meilen vor der Küste.»

«Und da fahren wir hin?»

«Noch weiter. Bis zum Sockel.»

«In welcher Tiefe liegt die Maschine?»

«Das wissen wir nicht.» Er wandte sich an den Trinitianer. «Hippolyte glaubt zu wissen, wo das Flugzeug abgestürzt ist. Er sagt, man kann es da unten sehen. Von der Oberfläche aus kann man es irgendwie ausmachen.»

«Dann müsste man auch die Positionslichter sehen», sagte Michael schaudernd. «Der Pilot ist wohl noch drin?»

Keiner von beiden antwortete. In dem Laden gab es auch altmodische Notflaschen aus französischer Herstellung, die man an der Hauptflasche befestigen konnte. Eine solche Flasche wurde durch Umlegen eines Spezialventils in Betrieb genommen, und Michael mochte die Dinger nicht. Wenn man eine Notflasche angesetzt hatte und der Luftvorrat zur Neige ging, hörte die Luftzufuhr aus der Hauptflasche schlagartig auf. Dann musste man blind über die Schulter greifen, und wenn man das Ventil nicht fand, bekam man keine Luft mehr. Trotzdem setzte er eine an. Da er Angst hatte und außer Übung war, würde er bestimmt zu stark atmen und seinen Luftvorrat in einer guten halben Stunde aufbrauchen. Er füllte noch zwei weitere Flaschen; es war Schwerarbeit, und er kam ins Schwitzen. Es war schon spät, und er hatte schon lange nicht mehr richtig geschlafen. Eine falsche Morgenröte schien jenseits der Bucht hinter dem Morne heraufzuziehen.

«Der Absturz wurde gemeldet», sagte Roger. «Vermutlich hat die US-Küstenwache in der Mona Passage die Meldung registriert. Oder die britische auf Grand Turk. Aber die Trinitianer haben unseres Wissens keinen einsatzbereiten Helikopter, und sie kennen wohl auch nicht die Absturzstelle.»

«Aber viele könnten den Absturz beobachtet haben», sagte Michael.

«Das stimmt», sagte Roger. «Deswegen haben wir auch keine Zeit zu verlieren.»

Michael trug seine Ausrüstung und einen Taucheranzug zum Taucherboot des Hotels hinunter. Hippolyte musste den Tank füllen. Roger brachte eine Tauchermaske mit Schnorchel.

Sie luden die Pressluftflaschen ein und stakten das Boot zum inneren Riff hinüber. Auch im Dunkeln war die Bank abgestorbener Korallen unter Wasser zu sehen, eine im Licht des Nachthimmels schimmernde weiße Masse. Am Rand des Riffs stießen sie sich in die Brandung ab. Die Wellen waren nicht allzu hoch, sie wurden durch das äußere Riff abgebremst. Trotzdem mussten sie sich gut festhalten. Die Flaschen, die innen an der Bordwand befestigt waren, klirrten verschwörerisch.

Hinter der Brandung ließ Roger den Motor an und gab vorsichtig Gas. Michael setzte sich in der kleinen Kabine mit dem Rücken zum Schott auf einen Klappstuhl. Hippolyte sang und murmelte leise vor sich hin, kleine Liedchen und Scherzreime. Er wirkte kein bisschen aufgeregt, während er im rostigen Strahl seiner abgedunkelten Taschenlampe eine Karte studierte. Das Boot fuhr ohne Lichter, und Michael meinte zu spüren, dass ringsum auch noch andere unbeleuchtete Boote unterwegs waren.

«Ich hab schon ein paar von diesen Maschinen überlebt», sagte Roger zu Michael. «Zum Glück hab ich die nicht fliegen müssen.»

«Wer war der Pilot?», erkundigte sich Michael.

«Ein Kolumbianer. Lara ist mit ihm aus Puerto Rico gekommen.»

«Ach ja?» Vielleicht fiel ihm jetzt erst auf, wie zuversichtlich sie über das Tauchabenteuer gesprochen hatte. Warum meinte sie, dass es ein leichter Tauchgang werden würde? Dachte sie, es würde alles wie auf dem Präsentierteller daliegen? Aber diese Dinger gingen auf Grund wie nichts. Er las genauso viel Zeitung wie jeder andere. Nein, schon weniger. Aber genug. Wie auch immer, er würde es machen. Der ihre im Angesicht des Todes.

Während Roger die Seekarten las, zog Michael den unteren Teil seines Taucheranzugs über seine Shorts an. Der Anzug war ihm zu groß, beide Teile, der obere und der untere. Er musste unbedingt die Luft herauskriegen, bevor er hinunterging. Sonst würde er womöglich beim Auftauchen an die Oberfläche schießen und seine Lungen mit dem Blut seines Todes füllen.

Hippolyte meldete sich zu Wort. *«La lune. Regardez!»*

Und da war er tatsächlich, fast voll, aufgegangen über dem Morne. Er erhellte die Bucht viel stärker als die unstet flimmernden Lichter der Stadt.

«Nimm das Fernglas und schau dich um», sagte Roger zu Michael. «Stell fest, ob wir allein sind oder nicht.»

Michael suchte den Horizont ab. Der Feldstecher war eines dieser anschnallbaren Nachtsichtgeräte der Navy und verwandelte das dunkle Meer in ein digitales Schauspiel. Kein Schiff oder Boot zu sehen, kein einziges. Direkt voraus wurde der Rand des Meeres von zwei verschlungenen Formen durchbrochen – Mangroveninselchen, deren in dem Nachtsichtgerät unheimlich verfärbte Blätter im Wind zitterten.

«Nichts.»

Roger und Hippolyte unterhielten sich ernst auf Kreolisch, und Hippolyte zeigte erst auf die Inselchen und dann auf den Berg.

«Er meint, wenn wir dem Riff von Sauvequipeut nach Haute Morne folgen, kommen wir genau hin.»

«Und wie will er das im Dunkeln feststellen?», fragte Michael.

«An der Stelle müsste ein Ölfleck sein. Für ihn ist es übrigens nicht so dunkel wie für dich. Er ist Krabbenfischer.»

«Ja, und?»

«Er kennt den Meeresgrund ziemlich gut. Er ist da zu Hause. Er zählt die kleinen Mangroveninseln ab», sagte Roger. Er selbst gab Gas, und sie tuckerten mit mäßiger Geschwindigkeit dahin. Nach ein paar Minuten bat Hippolyte um eine Zigarette. Er nahm sie und beugte sich vor, um sich von Roger Feuer geben zu lassen.

«Er berechnet Entfernungen nach Zigarettenlängen», erklärte Roger.

Sie folgten der Rifflinie. Hippolyte hielt den Feldstecher auf die beiden Mangroveninselchen hinter einem Vorsprung des Riffs gerichtet. Nach einer Weile verlangte er noch eine Zigarette. Die Dünung wurde stärker. Schließlich warf er die Marlboro-Kippe über Bord und sagte: «*C'est là.*»

«Uff!» Roger drehte rasch bei.

Er hielt den Bug mit einem Arm in den Wind. Hippolyte und Michael gingen rasch an die Backbordreling. Hippolyte beugte sich mit dem Sichtgerät hinunter, das er für die Suche nach Schwämmen benutzte, einen Holzkasten mit Glasboden. Roger spähte mit dem Fernglas in den Kasten. Er murmelte etwas und reichte es Michael.

Sie waren über der Wand des Riffs. Mit dem Feldstecher und Hippolytes Guckkasten erkannte man die höheren Simse, Muster von Elchhorn- und Röhrenkorallen, die sich in die trübe rotgraue Tiefe hinabzogen. Auf dem obersten Sims lagen ein paar Benzinkanister und Keilriemen.

«Was sieht er?», fragte Michael.

Hippolyte schaute über das Riff zu dem Gebirgszug hinüber.

«*C'est là*», sagte er. «*Voilà issir. Ici.*»

Sie versuchten, die Handleuchte zusammen mit dem Guckkasten zu verwenden, sahen aber zunächst nur die Umrisse ihrer eigenen gespannten Gesichter.

Michael nahm den Kasten, ließ sich von Roger und Hippolyte festhalten und schaute lange den Abhang hinab. Nach etwa einer Minute glaubte er ein schwaches grünes Glimmen zu erkennen. Nach einer Weile verdoppelte sich das Glimmen. Eine optische Täuschung? Die Punkte bewegten sich, flackerten, blinkten, aber es waren Lichter, und sie waren konstant. Auch ein kleines rotes Licht war zu erkennen.

«Das könnte ein Armaturenbrett sein. Ziemlich tief.»

«Also dann», sagte Roger nach einer kurzen Pause. «Hol das Zeug mal rauf, Bruder.»

Sie stiegen in eine vollgestellte Kabine mit einem defekten Kompressor und leeren Regalen für Druckluftflaschen hinab. Michael befestigte den Lungenautomaten an seiner Flasche und probierte ihn aus.

«Was genau erwartet mich dort unten, Roger?»

Roger hatte ein Foto von dem Flugzeug. Er zeigte es Michael unter einer Kabinenlampe.

«Das ist eine Cessna 185. Zwei Sitze vorn, einer hinten.

Hinter dem Einzelsitz befindet sich ein Laderaum von eins-fünfunddreißig mal einsfünfzig. Darin sind zwei wasserdich-te Kisten, jede ungefähr fünf Kilo schwer. Außerdem eine Metallröhre mit eingerollten Zeichnungen und Gemälden. Die solltest du auch mitbringen, wenn irgend möglich. Aber das Wichtigere sind die beiden Kisten.»

«Ich dachte, die verpacken das Zeug immer so, dass es schwimmt.»

«Tja, was soll ich sagen?», sagte Roger. «Schön wär's.»

Michael nahm seine Schwimmflossen und ging an Deck. Roger kam hinter ihm herauf.

«Ich weiß nicht, was du für ein Temperament hast, Mike. Es könnte sein, dass du auf ein paar ziemlich schreckliche Sachen stößt, und um die, äh, kümmerst du dich am besten gar nicht.»

«Was denn zum Beispiel?»

«Zum Beispiel den Piloten.»

«Aha.»

«Schade um ihn», erklärte Roger. «Netter Kerl.»

«Du hast ihn gekannt?»

«Ach», sagte Roger, «so vom Reden hab ich sie alle ge-kannt. Ein paar waren richtig charmant.»

In diesem Moment flog am anderen Ende der Bucht ein Hubschrauber vom Point aux Riches zum Mont César. Er bewegte sich in einem Wirbel heller Lichter.

«Shit», sagte Michael. Der Hubschrauber erinnerte sie an die Präsenz der Amerikaner.

Roger fasste Michael am Arm. «Trag dein Erkennungszei-chen. Trag es für Erzule. Und für Lara.» Er band Michael das rote Band über der Tauchermaske um die Stirn.

Michael schaute zu dem Hubschrauber hinüber.

«Also los, Michael», sagte Roger. «Achte nicht auf die. Geh. Geh.» Er legte die flache Hand auf das rote Band. «*Ave Maria Purísima*. Aber jetzt ab mit dir. Mach schon, Michael.»

Michael bekreuzigte sich zu seiner eigenen Überraschung und ließ sich rückwärts ins Dunkel fallen.

Er hatte eine Handleuchte dabei. Eine Zeit lang trat er Wasser und drückte die Luft aus seiner zu großen Tarierweste. Dann ging er langsam tiefer und ließ dabei den Strahl seiner Handleuchte über die Korallen wandern. Vallisnerien und Fächerkorallen, Abfälle, Bierdosen und Schraubenschlüssel, vor Seeigeln starrend. Ziemlich viel kalkweiße, abgestorbene Elchhornkorallen. Fast keine Fische, abgesehen von ein paar Doktorfischen. Mehr oder minder das, was er erwartet hatte.

Das leichte Fieber, die Angst, die ihn den ganzen Tag über in der Kehle gekratzt hatte, ließen ein wenig nach, während er sank. Vielleicht weil ihn die Konzentration auf die technischen Notwendigkeiten ablenkte und er sich in ein anderes Wesen in einem anderen Element verwandelte. Es war ein Wunder, das seine Phantasie besänftigte.

Er landete sanft auf dem nächsten Absatz, berührte ihn erst mit den Flossen, dann mit den Knien. Er stieß sich ab, drehte sich auf den Rücken und richtete sich auf. Hirnkorallen und ein Kerosinkanister. Er schaute auf seinen Tiefenmesser. Acht Meter.

Über die Elchhornkorallen kam ein neugieriger Barrakuda geschwommen, um sich an seinem Tauchgang zu beteiligen, dann erschien unversehens ein zweiter im Licht seiner

Leuchte. Als er tiefer ging, folgten sie ihm in einer gemächlichen Spirale.

Er spürte den Druck auf seinen Körper, als wäre er das Gewicht der Dunkelheit selbst. Dunkle Ungewissheit über und unter ihm, überall außerhalb seines kleinen Lichtkreises. Aber dicht vor ihm war die Wand des Riffs reicher, als er sich vorgestellt hatte. Fast gewaltsam leuchteten Farben auf, zum Leben erweckt durch den wandernden Kordon, den er verbreitete. Sternkorallen hingen an den Unterseiten der Simse; es gab Höhlen, in denen junge Schwämme auf einem glänzend schwarzen Teppich wuchsen, wie Anemonen auf einem Lavafeld. Schwarze Korallen, eine Seltenheit. Er tastete sich weiter und sah, dass schon viel davon abgebrochen worden war; die Klaue eines verlorenen Hammers glitzerte inmitten der Fächerkorallen.

Begleitet von den Barrakudas und einem vorsichtigen Trompetenfisch, ging er auf Abstand zum Riff und versuchte, ein wenig zu beschleunigen, um noch mehr Luft aus der großen Tarierweste zu pressen. Er kam an wunderschönen Terrassen von Hirnkorallen vorbei. Als er vor Jahren beim Tauchen zum ersten Mal Hirnkorallen sah, hatten sie durch ihre Form seinen Glauben wieder belebt, denn sie hatten in dieser tiefen Wasserwelt an die Existenz des Geistes erinnert, des Geistes der Dinge. Eine leise Erinnerung an dieses Erlebnis regte sich in ihm, als er an ein Feld zerstörter Korallen kam. Unter ihm war eine Schneise von verstümmelten und abgetrennten Kreaturen, nacktem, verschmutztem Sand und zertrümmertem Gestein. Der Schein seiner Leuchte fiel auf einen Regenbogen. Er folgte ihm mit dem Strahl und sah, dass der Regenbogen als dicke Säule zur Oberfläche stieg.

Aus irgendeinem Grund wimmelte es in der prismatischen Säule von Fischen. Es waren mehr, als er bisher gesehen hatte: Papageifische, Brassen, Doktorfische und vor allem unzählige Engelfische. Aus irgendeinem Grund schwammen sie im Kreis und blieben dabei innerhalb der bunten Lichtsäule. Er richtete den Strahl nach unten und sah, dass die Zahl der Fische in der Tiefe noch zunahm. Er paddelte von der zerstörten Terrasse weg und folgte dem Regenbogen nach unten.

So viele Fische, dachte er, schön in ihrer großen Zahl. Eine Wolke von Engeln – und am Rand seines Gesichtsfelds die zitternden Barrakudas, die darauf lauerten, sich den einen oder anderen Nachzügler zu schnappen. Noch drei Meter tiefer, drei Meter Säule und drei Meter Zerstörung, und die Maschine tauchte im Licht seiner Lampe auf.

Die Seriennummer stand in schwarzer Schablonenschrift auf der blaugrauen Außenhaut. Um dem Schutt und den Trümmern auszuweichen, entfernte sich Michael vom Riff und ging im offenen Wasser tiefer. Der Lichtkegel seiner Lampe war gerade so groß, dass er sich ein Bild von dem Wrack machen konnte. Das Flugzeug lag in einem Winkel von fünfundvierzig Grad, die Nase im Riff. Die regenbogenfarbene Säule, die von ihm aufstieg, bestand aus den letzten Resten und Dämpfen aus seinen Treibstofftanks. Aus irgendeinem Grund hatten sie an der Oberfläche keinen Ölteppich entdeckt. Die Kabinentür auf Michaels Seite stand offen, und gleich dahinter war der leere Passagiersitz. Auf dem Sitz daneben lag etwas, aber was es war, konnte er wegen der großen Schwärme von Fischen jeder Art und Gestalt, die in der Kabine herumwimmelten, nicht erkennen. Durch die offene Tür wirkte die Kabine wie ein Aquarium– oder, dachte er, während er mit der Leuchte darüber hinwegschwamm, wegen der dichten Masse der Fische eher wie ein gläserner Behälter auf einem Fischmarkt. Keine wissenschaftliche oder pädagogische Einrichtung, kein Aquarium in einem Zoo hätte lebende Fische in solch unerträglicher Dichte zusammengesperrt. Er schwamm näher heran und leuchtete in die Kabine.

Natürlich waren die Überreste des Piloten darin, und natürlich waren die Fische in so großer Zahl da, um sich an ihnen gütlich zu tun. Die Überreste waren unmäßig aufgedunsen, in Khakistoff gezwängt, und der Kopf sah so entsetzlich aus, dass Michael vor Schreck seine Taschenlampe fallen ließ, sodass er plötzlich von Dunkelheit umgeben war. Er musste in aller Eile der hinabtrudelnden Leuchte nachschwimmen, deren Strahl über die Korallenwand huschte, Spalten erhellte, aus denen halb zusammengerollte Muränen hervorschossen, Säulen von Meerschnee beleuchtete, dessen winzige Flocken unaufhaltsam fielen. Ein Barrakuda, durch das Licht angelockt, startete einen blitzschnellen Angriff. Etwa drei Meter unterhalb des Flugzeugs bekam Michael schließlich den Griff der Leuchte zu fassen.

Er wickelte sich den Riemen der Leuchte ums Handgelenk und machte sich daran, den Raum hinter den Sitzen zu untersuchen. Seine Hände zitterten, sein ganzer Körper. Er arbeitete zügig, um den toten Piloten nicht ansehen zu müssen; der Leichnam war eine Offenbarung, eine unabweisbare Demonstration des jeder materiellen Existenz innewohnenden Grauens. Die Schwellung war unglaublich, Bart und Haar boten einen grotesken Anblick, ebenso die lippenlosen Zähne.

Tiere hatten den großen Stauraum hinter den Sitzen in Beschlag genommen, und sie flohen vor Michaels Licht in einem Gewirr von Flossen und Scheren. Ganz vorsichtig erkundete er den Raum mit den Händen, in der Hoffnung, dass seine Finger unversehrt bleiben würden. In dem Laden waren auch Taucherfäustlinge gewesen, aber er hatte sich für Gärtnerhandschuhe aus Stoff entschieden. Er hatte schon oft Wracks erforscht und wusste, dass er sich ohne Sicherungsleine nicht allzu weit in einen Innenraum vorwagen durfte. Eine Tür konnte sich für immer schließen. Die Lage des Flugzeugs war nicht stabil, das ganze Ding konnte in Bewegung geraten und von dem Vorsprung in den Puerto-Rico-Graben sinken, der sehr dunkel und sehr tief war.

Er sah die beiden Kisten und die Röhre, die angeblich Gemälde enthielt. Er beugte sich so weit wie möglich vor, um die eine Kiste zu fassen zu kriegen, aber die Flaschen auf seinem Rücken behinderten ihn. Schließlich gelang es ihm, eine mit der Taschenlampe an der Ecke anzuheben. Im selben Augenblick spürte er, dass das Flugzeug, auf dem er sich abstützte, sich bewegte. Einen Moment lang dachte er, er bilde es sich nur ein. Dann zog er sich doch zurück, aber vorsichtig, um nicht durch hastige Bewegungen alles zu vermasseln, um sich nicht selbst eine tödliche Falle zu stellen. Als er draußen war, dachte er wieder, es sei nur Einbildung gewesen. Aber sicher war er sich nicht.

Gegen Schatten kämpfend, mit dem Gefühl, lebendig begraben zu sein, halb besinnungslos vor Angst, bekam er schließlich die Röhre zu fassen. Er klemmte sie sich zwischen die Beine, merkte aber, dass ihr Gewicht in hinunterzog; er musste die Tarierweste ein wenig aufblasen, um in der

Schwebe zu bleiben. Dann gelang es ihm, eine der Kisten herauszuheben und auf den Sitz neben dem Piloten zu stellen. Die wimmelnden Fische verursachten ihm solchen Abscheu, dass es ihn schüttelte. Als er beide Kisten und die Röhre hatte, überlegte er, wie er alle drei an die Oberfläche schaffen sollte. Er atmete schwer; ganz plötzlich fiel ihm ein, dass er noch kein einziges Mal auf seinen Druckmesser geschaut hatte. Er tat es und stellte fest, dass der Zeiger sich zitternd dem roten Bereich näherte. Er hatte wie ein blutiger Anfänger viel zu stark geatmet. Ihm gefror das Blut in den Adern.

Immer mit der Ruhe, sagte er, zu den Fischen, zu dem Piloten, seinem Kumpel und Mit-Aquanauten. Er nahm die Kisten und begann aufzusteigen.

Er hatte dem Tiefenmesser zufolge etwa drei Meter Höhe gewonnen, als er spürte, dass die Gurte seiner Tarierweste einzuschneiden begannen. Alles, was er trug, die ganze Ausrüstung, der Bleigurt, die Flaschen, pressten ihn zusammen, dass ihm übel davon wurde. Er zwang sich, Ruhe zu bewahren, und ging im Geiste die Checkliste des Tauchers durch. Während die Gurte immer stärker einschnitten, blähte sich die Tarierweste auf. Beim Abstieg war zu viel Luft darin gewesen, die sich aber unter dem Druck des Wassers zusammengezogen hatte. Jetzt beim Aufsteigen dehnte sie sich wieder aus, und während die Gurte ihm ins Fleisch schnitten, verlor er die Kontrolle über seine Aufstiegsgeschwindigkeit.

Nicht atmen! Nicht atmen, das war's, das war die einzige Möglichkeit, denn schon ein einziger Atemzug würde mit seiner Lunge machen, was die Luft jetzt mit der orangefarbenen Weste machte – sie aufblasen wie einen Ballon auf einem Kindergeburtstag, und genauso würde sie schließlich platzen und Blut und Gewebe in seine Brusthöhle spritzen. Je höher er stieg, desto unerträglicher wurde sein hämmerndes, erstickendes Herz zusammengepresst, und er würde spüren, wie furchtbar es war zu ertrinken, und den schrecklichen Anblick des Wassers und der Menschen, an denen die Fische knabberten, ertragen müssen. Er versuchte, das bisschen schmutzige Luft auszuatmen, das er noch in sich hatte. Die Aufstiegsregel lautete, dass man nicht schneller sein durfte als die eigenen Luftblasen. Aber er brachte nur noch wenige kleine Blasen zustande, und er stieg schneller als sie.

Dann ging die Luft in seiner Flasche aus. Um keine kostbare Energie zu verschwenden, versuchte er gar nicht erst, das Ventil der Notflasche zu öffnen. Er hatte auch keine Hand frei. Er klammerte sich an das Zeug, das er aus der Maschine geholt hatte, als hinge sein Leben davon ab. Und er brauchte ja auch keine Luft – *au contraire*.

Die schwach vom sanften Mondschein erhellte Oberfläche schimmerte hoch über ihm, ein Traum, ein ferner Gedanke. Aber er war jetzt in der realen Welt, dem wässrigen Teil, und er war dabei zu ertrinken wie all die vielen anderen. Er war eins mit den vielen Millionen von Wassersportlern, Badenixen, phönizischen Seefahrern und Drogen schmuggelnden *pilotos*, all den anderen luftlosen Losern unter dem wogenden Glitzern der salzigen Tiefen. Die Angst erleuchtete ihn, ließ ihn aufleuchten. Der Verlust des Himmels und die Qualen der Hölle. Der vernichtende Schmerz, unerträglich, die Gurte, die ihm Arme und Beine abschnürten. In seiner persönlichen Ewigkeit wartete er, wartete auf Luft, und er war tot, denn es kam keine Luft. Er ließ eine der Kisten los und sah zu, wie sie langsam kreiselnd in der Tiefe verschwand.

Dann plötzlich, in einem einzigen gewaltsamen Moment, war alles anders. Aber es war nicht der Tod, es war Licht, es war Luft. Er sah die schwachen Kabinenlichter des Taucherbootes und die Schatten der beiden Männer an Bord. Mechanisch blies er die sich blähende Tarierweste auf und riss sich den Lungenautomaten vom Gesicht.

Als er einatmete, tat sich nichts. Keine Erleichterung, keine Luft. Wie war das möglich? Er war an der Oberfläche. Er war, so kam es ihm vor, wie eine Polarisrakete aus dem Wasser emporgeschossen. Sein geplagtes Bewusstsein bewahrte einen Moment der Erinnerung auf, in dem er von der Flughöhe eines Heißluftballons auf das Taucherboot hinabschaute, des Killerballons, in dem er an die Oberfläche gekommen war. Erneut atmete er tief und hungrig ein. *Nada, rien.* Ein Herzanfall, dachte er. Oder der Traum eines Ertrinkenden. Beim dritten Versuch merkte er, dass er atmete, dass die alte Maschine sich wieder in Bewegung gesetzt hatte. Aber er war zu schnell aufgestiegen.

Also wartete er auf die Agonie, die Taucherkrankheit, die Embolie. Es stellte sich heraus, dass er unversehrt war. Mehr oder weniger. Er trieb im Wasser und hielt die beiden geborgenen Behälter wie vor dem Ertrinken gerettete Babys fest. Roger rief ihm etwas zu, laut, um das Klatschen der Wellen an der Bordwand zu übertönen, aber es hörte sich an wie heiseres Flüstern. Hippolyte stand neben ihm im Dunkeln. Er wusste genau, wer sie waren. Er schob sich die Maske in die Stirn und atmete nach Herzenslust. Endlich konnte er wieder sprechen.

«Da geh ich nicht nochmal runter», sagte er.

17 Es gab ein bisschen Stunk wegen der verlorenen Kiste, aber schließlich fuhren sie zur Anlegestelle des Purcell-Hauses zurück.

«Das Meer ist hier zwölftausend Meter tief, Roger. Die Kiste ist futsch.»

Als sie den halben Weg zurückgelegt hatten, fragte Michael ihn, was in den Kisten sei.

«*Objets d'art*. Kunstgegenstände für den Verkauf», sagte Roger. «Genau genommen waren sie schon verkauft, deswegen ist es ja so ärgerlich.»

«Tut mir wirklich Leid, Roger. Ein Wunder, dass ich die zwei hochholen konnte.»

«Unsere Kunden sind nicht fromm. Ihre Dankbarkeit wird sich in Grenzen halten.»

Michael überlegte kurz, was ihre Undankbarkeit für ihn bedeuten konnte, aber er stellte keine Fragen mehr. Auch nach Lara fragte er nicht. Er war auch im Angesicht des Todes der ihre geblieben. Auf diesem Ozean, dachte er, in dieser Dunkelheit, hatte er keine Freunde.

Hippolyte brachte Michael schließlich in den Tauchershop zurück. Roger war am Steg des Purcell-Hauses ausgestiegen. Hippolyte, der noch jung war und wenig Erfahrung im Anlegen hatte, erregte an der Pier einiges Aufsehen. Die beiden kleinen Kinder, die er im Laden zurückgelassen hatte, waren noch da, sie schliefen. Hippolyte blieb noch so lange, dass er Michael helfen konnte, den Taucheranzug auszuziehen und die Kompressoren zu überprüfen. Dann nahm er seine Kinder an der Hand und verschwand mit ihnen in die Nacht.

Michael ging die Strecke bis zum Hotel zu Fuß. Er war der Verzweiflung nahe. Er sehnte sich danach, mit Lara zusammen zu sein. Zugleich hatte er das Gefühl, sie verloren zu haben. Sie hatte ihn verraten, ihn in eine andere Welt gelockt als die, in der ihnen ein Leben zu zweit bestimmt war.

Auf der Hintertreppe kam ihm Liz McKie entgegen, die Journalistin.

«Wo haben Sie denn gesteckt, Michael? Waren Sie draußen am Riff?»

«Soll das ein Witz sein?»

«Ich habe ein Boot gehört.» Sie legte ihm dreist eine Hand ans Ohr. «Sie sehen nass aus.»

Er zog den Kopf zurück. «Ich ... war im Wasser. Mir war plötzlich danach.»

«Was Sie nicht sagen.»

«Ich hab die ganze Nacht Trommeln gehört.»

«Ja, wir hatten jede Menge Trommeln, das stimmt. Es ist das *retirer* für John-Paul Purcell. Die zelebrieren das bei der Loge. Hat Lara es Ihnen nicht gesagt?»

«Doch, doch, sie hat so was erzählt.»

«Und hat sie Ihnen auch von der Loge erzählt?»

«Ich weiß nichts über die Loge. Ich war nie dort.»

Sie starrte ihn an, neugierig und verwirrt. Ihre Augen waren vor Aufregung und Angst geweitet. «Hey, Michael, sagen Sie's mir. Was läuft da, Kumpel?»

«Ich weiß es nicht. Ehrlich.»

Er hätte sie sehr gern gefragt, ob sie Angst hatte vor dem Bericht, den sie schreiben wollte, vor den Leuten, über die sie schreiben wollte. Er ließ es bleiben.

Sie lächelte, als bedauerte sie ihn, und ging. Als er den Innenhof betrat, wimmelte es dort von Soldaten. Die Rezeption war nicht besetzt. Zwei der Soldaten ließen eine Flasche Vier-Sterne-Rum herumgehen, was sie nur halbherzig zu verbergen suchten.

Da er nicht wusste, wohin er sich wenden sollte, ging er auf sein Zimmer. Ohne Licht zu machen, legte er sich aufs Bett. Der Rhythmus der Trommeln hatte sich geändert, aber es waren anscheinend immer noch vier. Sie spielten einander die Rhythmen zu und hörten nie auf. Das Meer, das er durchs Fenster sehen konnte, versprach keinen Morgen.

18 Im Tempel, dem *hounfor*, tanzten Lara und etwa zwanzig mit der Familie Purcell verbundene *serviteurs* die Zeremonie für die Rückholung von Laras Bruder.

Sie tanzten mit dem Gesicht zu einer Wand aus Blättern und Ästen mit zahlreichen Nischen, in denen Krüge und Flaschen standen. Die bemalten Flaschen waren mit Flitter dekoriert und mit Metalldornen besetzt. Diese *govi* enthielten Seelen, teils von lebenden, teils von toten Menschen. Die hellen, fleischigen Blätter reflektierten das Licht des Feuers.

Die Trommeln schlugen ohne Unterlass für John-Paul, und jede barg ihren eigenen Geist: der Ogan aus Eisen und Messing, und *maman, petite, rouler, seconde*. Vier Feuer brannten rings um den *poto mitan*, der die Himmelsschlange Dambala barg. Die Lieder riefen Papa Legba, den *loa* der Wegkreuzungen, und Baron Samedi, den *loa* der Toten. Die Trommeln spielten die ganze Nacht, und Lara tanzte fast die ganze Zeit zu ihrem Rhythmus.

Von Zeit zu Zeit bot ihr die *mambo* Rum an und reichte ihr das Zeremonialtuch, das mit dem *vever* des Gottes verziert war. Die Wand aus bemaltem Glas, vor der sie tanzte, war mit Blüten überhäuft – verschiedene Blumen für verschieden Mächte, dornige Bougainvilleen und Holzapfel für die Mächte des *bizango*, denen John-Paul gedient hatte.

Dann Frangipani, Flamboyant, Weihrauchkiefer, Clusie und Myrthe. Andere Blüten standen für *rada*, wieder andere für *petro*. Für Marinette Scharlachkordie. Lara hoffte und fürchtete zugleich, dass Marinette kommen würde.

«John-Paul», betete sie, «wenn du aus dem Meer zurück bist, wenn du wohlbehalten aus Guinee zurück bist, mach, dass Marinette mir meine Seele wiedergibt.»

Aus dem Logengebäude rief jemand nach ihr. Es war eine Frau namens Hilda, die dort mit zwei kolumbianischen *milicianos* wartete. Lara ging aus dem Lichtschein der Feuer in das Halbdunkel, das die Loge umgab. Hilda packte Lara an den Schultern.

«Du bist ja völlig zu, Mädchen», sagte die Frau.

Lara schaute weg. Die Frau ließ nicht locker, suchte ihren Blick.

«Das war gut, hm? Hoffentlich hat El Trip dir verraten, was mit dir passiert, wenn du versuchst, uns zu betrügen. Dann wirst du schon sehen, ob der Hokuspokus dir hilft.»

Einer der *milicianos* sagte etwas auf Spanisch. Bis dahin hatte er nur ständig «*Hay que matarlos*» wiederholt, also auf kurzen Prozess gedrängt.

«Trip hat eine Schwäche für dich», sagte Hilda zu Lara. «Er denkt, du bist mit El Caballo ins Bett gegangen.» Sie meinte Castro. «Stimmt das? Hat er dir einen Smaragd geschenkt? Hast du mit diesem Scheißkerl gefickt?»

«Es ging alles so schnell», sagte Lara.

Sie ging zurück; niemand hinderte sie. Die Trommeln hielten ihren Rhythmus, die Feuer brannten herunter. Sie begann wieder zu tanzen, als über dem Morne der Morgen graute. Sie sah, wie Roger Hyde mit einem seiner jungen Diener am

Rand der Landebahn entlangging. Der Junge trug in einer Hand einen Metallkoffer, in der anderen die Metallröhre, in die sie die Volkskunstsammlung ihrer Familie gesteckt hatte.

Auf dem Weg zur Loge rief Roger nach ihr.

Sie schüttelte den Kopf, und er fragte die Leute, die bei ihr waren, auf Kreolisch, ob sie in Trance sei. Sie antworteten aufgeregt und alle auf einmal. Noch nicht. Noch nicht, sagten sie alle, aber es werde nicht mehr lange dauern.

Die *mambo* gab ihr einen Schluck Rum und nahm selbst auch einen, dann drückte sie das bestickte Fahnentuch von Erzule auf Laras schwitzende Stirn. Anschließend bedeckte sie Laras ganzes Gesicht mit dem Tuch und erstickte sie fast mit dem Rum und dem Parfüm, das fast so stark war wie der Rum. Ein Gott, Ghede, erzählte eine lustige Geschichte darüber, wie das Duftwasser mit *bizango*-List gestohlen worden war. Alle applaudierten dem Gott, und dieser tippte sich an seinen Zylinder. Es war eine Frau, die mit der Stimme eines alten Mannes sprach. Er oder sie gab vor, Guinee zu beschreiben. Baron Samedi. Baron Kriminel.

Lara tanzte weiter, obwohl der Gott keine Macht über sie hatte. Sie suchte in der Trommel nach dem Geist ihres Bruders, und nach ihrem eigenen. Die *mambo* verfolgte ihre Tanzbewegungen aufmerksam wie eine Hebamme. Eine andere alte Frau tanzte die Parodie dazu, die Travestie einer Hebamme. Sie lachte. «*Doupkla*», sagte sie zu Roger. «*Marassa*. Zwillinge!»

«*Merde*», sagte Roger wütend, worüber die *mambo* herzlich lachen musste.

Ein paar kolumbianische *milicianos* kamen mit Lampen aus dem Gebäude. Die Kolumbianer setzten mehr und mehr ihre eigenen Leute als Wachmänner ein, statt sich auf Einheimische zu verlassen. Die *milicianos* beorderten Lara und Roger in die Loge. Lara wollte weitertanzen, aber Roger packte sie an der Hand und führte sie hinein.

«Alles in Ordnung, Mädchen», sagte er. Er ließ sie los und trank einen Schluck aus einer Flasche Barbancourt, die auf dem Tisch stand.

«Was soll das heißen, alles in Ordnung?», fragte Hilda. «Ich sehe hier nur zwei Behälter. Ich will aber drei haben.»

Die Wachmänner reagierten wie mechanische Soldaten. Sie entsicherten ihre Waffen, schauten über die Schulter, hielten die Waffen im Anschlag und schwenkten sie in alle Richtungen.

«*Hay que matarlos!*», sagte einer. Er hatte was gegen *negros* und verwöhnte *blanquitas*.

«Was soll das, Rogerdodger?», fragte Hilda.

«Wir haben ihren Freund runtergeschickt. Dass wir überhaupt was bergen konnten, war» – er suchte nach einem Wort und lächelte fein – «ein Wunder.»

Lara sah zu, wie die hübsche kleine Frau Roger belauerte. Ihr schönes, mit Botox behandeltes Gesicht veränderte sich jählings, verwandelte sich in eine Fratze, die zugleich affenähnlich und tollwütig vor Habgier war. Oder es war eine vorgetäuschte, gespielte Habgier, furchterregender, als wenn sie echt gewesen wäre. Roger erschrak zutiefst, ließ sich aber nichts anmerken. Lara stellte sich neben ihn.

Roger legte den Koffer und die Rolle auf einen Mahagonitisch, holte seine Schlüssel hervor und schloss sie auf.

Hilda beruhigte sich, ging zu ihrem Aktenkoffer und nahm etwas heraus, das wie ein Bestellblock aussah.

Der Metallkoffer war in Schubladen unterteilt, und in den Schubladen waren Smaragde. Einige enthielten geschliffene Smaragde mit Karteikarten, auf denen Gewicht und Varietät jedes Steins verzeichnet waren. In anderen lagen lose, offenbar ungeschliffene Steine.

Die Metallröhre enthielt durchnässte Zeichnungen, die eingedrungenes Salzwasser in eine glibberige Masse verwandelt hatte.

«Also», fragte Hilda an Roger gewandt, *«que pasa?»*

«Die haben ihr gehört», sagte Roger und schüttelte das Wasser aus der Röhre. «Es waren überwiegend Aquarelle.» Er griff hinein und zog den nassen Klumpen ein Stück heraus. «Und ein paar Bilder auf Leinwand. Inselkunst.»

«Das hat mir gehört», sagte Lara. «Und John-Paul.»

Hilda sah sie an, sagte aber nichts.

«Aha», sagte sie schließlich, «das ist doch was Schönes, hm? Kunst. Ich bin begeistert.»

Draußen zog der Ogan die *rada*-Trommeln hinter sich her. Der Rhythmus war unwiderstehlich. Ein Mann schrie mit der Stimme einer Frau. Lara versuchte, die Blätter an den Ecken voneinander zu lösen, und lauschte dabei mit halbem Ohr auf die Stimme ihres Bruders.

«Tja, Leute», sagte Hilda, «die Kiste, die ihr angeblich verloren habt, hätten wir wegschaffen müssen. Das ist eine Tragödie.»

«Ich übernehme die Verantwortung», sagte Roger.

Hilda musterte ihn.

«Da hast du verdammt nochmal recht. Nichts für ungut.»

«Ich hab mir gedacht, ich muss die Sachen wegschaffen, bevor die Amerikaner und ihre Freunde hier alles übernehmen», sagte Roger. «Die Hauptstadt haben sie schon. Das Risiko war zu hoch.»

Hilda bewegte sich, als wollte sie seine Argumente abschütteln.

«Hilda, Laras Freund Michael wäre bei der Bergung von dem hier um ein Haar ums Leben gekommen.»

«Das ist toll, Roger. Aber du, ich und er» – sie legte einem der *milicianos* die Hand auf die Schulter – «sind ebenfalls verantwortlich. Verstehst du, was ich damit sagen will?»

«Ich komme für den Schaden auf», sagte Roger. «Wir beide kommen dafür auf.»

«Und wenn der Shit in Miami auftaucht?»

Lara hatte den Eindruck, das Roger sein Selbstbewusstsein wieder fand.

«Es wird nirgendwo auftauchen, Hilda. Es ist wirklich auf Grund gegangen. Ich war direkt über ihm.»

«Und wenn der Typ es nur beiseite geschafft hat? Vielleicht ist er jetzt gerade unten, um es zu holen.»

«Die werden den Grund absuchen, Hilda. Die Maschine bergen. Kann sich nur noch um Stunden handeln.»

Alle verstummten. Einer der Tänzer kam ans Fenster und hielt eine Tafel hoch. Es war ein rotes Herz mit einem schwarzen Stern in der Mitte. Er bewegte es im Rhythmus der Trommeln.

«Wo ist dieser Taucher? Und wer ist das überhaupt, dieser Michael?», wollte Hilda wissen. «Warum ist er nicht hier?»

«Er ist nicht hier, Hilda, weil er nur ein Freund von Lara ist. Er ist Professor. Ihr Liebhaber. Er weiß nichts von uns. Will auch nichts wissen. Und je weniger er erfährt, desto besser.»

«Er hat Angst», sagte Hilda.

«Hättest du die nicht?», fragte Lara.

Der Mann mit dem besternten Herzen fuhr fort, die Tafel vor ihnen zu schwenken, wie ein Signal, ein Zeichen dafür, dass gleich etwas geschehen würde. Aber die Trommeln schlugen weiter.

«Er soll herkommen», sagte Hilda. «Er soll es mir selber erzählen.»

«Hilda», sagte Roger, «wenn wir dich bestehlen wollten, meinst du, wir hätten uns dann all die Mühe gemacht, nur um dich zu täuschen? Das Flugzeug ist da unten. Wenn wir nicht getaucht wären, hättest du jetzt gar nichts.»

Der Mann mit dem Stern und dem Herzen begann, an die Fensterscheibe zu klopfen, um ihre Aufmerksamkeit zu erregen.

«Was soll der Scheiß?», schrie Hilda. Ein *miliciano* wedelte mit der Hand, um ihn zu verscheuchen.

«Das ist Ghede», sagte Lara. «Er ist der Gott.»

Nach einer kurzen Pause sagte Hilda: «Sagt ihm, er soll kommen. Dieser Michael. Sagt ihm, er soll kommen und mir ins Gesicht sagen, dass er mein Eigentum verloren hat.»

Roger schaute Lara an und sagte dann: «Das wird er nicht machen. An seiner Stelle würdest du dich doch auch weigern, oder?» Er schaute auf die Uhr. «Hör zu, wir müssen weg. Die Amerikaner, die Polizei, sie werden bald da draußen sein.»

«Du machst dir Hoffnungen», sagte Hilda. «Nein, Mann. Lass ihn holen. Er soll mir selbst sagen, wie es war.»

Alle sahen Lara an.

«Na gut», sagte Lara. Sie nahm einen Roulette-Chip aus der Tasche und gab ihn Roger. «Wenn du ihm den zeigst, kommt er.»

«Na, siehst du, Roger», sagte Hilda. «Je länger wir reden, umso weiter entfernen wir uns von diesem toten Flugzeug. Ich will jetzt mit eurem Taucher reden.»

Roger sah den Chip an. «Hilda, wir würden dir den Piloten zurückgeben, wenn wir könnten. Und die Maschine auch. Aber das ist leider nicht möglich.»

«Tut, was ihr könnt», sagte Hilda.

Draußen vor dem Fenster tanzte Ghede für sie.

19 Es gelang Michael, vor Tagesanbruch zu Bett zu gehen. Er war schon fast eingeschlafen, als der Morgen die Lamellen seiner Fensterläden erhellte und das Moskitonetz um sein Bett sich in einem kühlen Lufthauch bewegte. Die Tagvögel schwatzten, ein anschwellendes Rasseln wie von altem Kleingeld, das sich in dem Raum breit machte, den vorher die Trommeln eingenommen hatten. Als er genau hinhörte, stellte er fest, dass die Trommeln noch immer da waren, fast unhörbar neben den Geräuschen des Tagesbeginns, aber unerbittlich wie eh und je. Draußen über dem Meer näherte sich eine gewaltige Wolkenmasse, gepanzert und von Zinnen gekrönt, strahlend weiß. Wenn man genau hinschaute, mit Laras Augen, sah man, dass sich vor ihrer vordersten Festungsmauer die Mächte der Insel in die dunkelgrünen Haine zurückzogen, in ihre eigene Spiegelung unter der Oberfläche des tiefen Guinee.

Er hatte auf den Morgen gewartet; jetzt war er nervös und zittrig im Licht des Tages, im Halbdunkel seines Zimmers. Während er noch mit gesenktem Kopf nackt auf dem Bett saß, klopfte es. War ja auch zu erwarten, dachte er. Er zog seine Hosen an und machte auf. Ein hoch gewachsener, knochiger Junge in weißen Jeans, auf dem Kopf eine Dolphins-Kappe mit dem Schild nach hinten. Der Junge gab ihm einen Jeton,

Nummer 00, zwei blattgrüne Ovale, den Chip aus dem Caribe Hilton von ... letzter Nacht? Der Nacht davor? Was habe ich gewonnen?

Wie alle Insulaner hatte auch der Junge einen ausgeprägten Sinn für Dramatik und wartete. Nicht so sehr auf eine Belohnung, dachte Michael, als mit der Absicht, seine Reaktion zu sehen. Außerdem war sein Auftrag noch nicht erledigt.

«Lady sagt kommen zurück.»

«Was habe ich gewonnen?», fragte Michael.

«Sagt, Sie zurückkommen. Kommen zurück. Alle sagen. Ärger auf Sie.»

Den 36er Chip hatte er in der Hosentasche, und ihm kam der Gedanke, ihn dem Jungen zu geben, damit er ihn Lara brachte. Die heilige Zahl sticht. Mit Smaragden kein Glück.

Er steckte den zweiten Chip ein, bat den Jungen zu warten und schloss die Tür. Als er sich vollständig angezogen hatte und hinausging, stand die Reporterin McKie vor seiner Tür. Der Junge, den Lara geschickt hatte, war weg. Dafür waren überall Fremde. Weiße Männer, und noch mehr Regierungssoldaten.

«Sie haben letzte Nacht getaucht», sagte McKie leise. Als bewunderte sie ihn, und als sei das ein Trick.

Er schüttelte den Kopf.

«Haben Sie die Sachen hochgeholt?»

«Was soll das?», sagte er, wie zu einem Mädchen in der Grundschule, das ihn ärgerte. Das brachte sie aus der Fassung. Sie schaute sich um, ob es jemand gehört hatte. Michael fragte sich, wo der Junge mit dem Chip abgeblieben war.

«Ich sag Ihnen was, Taucher. Das hier ist Iran-Kontra, Neuauflage. Das sind Senatsassistenten, Beziehungen zu höchst einflussreichen Leuten vom rechten Flügel, die gesamte Lobby der argentinischen Obristen, es hängt mit dem Tod von Allende zusammen, und mit Kokain. Und Ihre Freundin – sie ist doch Ihre Freundin? –, die Familie Ihrer Freundin mischt da auf dieser Insel mit. Kapiert?»

«Du meine Güte», sagte Michael spöttisch. «Ist das die Möglichkeit? Heilige Scheiße!»

«Sie sind ein armseliger Idiot», sagte sie. «Ein armseliger Idiot sind Sie. Sie sind in Schmuggel und Verschwörung verwickelt. Sie werden in einem Inselknast sitzen – haben Sie Lust, sich mit dem Blut an der Wand zu unterhalten? Wollen Sie zuschauen, wie die Ameisen es auffressen? Und anschließend sitzen Sie in den Staaten ein – falls die *milicianos* Sie nicht vorher an ihre Klammeraffen verfüttern.»

«Hat es einen Unfall gegeben?»

«Hören Sie zu, Sie Klugscheißer. Ich hab die Story. Ich sorge dafür, dass Sie freikommen, wenn Sie mit mir reden. Ich habe die Story, und wir beide gehen damit auf und davon. Die FBI-Leute werden Sie nicht gehen lassen. Die Insel wird Sie nicht gehen lassen. Und die *milicianos* schon gar nicht.»

Zwei weiße Männer, Amerikaner, näherten sich; der eine ging viel schneller, als es hier in der Hitze des Tages üblich war.

«Okay», sagte Miss McKie, «der eine ist der Typ von der Drogenbehörde DEA aus der Hauptstadt. Der andere ist der hiesige Konsul. Wenn Sie mit mir reden, brauchen Sie mit dem Typ von der DEA nicht zu reden.»

«Und was ist mit Ihrem Freund?», fragte Michael.

«Mit wem?» Sie war schockiert. «Junot?»

Der amerikanische Konsul gab durch sein ganzes Gehabe

zu verstehen, wie sehr er das alles hier verachtete und wie überqualifiziert er für diesen Job war. Einer, der sich in vielen Gegenden der Welt auskannte und hier nur seine Zeit vertrödelte. Es war sogar unter seiner Würde, auch nur jemandem die Hand zu geben. Er hieß Scofield. Er war giftig zu McKie und sagte kein Wort zu dem DEA-Mann, der Wallace hieß. Michael vermutete, dass die beiden sich vor ein paar Stunden zum ersten Mal gesehen hatten.

«Sagen Sie ihnen, was Sie machen», sagte Miss McKie.

Michael sagte den Amerikanern, dass er in Fort Salines Englisch unterrichte. Den Namen hatten sie noch nie gehört. Wallace behandelte ihn wie einen ertappten Kriminellen. Sie gingen zum Wasser hinunter.

«Wer ist das in dem Flugzeug?», wollte Wallace wissen. «Ein amerikanischer Staatsbürger?»

«Das weiß ich doch nicht», sagte Michael.

Wallace fand seinen Tonfall offenbar ungebührlich. Einen Moment lang dachte Michael, er würde ihn nachäffen, um ihn für seine Impertinenz zu bestrafen. *Das weiß ich doch nicht.* Cop-Sarkasmus, um ihn in die Schranken zu weisen.

«Aber vielleicht wissen Sie, *was* in der Maschine ist.»

Michael wartete darauf, dass jemand den Tauchershop erwähnen würde, aber das geschah nicht. Auf dem Weg durch die Carénage zum Hafen begegneten sie dem Jungen, der Michael den Chip gebracht hatte. Er stand am Rand einer wachsenden Menschentraube und zog die Augenbrauen zusammen. Jeeps voller Inselsoldaten fuhren vorbei.

Konsul Scofield führte sie zu einem Boot der Küstenwache. Als sie davor standen, warf er sich in die Brust wie ein Politiker und stellte sich formell vor.

«Auf den Rat von Vizekonsul Wallace habe ich diese amerikanischen Staatsbürger gebeten, mit mir zum Hafen zu kommen. Offenbar hat sich ein tragisches Unglück ereignet – ein Flugzeug wird vermisst, und es gibt Augenzeugenberichte von einer Explosion vorletzte Nacht. So kurzfristig konnten wir kaum etwas unternehmen, aber wir glauben, die Absturzstelle lokalisiert zu haben. Vizekonsul Wallace sähe es gern, wenn einige von Ihnen mit hinauskämen, wenn wir versuchen, das Wrack zu bergen.»

«Ich komme mit!», sagte Liz McKie und hob die Hand. Wallace und Scofield sahen einander an. Scofield zuckte die Achseln.

«Uns wäre es angenehm, wenn Mr. Ahearn uns begleiten könnte», sagte Wallace. «Vor allem Mr. Ahearn. Wir sind der Meinung, dass er uns vielleicht helfen könnte.»

Michael überlegte, was der DEA-Mann damit meinte. Soweit er sich erinnerte, hatte er das Flugzeug beim Öffnen der Türen nicht beschädigt und auch keine Beweisstücke zurückgelassen. Niemand hatte von einem Tauchgang gesprochen, bis auf McKie, die aber für sich behielt, was sie zu wissen glaubte.

«Ich sehe nicht ein, warum ich da hinausfahren sollte», sagte Michael.

«Wirklich nicht?», fragte Wallace. «Wir glauben jedenfalls, dass Sie uns behilflich sein könnten. Vielleicht als Zeuge, wenn die Leiche geborgen wird. Wir glauben, das würde uns sehr helfen.»

«Es wäre», sagte Konsul Scofield, «ein Zeichen von echter Kooperationsbereitschaft. Wir wären Ihnen dankbar. Aus bürokratischen Gründen.»

«Das ist Psychokrieg», sagte McKie leise zu Michael. «Er will, dass Sie mit rausfahren, weil er will, dass Sie Angst kriegen.»

«Soll ich mitfahren?», fragte Michael.

«Wenn nicht, könnte er Ihnen hier Schwierigkeiten machen.»

«Aber da könnten Sie mir doch helfen.»

«Möglich. Es ist aber auch möglich, dass er auf die geniale Idee kommt, sich mal den Tauchershop anzusehen. Sie *waren* doch letzte Nacht dort, oder?»

Michael schaute weg, ohne zu antworten, und sie fuhren los, aus dem hübschen kleinen Hafen hinaus bis an den Rand des Riffs oder zumindest eines Arms davon, der sich vom Fuß des hoch aufragenden Morne bis zum Puerto-Rico-Graben erstreckte, zwölf Kilometer abfallender Terrassen bis hinunter zum tiefsten Punkt des ganzen Atlantiks, von Pol zu Pol. Diesem Punkt sank die zweite Kiste aus dem Flugzeug jetzt unaufhaltsam entgegen. Zumindest hoffte das Michael.

Unterwegs protestierte Konsul Scofield gegen die ruppige Fahrweise des Steuermanns von der Küstenwache.

«*Doucement*», rief er durch das Dröhnen des Motors. «*Doucement, mon ami.*»

Der Mann am Ruder lachte gutmütig und nahm tatsächlich etwas Fahrt weg. Wallace ließ Michael nicht aus den Augen, der auf einer kleinen Trennwand im Heck neben Liz McKie balancierte. Er hielt den grünen Roulette-Chip in der Hand.

«Wo haben Sie den denn her?», fragte die unersättliche McKie. «Ein Andenken?»

Michael zuckte die Achseln.

Am Rand des Riffs, wo das Flugzeug ins Meer gestürzt war, dümpelte ein verrostetes Kranschiff auf der steigenden Brandung. Die Steuerleute hielten ihre Boote mit dem Bug gegen die auflaufende Flut.

Taucher der Küstenwache hatten das Geschirr des Krans bereits abgesenkt und gesichert. Ein junger Mann, ein Insulaner, leitete auf dem Kranschiff die Arbeiten. Zwei Taucher waren im Wasser und blickten zu den *blancs* auf, als das Boot der Amerikaner sich näherte. Der Einsatzleiter gab dem Kranführer ein Zeichen.

«Der hat so was schon öfter gemacht», sagte McKie zu Michael. «Er kann sich gut vorstellen, was da unten liegt.»

Michael, der es genau wusste, holte tief Luft. Der Kran begann zu laufen. Alles wartete darauf, was er hochziehen würde.

Etwa nach einer Minute fing das hellblaue Wasser an zu brodeln und trübte sich. Ein Schmierölkanister tauchte auf. Ein Decksmann auf dem Kranschiff schrie etwas auf Kreolisch. Michael meinte auf der tieferen Seite der Rifflinie einen Schatten wahrzunehmen.

Dann kam nur wenige Meter vom Boot entfernt etwas an die Oberfläche geschossen, das wie ein Lebewesen aussah. Es war ein riesiges, unförmiges Ding von undefinierbarer Form, aber eindeutig lebendig. Es hatte Antennen, Klauen, Stacheln, einen Schwanz. Und es war von Fischen umgeben, Fischen von solcher Vielfalt und Vielzahl, dass sich jeder, der behauptet hätte, das Riff sei öde und ohne Leben, widerlegt sehen musste. Doktorfische, Korallenfische und Lippfische. Und auch Krabben hingen am Rumpf des rätselhaften großen Wesens.

Als es ganz aufgetaucht war, fand Michael, dass seine Größe das Seltsamste an ihm war. Nichts, was am Meeresgrund lebte, war seiner Erinnerung nach so groß. Und nichts war von so vielen Fischen umgeben, von so vielen Krabben bekrochen und in solch eine regenbogenfarbig, gallertig glibbernde Masse eingehüllt.

Das Ding schwamm eigentlich nicht *an* der Oberfläche, sondern auf ihr. Was immer es sein mochte, es zeigte sich zunächst fast in ganzer Länge der Welt über Wasser, dann drehte es sich herum. In ihren Booten sahen die Deckshände und die *blancs* und alle anderen zu, wie es über das Wasser rollte. Das Ding hüpfte über die Oberfläche, als versuchte es, einem Raubfeind zu entkommen, schlug Haken, schoss bald hierhin, bald dorthin. Und es machte ein Geräusch, das sich anhörte wie das Furzen von hundert Luftballons, denen allen gleichzeitig die Luft ausgeht.

Auf dem Kranschiff rief wieder einer etwas auf Kreolisch, und alle schauten zu ihm hin. Er rief noch ein zweites Mal, dasselbe Wort. Der Mann am Ruder von Michaels Boot nahm seine goldbetresste Mütze ab.

«Was ist das?», wollte der Diplomat wissen.

«Ein Schwimmer», sagte Mr. Wallace.

Dann wurde Michael klar, dass es sich bei dem bunt schillernden Gallert um Ölreste handelte, dass die Fische und die anderen Tiere an dem Monsterwesen nagten. Für einen Sekundenbruchteil stieg ihm ein fauliger Geruch in die Nase. Das Wesen hatte eine Art Gesicht, einen Kopf und einen Rumpf, alles schier unfassbar. Wie Korken tanzten die Teile auf dem sandigen Wasser über dem Riff. Es waren die Überreste des Piloten, von dessen postumer Existenz Michael schon genug gesehen zu haben glaubte. Er wandte sich ab. Dann sah er, dass sogar der hart gesottene Mr. Wallace seinen Polizistenblick abgewandt hatte. Die Insulaner bekreuzigten sich – wie Michael –, der Tatsache eingedenk, dass Guinee auf viele von denen wartete, die in diesem Gewerbe tätig waren. Fischer und Emigranten, Schmuggler und Taucher, Piloten und Polizisten, sie alle konnten eines Tages den Weg nach Guinee finden, auf den Grund des Grabens auf dem Grund der Welt. Selbst für Miss McKie, die nur auf der Durchreise war, um der Welt zu berichten, vor allem für Miss McKie, stand Guinee sperrangelweit offen. Sogar McKie sprach ein Gebet.

20 Nachdem das, was einmal der Pilot gewesen war, angemessen verpackt und ins Mennoniten-Krankenhaus abtransportiert worden war, kehrten sie unter Führung von Vizekonsul Wallace ins Hotel zurück. Er war darauf erpicht, mit Oberst Junot von den neuen Nationalen Streitkräften Kontakt aufzunehmen.

«Es wird eine polizeiliche Untersuchung geben», erklärte er den anderen. «Es wäre wünschenswert, dass sich die Leute den zuständigen Behörden zur Verfügung halten.»

Der Konsul, Scofield, schien sich hauptsächlich dafür zu interessieren, wie er in die Hauptstadt zurückkam.

«Wo ist Oberst Junot?», fragte Michael Liz McKie. Aus dem Innenhof des Hotels hatte er gerade wieder den jungen Mann gesehen, den Lara ihm am Morgen geschickt hatte.

«Keine Ahnung», sagte sie. «Im Gegensatz zur landläufigen Meinung sind Oberst Junot und ich nicht an der Hüfte miteinander verwachsen.»

Michael stand auf. Der Konsul und der Vizekonsul, die einander offenbar wenig zu sagen hatten, beobachteten ihn von einem anderen Tisch aus.

«Ich gehe», sagte Michael.

«Was?», fragte McKie. «Wohin?»

«Vielleicht schlafe ich ein bisschen.»

Der amerikanische Konsul kam herüber und begrüßte Liz McKie scherzhaft. Sie behandelte ihn genauso.

«Sie wollen sicher noch bei Tageslicht in der Hauptstadt zurück sein, Konsul. Besorgen Sie sich besser eine Polizei-Eskorte.»

Zu Michael sagte sie: «Seit dem Staatsstreich gibt es brennende Barrikaden. Sie werden ‹Père Lebrun› genannt und sind dasselbe wie die ‹Halsbänder› in Südafrika. Sie können den guten alten Van Dreele fragen. Manche von den Einheimischen sind von Diplomatenschildern nicht allzu beeindruckt. Manche von ihnen haben nicht mal Respekt vor dem Sternenbanner.»

«Ich wollte Sie deswegen schon fragen», sagte der Konsul. «Ich dachte, Sie hätten vielleicht Oberst Junot gesehen.»

McKie seufzte. Gleich darauf kam der Wagen für den Konsul.

«Sind Sie ein Freund von Lara Purcell?», fragte er Michael im Gehen.

«Ja», sagte Michael, ohne groß zu überlegen.

«Bestellen Sie ihr einen schönen Gruß von mir», sagte Konsul Scofield. «Sagen Sie ihr, dass sie vermisst wird. Sie ist der faszinierendste Mensch auf der Insel.»

«Ich werd's ausrichten.»

Auf dem Weg nach oben machte Michael dem Jungen aus der Loge ein Zeichen, dass er kommen werde, und ging in sein Zimmer. Bevor der den Riegel vorschieben konnte, platzte McKie herein und baute sich vor ihm auf.

«O mein Gott», sagte sie, «Sie sind hinter ihr her.»

Er unternahm einen lahmen Versuch, es abzustreiten.

«Blödsinn. Sie sind zu dem Flugzeug runtergetaucht. Haben Sie alles geborgen?» Sie wartete erst gar nicht auf eine Antwort. «Dieser Chip – der ist von ihr, stimmt's? Sie gehen zu ihr zurück.»

Michael stopfte ein paar Sachen in seine Schultertasche.

«Sie kapieren gar nichts, was, Professor? Diese kolumbianischen Milizionäre kennen kein Erbarmen. Die legen *jeden* um. Bilden Sie sich ein, die verschwinden hier wieder und lassen Sie am Leben? Denken Sie, diese smarte Tussi haut Sie raus? Mal angenommen, die lassen Sie am Leben?»

«Ich weiß nichts von den Kolumbianern. Die kaufen das Hotel. Vielleicht haben sie ja ihre Gründe.»

Sie stellte sich in die Tür und stemmte eine Hand gegen den Pfosten, um ihn am Hinausgehen zu hindern.

«Gründe!» Sie schrie ihm das alberne Wort ins Gesicht. «Wieso begreifen Sie nicht, wie tief Sie in der Scheiße stecken? Wallace wird Sie sich greifen. Er wird Sie wegen dieser ganzen Geschichte anklagen lassen.»

«Sie haben mir von der Peitsche erzählt», sagte Michael und zog den Reißverschluss seiner Tasche zu. «Jetzt sagen Sie mir auch noch was vom Zuckerbrot.»

Sie schien sich ein wenig zu beruhigen.

«Das Zuckerbrot, Michael? Das Zuckerbrot ist, dass Sie alles rauslassen, was Sie über diese Operation und ihre politischen Hintergründe wissen. Dann schaffe ich Sie hier weg. Wir stellen Ihnen Anwälte. Wir besorgen Ihnen Immunität.» Sie hielt inne, weil ihr die Angebote ausgingen, und überlegte, welch ungeahnte Wohltaten, die über die bloße Immunität hinausgingen, sie in Aussicht stellen könnte. «Haben Sie den Piloten nicht gesehen?», fragte sie. «Finden Sie den Tod nicht hässlich?»

«Was sind Sie eigentlich, Liz? Philosophin?»

Sie trat beiseite.

«Sie sind so was von bescheuert», sagte sie. «Mein Bericht ist Dienst an der Öffentlichkeit.»

Draußen wartete der Junge aus der Loge noch immer auf ihn.

21 Sie fuhren in einem der Allrad-Sightseeing-Autos des Hotels die Landstraße entlang. Eine Klapperkiste, aber sie lief. Schließlich fuhr der Junge, der Christian hieß, eine Kehre hinunter. Am Ende stieg er aus und ging Richtung Meer.

Krüppelkiefern, Mahagonibäume und Schefflera wuchsen überall; trotz der noch frischen Abflussrinnen war der Boden trocken. Als sie etwa anderthalb Kilometer den Pfad entlanggegangen waren, kamen sie an ein Tor mit Nato-Draht, das von hohen Walnussbäumen umrahmt war. Es regte sich fast kein Lüftchen.

Männer in Tarnanzügen kamen auf sie zu. Michael sah, dass es keine Insulaner waren, sondern Mestizen, offenbar die Kolumbianer, von denen er so viel gehört hatte. Sie durchsuchten flüchtig seine Tasche; einer sah sich seinen Pass an.

Christian sprach mit ihnen in fließendem Spanisch, sagte ihnen, soviel Michael verstand, dass jemand – er, Michael – hier durchmüsse. Nach ein paar Minuten kamen sie an ein abgeerntetes Feld, eine Landebahn mit einem Hangar und barackenartigen Unterkünften. Irgendwo schlug jemand den Ogan. Menschen sangen.

«*Wete mo danba dlo*», sagte Christian zu ihm.

Sie gingen weiter. Ziegen knabberten an dem umgehauenen Zuckerrohr und dem harten Gras zwischen den zerhackten Stängeln. Ab und zu hob eine den Kopf und sah sie wissend und verschlagen an.

Am anderen Ende der Landebahn saßen Leute im spätnachmittäglichen Schatten, zusammengedrängt um die Häuser im haitianischen Stil und den seltsam kirchenähnlichen Klotz der Loge mit ihren Säulen und ihrem Turm. Eine andere Trommel nahm den Rhythmus des Ogan auf.

Michael hatte Mühe, mit Christian Schritt zu halten. Plötzlich war ein gellender Schrei zu hören. Er schaute über das abgeerntete Feld und sah Lara, die auf ihn zugerannt kam. Sie hatte sich ein rotes Tuch um den Kopf geschlungen.

Er blieb stehen und wartete auf sie. Sie rief seinen Namen. Zwei kolumbianische *milicianos* standen auf, wie um sie aufzuhalten, unternahmen dann aber doch nichts. Sie nahm Michael bei der Hand und führte ihn die Straße entlang zu dem Logengebäude und dem *hounfor*.

«Ich bin bei meinem Bruder», sagte Lara. Er legte ihr den Arm um die Schulter. Sie kam ihm verwirrt und verloren vor.

«Weißt du, Michael», sagte sie, und die Worte sprudelten nur so aus ihr heraus, «ich bin wieder mit John-Paul zusammen. Wir werden zusammenbleiben.»

Leute kamen aus den strohgedeckten Häusern, in denen sie Zuflucht gesucht hatten, und schauten sie an.

«Komm, Michael», sagte Lara. «Das ist die Zeremonie des *retirer. Wete mo danba dlo!* Für John-Paul.» Sie umklammerte seinen Arm so fest, dass es wehtat. «Michael, er ist zu mir gekommen. Zurück aus Guinee, vom Grund des Ozeans. Aber ich muss auf Marinette warten, weil sie meine Seele in ihrer Obhut hat.»

Ihr Haar war strähnig und mit Asche, Stroh und Insekten verschmutzt, lebendigen und toten.

«Ja, Liebste», sagte er.

«Und, Michael, du hast doch eine Seele, oder? Du hast einen *petit bon ange*.»

«Wird sie so genannt?»

«So nennen wir sie», sagte sie. «Und sie ist da, sie ist da für dich.»

Sanft führte Michael sie an der Menschenmenge vor der Loge vorbei und durch den Eingang. Früher mochten da Türen gewesen sein; jetzt umfingen sie nur kühle Schatten. In der Mitte der Loge sah er Roger Hyde mit einer Frau mittleren Alters und zwei *milicianos*. Die Frau wirkte fehl am Platz. Sie trug großstädtische Kleidung und kam ihm nicht wie eine Gläubige vor.

«Ich bewundere dich dafür, dass du gekommen bist, Michael», sagte Roger Hyde. «Du hast das Richtige getan.»

Michael fand die erste Bemerkung überzeugender als die zweite.

«So ein hübscher Kerl», sagte Hilda. «Hat Ihnen schon mal jemand gesagt, dass Sie zum Film gehen sollten?»

«Nein, niemand», sagte Michael. Die *milicianos* sahen Hilda an.

«Setzen Sie sich doch», sagte Hilda zu Michael. «Damit Sie trocken werden. Vielleicht sind Sie ja noch nass, hm?»

«Nein», sagte Michael.

«War nur ein Scherz. Wie heißen Sie? Michael? Ich scherze nur mit Ihnen, Michael.»

«Ich hatte Zeit für eine Dusche und so weiter. Um das Salz loszuwerden.»

«Um das Salz loszuwerden», wiederholte Hilda. «Nur Salz, oder auch Blut? Der Mann war nicht voller Blut? Von dem Aufprall?»

Während Michael versuchte, eine Antwort zusammenzustottern, brachen draußen die Trommeln und der *hounfor* in einen triumphierenden Wirbel aus. Lara war von seiner Seite verschwunden. Im nächsten Moment hörte er sie von draußen.

«Sie ruft den Namen des Gottes», erklärte ihr Roger.

«So ein hübsches Mädchen», sagte Hilda. «Hübsches Mädchen, hübscher Junge. Ein schönes Paar gebt ihr ab, ihr beiden.»

«Das hab ich auch sofort gedacht», sagte Roger Hyde, «als ich sie zum ersten Mal zusammen gesehen habe.»

«Also, was ist passiert, Michael?», fragte Hilda. «Was haben Sie da unten mit unserem Flugzeug angestellt?» Sie lachte, als sei von einer drolligen Situation die Rede. «Da unten, in der nassen Finsternis. Was ist passiert?»

«Es war leichter, als ich dachte», sagte er. «Es war gar nicht viel ...»

«Was haben Sie da draußen gemacht, Michael?», schrie sie plötzlich und schob ihr gepudertes Straßenkindergesicht dicht vor seines. «Wer hat Ihnen gesagt, dass Sie da runtergehen sollen?»

«Lara», sagte er. Dabei kam er sich fast wie ein Verräter vor.

«So, Lara also», sagte Hilda. «Woher wussten Sie, dass die Maschine abgestürzt war?»

«Sie hat es mir gesagt. Sie ist zu mir ins Hotel gekommen.»

«Sie ist in Ihr Hotel gekommen und hat Sie gebeten, zu einem abgestürzten Flugzeug hinunterzutauchen? Und Sie haben ‹ja klar› gesagt?»

«Ich war bereit, es zu tun.»

Hilda musterte ihn von oben bis unten.

«Liebe, hm? Die Liebe treibt einen dazu, verrückte Dinge zu tun, stimmt's?»

Er nickte.

Hilda fragte einen ihrer kolumbianischen *milicianos*, ob er der Meinung sei, dass die Liebe die Menschen verrückte Dinge tun lässt. Der Soldat überlegte einen Moment.

«*Claro que sí*», sagte er.

«Natürlich tut sie das», bestätigte Hilda. «Man lügt und betrügt und stiehlt. Alles zusammen. Stimmt's, Michael?»

«Die ersten beiden Behälter waren kein Problem. Vielleicht bin ich zu leichtsinnig geworden.» Eine gewisse Spannung verbreitete sich im Raum. Roger Hyde richtete sich auf und schaute auf den Boden. Hilda wurde ernster.

«Leichtsinnig», sagte sie kopfschüttelnd. Michael begriff, dass er sich nicht selbst belasten durfte. «Leichtsinnig ist gar nicht gut, Michael.»

«Aber ich glaube eigentlich nicht, dass ich sorglos war. Ich habe alles sehr vorsichtig gemacht, Schritt für Schritt.»

Er sah, dass Roger ein wenig aufatmete. Er selbst war erstaunlich ruhig.

«Meine Freunde sagen», teilte Hilda ihm mit, «dass jemand, der einen Fehler macht, dafür bezahlen muss. Das gilt auch für Sie. Und für mich.»

«Er hat getan, was er konnte», sagte Roger. «Ich habe gesehen, wie er der Kiste nachgeschwommen ist. Die Strömung hat sie fortgetragen. Aber wie auch immer», sagte er und schenkte sich braunen Rum nach, «wir kommen dafür auf. Ein paar Monate normale Arbeit, und wir haben es zusammen.»

«Auch andere Leute haben Fehler gemacht», sagte Hilda.

«Jeder macht Fehler», stimmte Roger zu.

«Aber», fuhr sie fort, «ich erzähle euch lieber nicht, was mit ihnen passiert ist.» Dann lachte sie und sagte etwas auf Spanisch, worüber die Kolumbianer laut lachten und Roger vorsichtig kicherte.

«Sie haben also getan, was Sie konnten, Mister? Wenn es ein nächstes Mal gäbe, würden Sie vielleicht alles richtig machen?»

«Ich habe aufgepasst», sagte Michael. «Ich habe mein Bestes getan. Ich bin ihr nachgeschwommen.»

Das klang so summarisch, dass ihm unbehaglich wurde.

«Also ich soll das Kreuz auf mich nehmen?», fragte Hilda. «Ich soll mich für euch Typen stark machen? Und mich selber in die Nesseln setzen?»

«Der Schaden lässt sich wieder gutmachen», sagte Roger.

«Was mich betrifft», sagte Michael, «ich würde alles tun, um ihn wieder gutzumachen.»

«Ach ja?», fragte Hilda. «Bei Ihnen zu Hause in Amerika?»

«Ja», sagte Michael.

«Das würde ich Ihnen verdammt nochmal auch geraten haben. Wenn Sie glauben, Sie könnten einfach wieder heimfahren und uns vergessen, dann würden Sie einen beschissenen Scheiß-Fehler machen. Wenn wir zu Ihnen kämen, würden Sie liefern.»

«Ja», sagte Michael.

«Wissen Sie was?», sagte Hilda. «Ich bin nicht wie die *cabrones*, die Amerika hier und Amerika da sagen. Ich habe lange in Amerika gelebt. Ich habe in Rhode Island gelebt. Manchmal finde ich die Amerikaner ganz okay. Manche von ihnen.» Sie schaute von Roger zu Michael, der komisch-schuldbewußte Blick einer Koketten. «Die gut aussehenden, wenn Sie wissen, was ich meine.»

«Die beiden sind in Ordnung», sagte Roger. «John-Paul hat sie sehr gern gehabt.»

«Also gut», sagte Hilda, «nur zu, Michael. Tanzen Sie den Tanz dort. Und nehmen Sie Ihre Freundin mit.»

Als sie draußen waren, inmitten der Trommeln und der erschöpften *serviteurs*, kam ihm der Gedanke, dass Hilda und ihre Freunde sicher nur abwarten wollten, bis es Nacht war – was immer mit ihnen geschehen sollte, es würde sehr bald geschehen. Die Dunkelheit brach rasch herein, die plötzliche Nacht dieser Breiten. Lara flüsterte ihm ins Ohr.

«Marinette! Marinette ist hier!»

Mehr konnte sie ihm nicht sagen. Vor Stunden, vor Sekunden war sie gefallen. Nun hatte sie kein Zeitgefühl mehr; sie war in die Dunkelheit am Beginn der Welt gefallen, wo das einzige Licht von der glühenden Schlange gekommen war.

«Wo ist mein Bruder?», hatte sie gefragt.

Sie war bei ihm. Sie sah Marinette im Schlangenlicht.

«John-Paul?»

«Kleine Schwester», sagte John-Paul.

Sie wurde unendlich traurig und weinte. Sie trug die beiden *govi* mit ihren zwei Seelen zur Wand des *hounfor*. Michael war an ihrer Seite.

«Lara», fragte er, «was meinst du werden sie tun? Lassen sie uns gehen?»

Aber sie war längst über solche Fragen hinaus. Sie tanzte jetzt mit einer alten Frau in fleckiger Seide und Spitze, die eine brennende Zigarre im Mund hatte. Der Tanz war ein Wirbel, und während die alte Frau sich drehte, gab sie ein Geräusch von sich. Es hörte sich an wie das Wutgebrüll eines Kindes, aber es war ein lauteres, wilderes Schreien, als irgendein Kind es zustande gebracht hätte. Ihre Augen waren nicht trüb wie die der anderen Tänzer, sondern wach und von einem Zorn erfüllt, der genauso blindwütig war wie ihr Schreien. Lara versuchte, es ihr gleichzutun, ihre Bewegungen zu imitieren, war aber viel zu erschöpft.

Die alte Frau – oder war es ein Mann? – nahm die Zigarre aus dem Mund und schnippte wie ein Komiker die Asche weg. Sie warf den Kopf in den Nacken und schrie noch lauter. Bestand das, was dann folgte, aus Worten oder aus bloßen Lauten? Michael wusste es nicht, und instinktiv wich er zurück.

«Marinette!», rief Lara.

Dann schien es, als hätte Marinette Michael gesehen und als lachte sie ihn aus. Sie zeigte auf ihn und kreischte, und dann breitete sie die Arme wie Schwingen aus und umkreiste Michael, als wollte sie ein Insekt darstellen. Lara lachte.

Marinette umarmte Michael; er machte sich steif, halb erstickt vom Geruch ihrer schweißdurchtränkten Seide und ihres Lavendelparfüms. Sie hatte eine graue Perücke auf dem Kopf und einen aufgemalten Schönheitsfleck auf der Wange. Ihre Kleider waren offenbar wirklich alt, als seien sie aus einer Truhe geholt worden, und sie mit ihnen, aus derselben

Truhe oder demselben Grab. Michael folgte ihren Gesten und sah, dass sie eine verrostete Heckenschere in der Hand hielt. Sie schwang die Schere über seinem Kopf und schrie ihm ins Gesicht. Auch Lara schrie, sie kniete jetzt. Die anderen *serviteurs* drängten sich an sie, hielten ihr rote Tücher an den Kopf, Halstücher oder große Taschentücher. Dann entschwand Marinette plötzlich in die Dunkelheit.

Michael bückte sich und richtete Lara auf. Sie hatte zu schreien aufgehört. Sie legte den Kopf an seine Schulter. Sie war schöner, als er sie je gesehen hatte.

Ganz plötzlich flog ein Flugzeug über sie hinweg. Den Lichtern nach konnte es eine mittelgroße Passagiermaschine sein, eine DC-7. Sie flog sehr tief, vielleicht nur etwa hundert Meter über dem Boden. Während er ihr nachschaute, sah Michael, dass sich noch mehr *milicianos* am Rand des beleuchteten *hounfor* versammelt hatten, es war jetzt etwa ein Dutzend. Sie wirkten entspannt, hatten die Gewehre geschultert. Wenn er nicht irrte, waren auch mehr Insulaner da, die sich im Takt des leisen Trommelns wiegten, das nach Marinettes Abgang eingesetzt hatte, und dabei sacht in die Hände klatschten. Lara klammerte sich an ihn. Die *mambo* gab ihr lächelnd etwas von ihrem farblosen Rum zu trinken. Lara schüttete das Zeug hinunter wie Wasser. Als Michael die Flasche ansetzte, würgte es ihn schon beim ersten Schluck.

Er wollte Lara in den Arm nehmen, um sie zu trösten. Ihr einen Moment Ruhe zu verschaffen. Seltsamerweise verströmte sie ebenfalls den Modergeruch von alten Lumpen. Er schaute ihr ins Gesicht und sah, dass er Marinette im Arm hielt. Sie lachte ihn an, und ihre Augen blitzten verschlagen und triumphierend. Sie fing zu schreien an, stieß ein Geheul aus, um ihn zu verspotten. Sie spuckte aus, und er sah ihren Hass. Sie wedelte vor seinem Gesicht mit der Heckenschere.

«Lara», sagte er.

Irgendjemand rief etwas auf Kreolisch.

«Küss die Schere», sagte jemand gelassen.

Er versuchte es. Später erinnerte er sich, dass er es versucht hatte. Er konnte seine Augen nicht vor der abstoßenden, stinkenden Gestalt verschließen, die vor ihm herumwirbelte.

«Vettel», sagte er. Brüllte es. Die Leute schrien. Er kam beinahe zu Fall. Als er sich wieder gefangen hatte, sah er wieder Lara. Sie hatte sich von ihm abgewandt.

«Lara!»

Es war Lara, nicht mehr Marinette. Es war seine Lara, zu ihm zurückgekehrt, schön und klug, auf zwei kräftigen Beinen, mit den Bewegungen der Sportlerin, als die er sie in Erinnerung hatte. Sie hielt zwei der kleinen verzierten Krüge in den Armen, die in den Nischen der Tempelwand standen. Sie drehte sich um und schaute ihn durch den *hounfor* an.

Er meinte Schüsse in dem dunklen Wald zu hören, der sie umgab, vom Meer her. Aber jetzt stand auf einmal ein hoch gewachsener Mann vor ihm, ein Mann mit einem verbeulten Zylinder auf dem Kopf. Er trug einen alten Gehrock und eine rote, mit gestrickten *vevers* geschmückte Weste.

«Michael», sagte Lara. «Das ist Ghede. Schau, was er für dich hat.» Die *serviteurs* kamen zu Michael wie vorher zu Lara und drückten ihm ihre roten Tücher an den Kopf. Er hörte die Trommeln schlagen. «Das ist für dich, Michael», sagte Lara.

In diesem Moment fragte er sich, ob das noch dieselbe Lara war.

Vor ihm stand der große Mann mit dem Zylinder und lächelte.

«Michael», sagte Ghede, «Michael. Mickey-Boy.»

«Das ist Ghede, Michael», sagte die *mambo* und bot ihm Rum an.

«Trink, Michael, Kamerad», sagte Ghede. Dann war er verschwunden.

Michael horchte und merkte sofort, dass die Trommeln zu ihm sprachen. Das war offensichtlich, dachte er; sie hatten ihm sein Schicksal vorgespielt, vom ersten Moment an, als er sie gehört hatte, vor so vielen Stunden. Sie hatten ihn nie verlassen. Aus dem Rhythmus der *seconde* hörte er sein eigenes Atmen gegen das Atemgerät heraus, wie es sich unter Wasser anhören musste.

«Ach, Michael», sagte Lara. «Unser Ghede. Papa Ghede. Unser großer Baron. Baron Samedi.»

Er überlegte, ob ihm jemals bewusst geworden war, wie süß ihre Stimme klang, wie seltsam und wunderbar die kleinen Anklänge an die Inselmusik in ihrer Sprache waren. Er betrachtete sie, wie sie neben ihm stand. Was immer mit Liebe gemeint war, dachte er, es war hier.

Jetzt kam Baron Samedi wieder aus der Dunkelheit, zum *poto mitan*, wo der Geist der Dambala herrschte. Baron Samedi schob eine Schubkarre vor sich her. Und darin stand, die heraushängende rote Zunge heller als irgendetwas anderes in den Flammen, ein Ziegenbock.

«Hi ho, Michael», sagte Baron Samedi. «He, schau her, was ich für dich habe.»

Er wich zurück. Lara mit ihm, nach ihm. Die *mambo* kam, und der große Baron, der Baron Samedi.

«Wer sind Sie, um Himmels willen?», fragte Michael. Er wich immer schneller zurück, so schnell, dass Lara Mühe hatte, Schritt zu halten. «Wer zum Teufel können Sie sein?»

Baron Samedi fing an zu lachen, ein falsches herzliches Lachen wie das eines Clowns oder eines Geistlichen. Er schüttelte die Schubkarre und die Ziege. Die Trommeln schlugen für sie.

«Wenn der Mensch zwischen Leben und Sterben hängt, lernt er mich kennen. Ho ho. Welch ein Schurke, Michael. Weiß nicht, was dazwischen liegt.»

«Und wo er sich befindet», sagte Lara. Oder jemand, der Laras Stimme benutzte, denn sie hätte nie «wo er sich befindet» gesagt.

«He, Michael», rief Baron Samedi. «Lebe für Sonntag oder geh auf den Friedhof. Wofür, Michael – bin ich Baron Samedi?»

«Hör auf ihn, Michael», rief Lara. Es klang, als sei sie ein Stück entfernt. Die Feuer waren weniger geworden. Die wimmelnde Menge drängte näher heran.

«Ja, sag ich!», rief Baron Samedi. «Ich bin der Baron Samedi. Ohne Freitag kann ich nicht sein. Ohne Sonntag gibt es mich nicht. In diesem Raum ...», und der Baron holte tief Luft und sprach ein Wort aus, das zu hören Michael nicht in die Wiege gelegt worden war.

«Wer sind Sie, Mann?», fragte Michael.

Statt einer Antwort bekam er Gelächter und ho ho ho und das Schütteln der Schubkarre. Plötzlich stand Roger Hyde dicht vor ihm.

«Wenn ich du wäre», sagte Roger, «würde ich nicht versuchen, diese Spiele mitzuspielen.»

«Was?»

«Wenn ich du wäre», sagte Roger, «würde ich mein Leben retten.»

Als er in die Dunkelheit rannte, blieben die Trommeln ihm scheinbar auf den Fersen. Er rannte, ohne es zu wollen, er war selbst überrascht. Irgendwann war er losgerannt, und von da an hatte er nicht mehr stehen bleiben können, hatte nichts anderes mehr tun können, als immer schneller zu laufen. Hüfthohe Sträucher brachten ihn immer wieder zu Fall, warfen ihn auf den steinigen Boden und schürften ihm die Haut auf, als sei er die ganze Strecke geschleift worden. Dann rannte er in seichtem Wasser mit festem, felsigem Grund. Er sah Feuer vor sich und drehte sich um, um sich zu orientieren. Er hatte sich schon weit von der Loge entfernt. Die rituellen Feuer brannten noch immer, schattenhafte Gestalten zeichneten sich vor ihnen ab.

Die Trommeln dröhnten weiter, und es war immer noch sein Takt, den sie schlugen. Er lief durch schwarzen Raum, platschte, rannte gleichsam in seinem eigenen Grab, rannte davon vor Baron Samedi, dessen dunklen Raum er bewohnte. Er war der herrschende Gott seines Lebens, der Herr seiner Abenteuer. Der Herr von allen, die ein Grab aus ihrem Leben gemacht hatten. Baron Samedis Trommeln schlugen noch immer für ihn.

Aber auch vor ihm waren Feuer, und dazwischen aufblinkendes elektrisches Licht. Er schöpfte Hoffnung, obwohl das Wasser um seine Beine tiefer und der Boden weicher wurde und an seinen Schuhen haftete. Irgendwo wurde geschossen; es waren meist nur vereinzelte Schüsse, manchmal auch Salven von automatischen Waffen. Doch soweit er es beurteilen konnte, spielte sich nichts davon in seiner Nähe ab.

Von der Anstrengung hatte er einen Kupfergeschmack im Mund. Es würgte ihn noch immer von dem hochprozentigen Alkohol, er lechzte nach einem Schluck Wasser. Im Laufen hielt er eine Hand auf, in der Hoffnung, etwas Kühles, Trinkbares auffangen zu können; die Bewegung brachte ihn aus dem Gleichgewicht, er geriet ins Straucheln, stolperte über seine eigenen Beine und konnte sich nur mit Mühe aufrecht halten. In der hohlen Hand hatte er etwas Übelriechendes, was zum Trinken viel zu dickflüssig und zu abstoßend war.

Er meinte, hinter sich andere Läufer zu hören, die durch denselben Bach platschten wie er kurz zuvor und von Ufer zu Ufer ausschwärmten. In fünfzig Meter Entfernung sah er ein Auto, das sich auf der schlechten Straße eine Anhöhe hinaufquälte. Die Feuer vor ihm waren dicht an der Straße, brennende Fässer, die nach Benzin stanken und von denen ölig-schwarzer Qualm aufstieg, vom Licht der Feuer sichtbar gemacht. Der Hügel, über den die Straße führte, hatte steil abfallende Flanken aus verfestigter Erde, deren Konturen sich vor den Feuern wie Reliefs auf einer Landkarte abzeichneten. Vom Gipfel des Hügels aus tasteten die Lichtkegel von Suchscheinwerfern das Tal ab. Er gab sich keine Mühe, ihnen auszuweichen, sondern versuchte nur, in dem unsteten Licht seinen Weg zu finden.

Eine Zeit lang war er überzeugt, dass Baron Samedi mit ihm mitlaufe, nicht unbeholfen stolpernd wie er, sondern entspannt und mühelos, zu seinem Vergnügen, um sein Besitzrecht auszuüben. Er musste sich konzentrieren, um den Gedanken abzuschütteln.

Als er die Straße erreichte, sah er, dass die Oberfläche früher einmal geteert worden war. Zum ersten Mal, seit er losgelaufen war, meldete sich wieder sein rationales Bewusstsein. Er war nur mit dem Gott gelaufen. Der Gott war sein Verfolger gewesen, sein Ziel, der Grund seiner fast besinnungslosen Flucht, der Vorgang des Laufens selbst.

An diesem Rest einer modernen Straße spürte er, dass er entweder von der Illusion der Anwesenheit seines Herrn und Meisters abließ oder in die Illusion eintauchte, sich von ihm befreit zu haben. Er hatte aufgehört zu laufen. Er konnte nicht mehr.

Vor ihm war ein *blocu*. Etwa fünfzig Insulaner, fast nur Männer, standen auf der Straße. Am Rand waren halb verbrannte alte Autoreifen in mehreren Haufen aufgeschichtet. Aus großen, mit Reifenteilen gefüllten Zweihundertfünfzig-Liter-Fässern stieg stinkender schwarzer Qualm auf, es roch wie Schlachtfleisch, das im offenen Feuer röstet, das lebendige Fleisch irgendeines abscheulichen Tieres. Weiter von der Straße entfernt sah er in Streifen geschnittene, zu Türmen aufgeschichtete Reifen brennen. Ähnliche Türme standen wie für die nächste Gelegenheit bereit, eine Mitternachtsmesse von Père Lebrun, bei der lebendiges Fleisch weniger exotisch sein würde, ein vertrauteres Essen, und das mystische Ritual wäre eine umgekehrte Transsubstantiation, während jedes Körnchen transzendenten Lebens der heulenden Bestie ausgebrannt wurde.

Ein großer junger Zuckerrohrschneider näherte sich. «Hey, Mann, hast du was für mich, ja?» «*Lajan, blan*», rief ein anderer. Das Patois hielt sich an diesem Ende der Insel. Ihrem Teil. Wessen? Lara, sie hieß Lara. Ihre Seele hatte

Marinette gehört, so wie seine Ghede gehörte, dem Baron Samedi. Es hatte ein Rennen gegeben, und er war gerannt. Sie war weg.

Er hatte Bündel von Scheinen, Dollars und einheimisches Geld. Er glättete sie, ließ sie verführerisch schnalzen und verteilte. Halb musste er sich durch die Menge drängen – eine diskrete, höfliche und höchst zuvorkommende Art, sich durchzudrängen. Die Almosen taten eine gewisse Wirkung; als er keine Scheine mehr hatte, befand er sich unter den Verlierern und Kümmerlingen, die nach hinten gedrängt worden waren und nur ihre Not und Verzweiflung gegen seine Angst ausspielen konnten. Er durfte sie nicht verachten, denn er hatte den *blocu* überlebt. Es hatte in den letzten Jahren nicht viel Tourismus auf der Insel gegeben, und der Hass der Insulaner hatte sich ein wenig abgekühlt.

Während er neben der mit Schlaglöchern übersäten Straße herging, war er nie allein. Die Trommeln leisteten ihm Gesellschaft. Gestalten überholten ihn, manche so schnell, dass er den Eindruck hatte stillzustehen. Aus der Dunkelheit riefen Menschen seinen Namen. Stimmen sprachen ihn als Legba an; manchmal dachte er, er trüge einen Zylinder. Am Kinn spürte er die Fransen eines falschen Bartes.

Hinter ihm hupte ein Auto. Er entfernte sich noch etwas weiter von der Straße, und nachdem das Auto langsam vorbeigefahren war, hielt es seinetwegen an. Es war ein Mercedes, der elegante Kotflügel war mit rotem Staub bedeckt. Ein einheimischer Soldat saß am Steuer, neben ihm ein Soldat mit einem Automatikgewehr.

Die hintere Tür öffnete sich, und Michael sah, dass auf dem Rücksitz ein langbeiniger, gebräunter Mann mit einem sauber gestutzten Schnurrbart saß. Er war in Uniform; am Kragen hatte er die roten Spiegel eines höheren britischen Offiziers. Es war Oberst Junot, Verwalter der neuen Ordnung, Absolvent von Fort Benning und Veteran von Grenada.

«Schonen Sie sich, Ahearn», sagte der Oberst. «Ich fahre Sie, wohin Sie wollen. Du meine Güte», sagte er, als er Michaels bespritzte Hose sah.

«Nein, nein», sagte Michael. «Alles im Griff.»

Der Oberst streckte geduldig die Hand aus und packte ihn am Arm. «Ja ja, alles im Griff, schon gut. Kommen Sie.»

Michael stieg ein, und der Soldat gab ihm einen *Miami Herald*.

«Zum Draufsetzen», erklärte der Oberst. Sie fuhren auf der Straße am Morne entlang, bis sie schließlich hoch über dem Meer waren. Am Himmel funkelten die Sterne, und der Mond war über dem dunklen Meereshorizont aufgegangen. Niedrige Wolken lösten sich an den Felsvorsprüngen unterhalb der Straße auf.

«Schade, den Blick hier kann man nur bei Tageslicht genießen, Ahearn. Das ist eine der schönsten Aussichten der westlichen Hemisphäre. Die Franzosen wollten hier die Schlacht der Heiligen schlagen. An dieser Bucht!» Er zeigte nach rechts ins Dunkel. «Tja, sie ist jetzt nicht zu sehen.»

Als sie noch ein Stück weiter gefahren waren, sagte Oberst Junot: «Dutch Point! Eine wunderschöne Halbinsel. Sie wissen wahrscheinlich, dass wir in letzter Zeit nicht viele Besucher hatten. Das liegt an unserer etwas unsicheren politischen Lage. Soziale Unruhen, wissen Sie.»

«Ja», sagte Michael.

«Ich verrate Ihnen ein Geheimnis. Die Kreuzfahrt-Gesellschaften steuern trotzdem Dutch Point an. Sie sagen den Passagieren nur nicht, wo sie sind. Sie sagen ihnen, es sei Point Paradise. Was könnte schöner klingen? Mami und Papi und die lieben Kleinen fahren zum Point Paradise? Also schließt die verdammten Straßen zum Point und stellt eine Postenreihe von hundertfünfzig Miet-Cops auf, um ihn abzuriegeln. Ein paar bunt gekleidete fliegende Händler und eine Steel-Band könnt ihr durchlassen. Gut, was?»

«Clever ausgedacht.»

«Ja», sagte Junot, «jedenfalls aus der Sicht der Kreuzfahrtgesellschaften. Paradise Point. Die blöden Touristen tummeln sich in der Brandung und haben keine Ahnung, dass sie sich in einem Krisengebiet befinden. Nein, sie sind im Paradies. Wenn wir die Wachmänner abzögen, würden die Idioten denken, sie sind in der Hölle. Da könnten sie mal sehen, was soziale Spannungen sind.»

«Sie werden hier die Macht übernehmen, nicht wahr, Oberst?»

Der Oberst zuckte bescheiden die Schultern.

«Werden Sie die Tradition von Paradise Point fortsetzen? Mit den Kreuzfahrten?»

«Sicher. Aber eines Tages werden wir nicht mehr darauf angewiesen sein, das Paradies mit privaten Wachmännern zu sichern. Mit ein bisschen Glück – und, leider, ein bisschen diskreter Repression – werden wir unser gutes altes Paradies auf der ganzen Insel zurückbekommen. Paradies, Paradies! Nobel, nobel!» Der Oberst lachte, dann seufzte er.

«Ich mache mir Sorgen um meine Freundin», sagte Michael. «Lara Purcell. Ich hab sie zurückgelassen. Ich habe Angst, dass ihr etwas zustößt.»

«Ich kenne Ihre Geschichte, Mr. Ahearn. Ich weiß, Sie sind ein nachdenklicher Mensch, und ein guter Freund von ihr. Also, Sie brauchen sich keine Sorgen zu machen. Wir haben alles unter Kontrolle, einschließlich der Loge. Es wird ihr nichts geschehen, das kann ich Ihnen versprechen. Also kein Grund zur Sorge, verstehen Sie?»

Michael sagte nichts.

«Wie würde es Ihnen gefallen, in jemand anderes Paradies zu leben?», fragte der Oberst.

«Kann ich mir nicht vorstellen.»

«Stellen Sie es sich als Missgeschick vor. Als ein gigantisches beschissenes rosa Missgeschick.»

«Ich glaube, ich verstehe Sie nicht», sagte Michael. «Ich bin noch nicht lange hier.»

«Ja, schon gut. Aber ich glaube, Sie verstehen mich trotzdem, oder? Sollte mich wundern, wenn Sie nicht längst im Bilde wären.»

Vor ihnen, am Ende der Insel, wie es schien, wurde es immer heller. In der Tat ging dort das Land in die riesige mondbeschienene Fläche des aufgewühlten Meeres über; dicht vor den Wellen zeichneten sich von roten und weißen Lichtern gesäumte, geometrische Flächen ab.

«Es bleibt uns doch nichts anderes übrig, oder?», sagte der Oberst. «Wir haben dieses verdammte Paradies geerbt, und jetzt müssen wir davon leben, dass wir es verkaufen. Das Paradies und all die kleinen Schweinereien.» Er lehnte sich zurück und schlug Michael aufs Knie.

«O ja, wir haben all die kleinen Schweinereien, die Sie haben wollen, obwohl Sie sie nicht brauchen. Die Drogen, den Kaffee, die Schokolade, den Rum und den Orangenlikör, den

Tabak, die Mädchen und die Jungen. Man sollte sie nicht haben. Bekommt einem nicht. Man lebt länger ohne sie, aber sie sind ja ach so angenehm. Und ihr wollt sie alle haben. Und das ist unser Glück.»

Der Wagen kam an einen Kontrollpunkt an der Zufahrt zum internationalen Flughafen All Saints Bay. Überall waren Soldaten in der Uniform der neuen Armee der Insel. Die Soldaten warfen einen Blick in den Mercedes und winkten sie durch.

«Handschlag über das Meer hinweg, genau!», erklärte Oberst Junot. «Sie fahren nach Washington und sagen meinen Freunden guten Tag. Sagen Sie ihnen, dass ich meinen Orden vom Präsidenten will! Als Soldat im Krieg gegen die Drogen!»

Der Wagen hielt, und der Fahrer kam herum, um Michael die Tür zu öffnen. Er stieg aus dem klimatisierten Auto in die warme Meeresbrise hinaus.

«Soldat im Krieg gegen Hasch. Soldat im Krieg gegen Kokain. Ja, genau! Soldat im Krieg gegen Zucker und Süßigkeiten. Und im Krieg gegen den Rum. Der Krieg gegen die Zigarren. Der Krieg gegen ausgeflippten Schmuck. Der Krieg gegen das Vögeln und Spielen und die allgemeine Nichtsnutzigkeit. Sagen Sie dem Präsidenten, dass die Heerscharen des Paradieses seiner hoch gewachsenen edlen Gestalt ihre Reverenz erweisen und dass der Krieg gegen alles sehr gut läuft. Sagen Sie ihm, dass ich seinen Daddy gekannt habe und dass ich meine Medaille haben will.»

Michael hatte nur die Schultertasche bei sich, die er aus seinem Hotelzimmer mitgenommen hatte. Unter den wachsamen Augen der Soldaten ging er auf das hölzerne Abfertigungsgebäude zu. Daneben stand eine DC-7 mit laufenden Motoren, bewacht von einem halben Zug amerikanischer Spezialtruppen mit grünen Baskenmützen. Er trat in das grelle Neonlicht des Gebäudes. Die junge Kuba-Amerikanerin am Schalter der Pendler-Airline prüfte sein Ticket. An der Wand hinter ihr hing ein Spiegel, und er stellte fest, dass keine Ähnlichkeit mit Ghede hatte. Aber der Baron wartete auf ihn am Auswanderungsfenster, wo ein Zollbeamter stand, von Soldaten flankiert. Der Beamte war Baron Samedi.

«Sie brauchen Ihr rosa Formular», sagte Baron Samedi. «Sonst können Sie nicht fliegen.»

Michael wühlte in seinen Taschen. Er durchsuchte mehrmals seine Schultertasche. Er hatte kein rosa Formular.

«Um Gottes willen», sagte er zu Baron Samedi.

«Die machen keine Ausnahme für Sie», sagte der Baron. «Entweder Sie geben mir Ihr rosa Formular, oder Sie treten aus der Reihe. Es stehen Leute hinter Ihnen.»

Michael drehte sich um und sah, dass in der Tat Leute darauf warteten, die Kontrolle zu passieren.

«Ich bin auf dem Herflug in Rodney gelandet. Ich glaube nicht, dass ich den Wisch überhaupt bekommen habe», sagte Michael. «Ich muss aber diese Maschine erreichen.» Das war tatsächlich sein einziger Gedanke, und er war bereit, jemanden dafür umzubringen oder selbst zu sterben.

Er war kurz davor, endgültig aus der Haut zu fahren, als er sah, dass Oberst Junot das Gebäude betrat. Der Oberst sah ihn und kam an das Fenster.

«Lassen Sie den Mann durch», sagte der Oberst. «Das ist mein Kurier.»

Baron Samedi hatte sich aus dem Zollbeamten zurückgezogen. Dieser trat gehorsam beiseite. Es war ein Abschiedsgruß gewesen, ein kleines Spiel, wie es typisch war für Ghede.

Oberst Junot war mit Michael in die nüchterne Wartehalle am Flugsteig gekommen. Als sie sich die Hand gaben, drehte er sich rasch weg.

«O weh», sagte er zu Michael. «Ich sehe jemanden, mit dem ich nicht reden möchte.» Er entschwand eilig durch die Zollsperre, durch die er gekommen war.

Auf dem Weg zur hintersten Sitzbank der Lounge sah Michael Liz McKie, die neben der Tür zur Damentoilette stand. Sie kochte offenbar vor Wut. Zwei einheimische Soldaten standen bei ihr. Die Soldaten waren im Gegensatz zu ihr sichtlich guter Laune.

McKie sah Michael und rief ihn.

«Du lieber Himmel! Was machen Sie denn hier?», wollte sie wissen.

«Ich glaube, ich fliege ab.»

«Sie glauben?» Sie starrte ihn einen Moment lang an und sagte dann: «Passen Sie auf die Sachen da auf.» Sie war von lauter Koffern umgeben, in denen offenbar ihre Computer, Kameras und Aufnahmegeräte verpackt waren. «Ich muss aufs Klo, und ich lasse meine Sachen nicht bei diesen Typen.»

«Sie beleidigen uns», sagte einer der Soldaten und lachte sie an. «Wir klauen nicht.»

«Das stimmt», sagte der andere. «Wir bestehlen nie Freunde von Oberst Junot.»

«Wo bleibt eigentlich Oberst Junot?», fragte der erste Soldat. «Kommt er denn nicht, um Sie zu verabschieden?»

«Ihr könnt mich mal», sagte McKie. «Passen Sie wie ein Schießhund auf die Sachen auf», schärfte sie Michael ein. «Lassen Sie die Kerle nicht in ihre Nähe.»

«Wir müssen Sie sowieso auf die Toilette begleiten, Miss», sagte der erste Soldat. «Befehl!»

Bevor sie reagieren konnte, schüttelten sich die beiden schon aus vor Lachen.

«Also», sagte Liz zu Michael, «behalten Sie die Sachen im Auge.»

Während Liz McKie auf der Toilette war, überlegten die Soldaten, ob sie zum Schein ein paar von den Sachen stehlen sollten, und zogen Michael ins Vertrauen. Aber dann ließen sie es doch bleiben.

Als McKie ihre Sachen wieder in Besitz genommen hatte, schlenderte Michael auf die Besucherterrasse hinaus, um ein bisschen frische Luft zu schnappen. Die Terrasse war eigentlich gesperrt, aber der Posten ließ ihn vorbei. Er nahm den Wind der Insel und des Meeres in sich auf, den Geruch von Jasmin und brennendem Zuckerrohrstroh, einen Hauch von dem Gestank nach verbranntem Gummi. Ganz weit weg – obwohl es nur ein paar Kilometer sein konnten – hörte er die Trommeln. Er versuchte herauszubekommen, ob es sein Leben war, das er dort schlagen hörte, und wenn es sein Leben, sein Herz war, wohin es sich wenden mochte. Aber das Trommeln war nur es selbst, nur für den Augenblick. In den flackernden Lichtern hinter dem Flughafenzaun glaubte er die Schubkarre zu sehen, die Zunge des Ziegenbocks.

Sie gingen an Bord, und Michael sah, dass einer der Soldaten von der Spezialeinheit eine Frau war, bebrillt, hübsch, mit Schultern wie ein Mann.

Als Liz McKie die Soldatin ansprach, starrte diese weiter geradeaus und sprach sie mit «Madam» an.

«Ihre Madam können Sie sich sonstwohin stecken, Soldat», sagte Liz McKie.

Als zusätzliche Demütigung kam McKie auf dem Flug nach Puerto Rico eine Reihe hinter Michael zu sitzen, auf der anderen Seite des Ganges. Ihr Drang, alles zu erklären, war übermächtig, sie hatte die Ereignisse emotional noch nicht verkraftet.

«Ich glaube es einfach nicht», sagte sie. «Ich meine, das ist alles so typisch, dass ich es einfach nicht glauben kann.»

Man hatte sie ausgewiesen.

«Ich meine, nicht offiziell, nicht über unser Außenministerium. Einfach ein Tritt in den Hintern. Von meinem Freund – meinem Freund, meinem Liebhaber.» Die Umsitzenden unterbrachen ihre Unterhaltungen, um ihr zuzuhören.

«Ich meine, das ist doch wieder der typisch amerikanische Dritte-Welt-Hype – der klassische Beschiss. Ja, es gibt Korruption. Und ein paar rechtsgerichtete amerikanische Offizielle haben ihre Finger drin, okay, und ihre argentinischen, chilenischen Obristenfreunde ebenfalls, die übelsten *cabrones*, aber hey, das ist doch cool. Es ist cool, weil das zwielichtige Elemente sind. Die gehören eigentlich nicht zu uns. Wir sind die Guten, wir sind die weiblichen Green Berets, und wir bringen alles in Ordnung und werfen die Bösen raus. Nur dass wir die Bösen doch nicht so ganz rauskriegen und die Guten dann doch nicht viel anders sind als die Bösen und hey, alles sieht fast genauso aus, wie es schon immer ausgesehen hat. Und wenn man wieder hinschaut, sind die zwielichtigen Elemente weg, verschwunden, nur eben nicht ganz. Und irgendeine idiotische Reporterin kauft sich in das Szenario der Guten ein, und was passiert mit ihr? Ich meine, ich hab's ja gewusst! Wissen Sie, wann ich es gewusst habe? Als ich Sie gesehen habe! Ich dachte mir, Wer zum Teufel ist das? Und da wusste ich, dass alles versaut war.»

«Tut mir Leid», sagte Michael.

«Und mein Freund Junot, Ihr Freund ...» Sie schüttelte den Kopf, sie fand keine Worte. «Und diese Frau!»

«Lara.»

«Genau die.»

Ohne die er, wie ihm ganz plötzlich klar wurde, ein Leben in der Schwebe führen würde, im Rhythmus des Verlustes, Augenblick für Augenblick.

Als sie zur Landung in San Juan ansetzten, sprach McKie ihn noch einmal an.

«Also dann sind Sie ja vielleicht reich geworden, hm? Möchten Sie darüber reden?»

«Nein», sagte Michael.

«Ich hab gemerkt, dass die Trommeln Sie fertig gemacht haben», sagte Liz. «Ich kenn das. Haben Sie Gott gefunden?»

«Nein», sagte er. «Es war dasselbe, verstehen Sie? Mir ist dasselbe passiert wie Ihnen.»

Sie schüttelte den Kopf, schaute auf die Uhr und fing an zu weinen.

22 In der Studentenvereinigung gab es im Sommer Zimmer mit Bad. Michael Ahearn mietete eines. Jeden Tag schwamm er im Pool der Sportfakultät, oft stundenlang, womit er die jungen Bademeister erstaunte und schließlich nervte. Nach dem Schwimmen ging er in sein Büro und las, bis er im Sessel einschlief.

Auf einigen Etagen des Gebäudes gab es Schlafsäle. Als Ende August das Trimester begann, löste jugendlicher Tumult die bleierne Stille ab. Manchmal ließen ihn die Schreie mitten in der Nacht glauben, er sei wieder auf der Insel. An dem Ort, den zu nennen er sich scheute, sogar in seinen Träumen.

Als er im Frühjahr nach Hause gekommen war, hatte er sofort Kristins mühsam unterdrückten Ärger gespürt. Nach drei Tagen leerer Höflichkeit fand sie die Bordkarten für ihre Flüge nach Puerto Rico, seinen und den von Lara.

Jetzt endlich ließ sie ihrer Wut freien Lauf. Vor Pauls Ohren warf sie Michael Sachen an den Kopf, von denen er nie geglaubt hatte, dass sie sie jemals in den Mund nehmen würde. Ihre Leidenschaft überraschte selbst ihn. Zusammengekauert wie ein Attentäter schoss sie berechnete, ätzende, phosphoreszierende Pfeile der Wut auf ihn ab. Sie trafen ihn bis ins Mark.

«Du hinterhältiger Dreckskerl», sagte sie. «Du hältst dir eine Geliebte nebenbei, Freundchen. Vielleicht halten deine Kumpel dich für einen tollen Hecht. Aber für mich bist du kein toller Hecht, sondern bloß ein Schwächling.»

Sie ließ nicht ab, und er hatte nichts einzusetzen als Trauer. Er hatte inzwischen Zeit gehabt, sich klarzumachen, was er Lara angetan hatte. Was er Kristin angetan hatte, kam ihm nicht halb so schlimm vor, aber sie packte es wie eine Peitsche und schlug ihn windelweich.

«Meinst du denn, ich hätte keine Träume gehabt, als ich zu dir gekommen bin? Ich hätte nichts anderes vorgehabt, als Rosen zu pflanzen? Ich hab dir schließlich alles gegeben. Und dich in alles mit einbezogen. Ja, stimmt, ich hab gedacht, du wärst eine heiße Nummer, du Wichser! Ich dachte, du wärst der Anfang und das Ende, und niemand außer mir wüsste, wie phantastisch du bist.»

«Ich wollte mehr», sagte er.

«Ja, ja», sagte sie. «Denkst du vielleicht, mir wären solche Wünsche fremd? Aber ich musste hier erst mal ein Leben absolvieren. Unsere Arbeit und unser Kind. Und ich dachte, wenn wir das erledigt hätten, würde es das Leben – wenn wir Glück hätten – noch gut mit uns meinen. Und wir würden lernen, mehr aus ihm herauszuholen. Du und ich. Das war der springende Punkt, kapierst du? Wir beide.»

Sie hielt ein zusammengeknülltes Küchentuch unter den Wasserhahn in der Küche und wischte sich das Gesicht ab.

«Ich sagte mir, hab Geduld, das wird schon noch. Und dann gehst du her und erniedrigst mich mit dieser widerlichen schmierigen Hure. Dieser romanischen Granate.»

«Wir können das durchstehen», sagte Michael.

Aber sie war nicht zu bremsen. «Nicht dass mir nicht ab und zu jemand was zugetragen hätte. Nicht dass ich nicht hin und wieder Verdacht geschöpft hätte. Aber ich hab mich dafür entschieden, dem nicht nachzugehen.»

«Es war ein vorübergehender Anfall von Schwachsinn», sagte Michael. «Wahnsinn.»

«Vorübergehend?»

«Ja, Kristin. Es ist vorbei. Vorbei.»

«Das spielt jetzt auch keine Rolle mehr», sagte sie. «Ich muss mich um mein Überleben kümmern. Meins und das meines Sohnes.»

Das Fieber, das ihn auf der Reise geplagt hatte, flackerte wieder auf. Es wollte nicht ganz verschwinden. Es war von Konfusion begleitet, von leichter Panik.

«Schau, Kristin, ich weiß, dass du das verstehen kannst. Es ist einfach gekommen. Es war plötzlich da. Ein verrückter Impuls. Wie nach einem Gedächtnisverlust.»

«Die Chance deines Lebens, ja?», fragte sie. «Ich verstehe. Aber Verstehen ist nicht genug. Beichten und verstanden werden? Absolution erlangen? Nicht mit mir.»

Sie wich von ihm zurück, fixierte ihn mit den Augen ihres toten Vaters.

«Weißt du», sagte sie, «meine Eitelkeit ist nicht das Problem. Achtung. Achtung ist das Problem.»

Sie schwieg eine Zeit lang.

«Ich fühle mich jetzt irgendwie stark. Ich hab das Gefühl, klar zu sehen. Ich will mir das nicht von dir ausreden lassen.»

«Ich werde nie wieder weggehen», sagte er. Eine alberne Bemerkung. Sie trug ihm ein verächtliches Lächeln ein.

«Du kennst die Geheimnisse meines Herzens, Michael. Ich weiß, dass du sie kennst.»

«Dann vergiss es nicht», sagte er, um es ins Scherzhafte zu drehen.

«Aber du redest zu viel. In dem Punkt hatte mein Vater recht.»

«Ach Gott», sagte er. «Diese alte Ratte.»

Sie lachte.

«Aber du *kennst* die Geheimnisse des Herzens. Wirklich. Ich dagegen», sagte sie, «ich achte auf Zeichen. Ich denke über Zeichen nach.»

Sie standen in der Küche und schwiegen. Er beobachtete sie, hoffte auf Vergebung, fühlte sich wie ein kranker Hund.

«Ich habe deine Treue nie in Frage gestellt», sagte sie. «Ich fühle mich so gekränkt.» Sie schaute bekümmert aus dem Fenster.

Als sie hinausging, packte ihn zum ersten Mal das Fieber. Jäh einschießende Hitze. Seine Handgelenke verdrehten sich und schwollen so an, dass er die Hände nicht mehr hochhalten konnte.

Und das war das Ende. Es blieb ihm nichts anderes übrig, als zu gehen. Paul versteckte sich an dem Tag vor ihm. Noch in derselben Woche hatte sie einen Anwalt.

Am nächsten Tag war er einfach bei der Studentenvereinigung eingezogen, und er war immer noch dort, als das Trimester begann. Die nächtlichen Geräusche dort drängten sich in seine Träume, die fast immer beängstigend und fiebrig waren. Vernichtende Fieberträume.

Die Symptome verschlimmerten sich; er war noch keine Woche in der Studentenvereinigung, als er mit Verdacht auf

Denguefieber ins Krankenhaus kam. Die Symptome waren nicht eindeutig. Einer der Ärzte meinte, es könnte Malaria sein. Es war ein sehr ernster Fall, mit zerebralen Komplikationen, und ein paar Tage konnte er fast nichts sehen. Halb blind war er allein in einem hellgrauen Labyrinth, lebendig begraben mit seinem Schmerz und seinen Visionen. Er versuchte immer wieder, sich an den Trommeln aufzurichten, aber sie stürzten ihn nur in Verwirrung.

Er hatte das Gefühl, in trockenen Gummi eingewickelt zu sein, dazu der Durst, das Fieber und der unerklärliche Schmerz, der ihn an Père Lebrun denken ließ. Sie bauten eine Wand aus Leintüchern um sein Bett auf. Innerhalb davon war die Mauer, in der er begraben war, blind. Er versuchte, Lara zu finden. Lara versuchte, ihn zu finden.

Kristin besuchte ihn im Krankenhaus. Ihre hohe, soldatische Gestalt war nicht zu verkennen.

«Ich tue alles für dich, was ich tun kann», sagte sie. Aber als er aus dem Krankenhaus entlassen wurde, kehrte er in die Studentenvereinigung zurück.

Die Ärzte hatten ihm gesagt, dass er wahrscheinlich immer wieder einmal Fieberattacken bekommen würde. Sie gaben ihm einen Pillenvorrat mit und sagten ihm, er solle auf Alkohol verzichten.

Phyllis Strom war in die weitere akademische Welt entschwebt, und alle paar Tage schrieb er ihr einen Empfehlungsbrief, wobei er sich Mühe gab, nicht in Routine zu verfallen. Seine neue Assistentin war als Kind aus Russland gekommen. Sie war unscheinbar, intelligent und tüchtig. Er hatte immer wieder Gedächtnislücken, und die junge Frau tat ihr Bestes, ihn an alles zu erinnern, was er nicht vergessen durfte. Sie ging auch in seine Vorlesungen und Übungen und behauptete, sie seien schieres Vergnügen für sie. Ahearn hatte bis dahin nie an seiner Autorität im Unterricht gezweifelt. Alle hatten ihn immer als geistreich und entschieden bezeichnet. In diesem Herbst war er sich da nicht mehr so sicher.

Den ganzen Sommer über hatte er darauf gewartet, dass die Konsequenzen seines Abenteuers ihn einholen würden. Manchmal steigerte er sich wegen jeder Lappalie in Angstzustände hinein und konnte dann weder essen noch schlafen oder lesen. Dann wieder war er lethargisch, benommen und frei von Angst oder Reue. Die Einzelheiten der Reise entglitten ihm allmählich. Er vergaß Namen und die Abfolge von Ereignissen. Schließlich überwand das Unwirklichkeitsgefühl im Zusammenhang mit seiner Zeit auf St. Trinity seine Angst. Nichts geschah, was ihn persönlich berührt hätte. Er hatte keinerlei Nachrichten von Lara. Lange Zeit hörte er auch nichts von Liz McKie.

Er freundete sich mit seiner neuen Assistentin Elizabeth an. Von einer Liebelei konnte aber keine Rede sein. Wie eine Tschechow'sche Heroine in der Provinz aufgewachsen, hatte Elizabeth irgendwann erkannt, dass sie und ihre Eltern kultivierter waren als die Amerikaner, unter denen sie lebten. Ihr Vater hatte die Verpflanzung nicht verkraftet. Während ihrer ganzen Schulzeit hatte sie stets nach Mentoren gesucht, einzelnen Amerikanern, die mehr Bildung hatten als die anderen. An der Highschool hatte sie einen Lieblingslehrer gehabt. Familiäre Verpflichtungen zwangen sie, sich mit dem College in Fort Salines zu begnügen, und sie machte das Beste daraus. Von seiner Gelehrsamkeit und seiner Verzweiflung angezogen, hatte sie sich Ahearn als Führer und Ratgeber für die nächste Stufe ihrer Aufklärung ausgesucht. Sie tranken zu allen möglichen Tageszeiten in seinem Büro Tee mit Zitrone.

«Ihre Gedächtnislücken kommen von dem Fieber», meinte sie eines Abends. «Sie sollten zum Arzt gehen.»

Ahearn stimmte ihr wie üblich zu.

«Sie sind noch jung», sagte Elizabeth. «Sie müssen irgendwie aktiv werden.»

Er lachte. «Und Sie sind älter, als Sie tatsächlich sind, Elizabeth. Klüger, als es Ihrem Alter entspricht.»

«Sie sind ein wertvoller Mensch», sagte sie. «Wirklich! Sie sind eine Ausnahmeerscheinung. All die Schönheit, die Sie in sich aufgenommen haben, die Dichtung und die Weisheit. Ich hoffe, Sie denken nicht, ich will Ihnen schmeicheln. Ich weiß, dass ich eigentlich nicht so mit Ihnen reden dürfte.»

«Keine Sorge, ich habe Sie durchschaut», sagte er. «Sie schmeicheln mir, damit ich Ihnen bessere Noten gebe.»

«Darf ich etwas noch Ungebührlicheres sagen?»

«Natürlich.»

«Mir ist unbegreiflich, dass Ihre Frau Sie wegen dieses Typs verlässt. Cevic.»

«Sie weiß, was sie tut. Ich hab so meine Probleme.»

«Entschuldigen Sie», sagte Elizabeth, «aber dass Sie das sagen, ist so ...» Er sah zu, wie sie sich bemühte, das Naheliegende in drei Sprachen zu vermeiden. «... so unfair sich selbst gegenüber.» Sie sah ihn verschmitzt an. «Was ist denn Ihr größtes Problem?»

«Ach», sagte er, «dass ich keine Seele habe.»

Eines Abends in der Mall hatte er eine seltsame Begegnung mit Paul. Es war schon fast dunkel, und es herrschte stürmisches Schauerwetter. Paul fuhr mit drei Freunden Skateboard; fast wäre er am abfallenden Rand des Parkplatzes mit seinem Vater zusammengestoßen.

«Hoppla», sagte der Junge. Jedes Mal, wenn Ahearn seinen Sohn sah, war er überrascht, wie schnell der Junge wuchs; seine dünnen Arme hingen lang von den breiten, knochigen Schultern herab. Paul umkreiste ihn in einer Weise, die ihm fast feindselig vorkam.

«Na, wie geht's?», fragte Ahearn. Sie hatten sich im Sommer und im Herbst nur selten gesehen. Das war zum Teil auf seine Krankheit zurückzuführen, aber Paul ging ihm auch aus dem Weg. Aus einem Impuls zur Selbstbestrafung heraus hatte Michael nichts dagegen unternommen. Außerdem war ihm klar, dass er damit auch Kristin bestrafen konnte. Pauls Freunde wichen zurück, die Begegnung mit einem Elternteil war ihnen wohl nicht ganz geheuer.

«Ja, hey, mir geht's ganz gut», sagte Paul. Sein Gesicht geriet in Bewegung. Binnen Sekunden wechselte ein Ausdruck den anderen ab. Wie wenn sich ein *loa* einem Besessenen nähert, dachte Ahearn.

«Ja, wie gesagt, ich bin okay. Und wie geht's dir, Mann?»

«Sag nicht Mann zu mir», sagte Ahearn.

«Ja, schon gut, sorry», sagte Paul.

«Dieses Jahr gehen wir auf die Jagd», sagte Ahearn.

Der Junge trat sein Board an und fuhr davon, als hätte ihn etwas furchtbar erschreckt. Seine drei Freunde folgten ihm.

Endlich kam eine Nachricht von McKie.

«Das wird Sie interessieren!», stand auf dem Blatt. Angeheftet war ein Ausschnitt aus der Kolumne «Neuigkeiten aus Nord- und Südamerika» im *Miami Herald*. Darin stand, Marie-Claire Purcell sei zur Botschafterin der Inselrepublik

St. Trinity in Frankreich ernannt worden. Ein kleines Foto von Lara war dabei.

Ahearn ging nur selten Lebensmittel einkaufen. Er aß meistens in einem griechischen Diner, der sich aus irgendeinem Grund New York Restaurant nannte. Gelegentlich ging er aus alter Gewohnheit in Albertson's Supermarkt. Der Laden war ein Geisteszustand, die Beleuchtung eigenartig. Die Leute gingen wie von außen gesteuert durch die Gänge, wachsam, verbiestert, und warfen einander im Vorbeigehen verstohlene Blicke zu. Die Atmosphäre war latent erotisch, und ihm war klar, dass Männer, die wussten, wie man das anstellt, hier Frauen abschleppen konnten.

Eines Tages sah Ahearn in diesem Supermarkt Kristin und Norman Cevic beim gemeinsamen Einkauf. Norman schob den Wagen, und Kristin musterte die Regale, griff hier und da zu, suchte nach Sonderangeboten, Zweierpacks, Gutscheinen. Ahearn wich zurück zur Wand, versteckte sich. Er setzte seine Brille auf, um Kristin beim emsigen Vorrätesammeln zu beobachten. Er hatte den Eindruck, dass er jede ihrer Bewegungen in- und auswendig kannte. Er konnte sich unmöglich vorstellen, dass er nicht mit ihr nach Hause fahren würde.

Die beiden waren sehr liebevoll miteinander. Cevic wirkte jünger. Das Bärenhafte an ihm war gedämpft. Kristin wirkte zufrieden. Beim Einkauf. Auf dem Weg zur Kasse legte Cevic die Hand an den Hosenboden von Kristins Jeans. Wie Michael erwartete, schob sie, ohne etwas zu sagen, ohne sich zu ihm umzudrehen, seine Hand weg. Michael hatte diese Reaktion so präzise vorhergesehen, wie er sich vorstellen konnte, wie der warme Stoff sich anfühlen musste. Bevor

sie seine Hand wegschob, hatte sie sie für einen Sekundenbruchteil an ihren Po gedrückt. Jedenfalls war es Michael so
vorgekommen.

Er beobachtete die beiden, wie sie an der Kasse anstanden
und sich über die Schlagzeilen der Boulevardzeitungen lustig
machten. Beide hielten ihr Portemonnaie in der Hand. Cevic
gelang es irgendwie, ständig irgendwo die Hände an ihr zu
haben. Michael kam plötzlich der Gedanke, dass er nichts
zu verlieren hatte. Er war ein Getriebener, und es hätte *petro*
sein können, der *loa*, der ihn antrieb. Er konnte sich ohne
weiteres auf die beiden stürzen, bevor sie am Auto waren. Er
konnte sie beide mit bloßen Händen umbringen.

Am nächsten Tag ging er zum Arzt und bat um Schlafta-
bletten und Beruhigungspillen.

«Wofür brauchen Sie die?», fragte der unhöfliche junge
Arzt.

«Für meine soziale Selbstdisziplin», sagte Michael.

Der Arzt sah ihn lange an, aber er bekam seine Tablet-
ten.

Die Rotwildsaison begann. Die kahlen Bäume in Fort Salines waren wieder mit Kadavern behängt. Überall sah man
Männer und Frauen in Leuchtfarben. Aus einem Impuls heraus rief er Alvin Mahoney an. Er hatte ihn seit Trimesterbe-
ginn nur zweimal gesehen. Beide Male hatte Alvin es eilig gehabt, woandershin zu kommen. Er hatte sogar den Eindruck
vermittelt, als sei er wegen irgendetwas beleidigt, obwohl
das völlig unmöglich war. Es war wohl nur Verlegenheit und
Schüchternheit gewesen. Der linkische Mahoney.

«Alvin! Mike!»

«Mannomann», sagte Mahoney.

«Wieso Mannomann, Alvin?»

Alvin versuchte, höflich zu lachen.

«Ich hab mir gedacht, wir könnten ja wieder mal den einen oder anderen Schuss riskieren», sagte Ahearn. «Was meinst du?»

«Mannomann.» Dann Stille. Und dann sagte er: «Ach weißt du, ich hab's neuerdings ganz schrecklich im Rücken. Ich bin nicht ... du weißt schon.»

«Bist du wirklich nicht, Alvin.» Er hatte keine Ahnung, warum er den armen Kerl angerufen hatte. Pervers. «Ja, weißt du, ich hab Paul versprochen, ihn diesmal mitzunehmen.»

«Paul?»

«Paul», sagte Ahearn. «Meinen Sohn.»

«Ach so, ja, klar.»

Der Mann war eine Zumutung.

«Alvin, würdest du mir für morgen zwei von deinen Gewehren borgen? Die Zwölfer vielleicht?»

«Na ja, ich hab ja nur zwei. Brauchst du wirklich beide?»

«Ja, schon. Wenn's dir nichts ausmacht.»

Alvin konnte es ihm nicht gut verweigern, aber es stand auf der Kippe.

Kaum jemand beachtete ihn, als er mit den Gewehren in dem Wohnheim ein und aus ging, obwohl die Läufe aus dem zerrissenen Karton herausschauten. Am Abend rief er Kristin an. Es war der Montag der zweiten Woche seit Saisonbeginn.

«Also weißt du», sagte sie, «du hast nie wieder davon gesprochen. Er ist überhaupt nicht drauf vorbereitet. Außerdem hat er keinen Schein. Das kann doch nicht dein Ernst sein.»

«Weißt du was?», sagte Ahearn. «Ich komm einfach am Morgen vorbei und frage ihn selber, ob er mitkommen will.»

«Bist du noch bei Trost, Michael? Also wirklich! Das kommt verdammt nochmal überhaupt nicht in Frage, dass er mit dir auf die Jagd geht. Du hättest ihn –»

«Genau», sagte er. «Ich hätte ihn schon letztes Jahr mitnehmen sollen.»

Um zwei Uhr morgens begann er zu trinken, Scotch pur, und sah sich ohne Ton einen Film aus den Siebzigern an. Der Film erinnerte ihn daran, wie hässlich und blöd die siebziger Jahre gewesen waren. Pech, ausgerechnet in der Zeit aufzuwachsen. Ein paar Stunden später packte er ein paar Ausrüstungsgegenstände und die beiden Gewehre zusammen und fuhr zu dem Haus, das einmal seines gewesen war. Die Gewehre ließ er im Auto.

Es war noch dunkel, als er ankam. Er klingelte und klopfte an die Tür. Er trat ein paar Schritte zurück und sah, dass oben die Lichter angingen. Ein Skandal, dachte er. Es war sein Haus.

Drinnen schrien Kristin und Norman Cevic einander an. Das Licht ging aus, und die Haustür wurde aufgerissen. Im Licht von draußen sah er Norman auf der Treppe hocken.

«Hau ab, Michael. Lass uns gefälligst in Ruhe. Ich hab die Polizei angerufen. Ich habe eine Waffe, und Kristin auch.» Anscheinend hatte er tatsächlich eine, auf den Knien seiner Schlafanzughose. Was Michael von ihm sah, war furchterregend: Er war von der Taille aufwärts nackt, behaart, und völlig außer sich vor Wut.

«Großer Gott», sagte Michael. «Kristin auch? Und Paul, hat der auch eine?»

Kristin und Cevic versuchten erneut, einander niederzu-
brüllen.

«Du armer Irrer!», schrie Cevic Michael an. «Du blödes
besoffenes Arschloch. Verpiss dich auf der Stelle, oder ich
leg dich um.»

«Na, na», sagte Michael, «das wäre glatter Mord, Kumpel.
Ich bin nämlich unbewaffnet. Ich meine, ich hab ein Gewehr
im Auto, aber ich fuchtel jedenfalls nicht hier mit einer Waffe
herum.»

«Dad?»

Paul stand an der Hausecke, im Licht der Verandalampe.
Er trug eine Vikings-Jacke über dem Schlafanzug. Cevic und
seine Mutter riefen nach ihm.

«Hallo, Paul», sagte Michael. «Ich hab mir gedacht, du
hast vielleicht Lust, mit auf die Jagd zu gehen. Ich weiß schon,
das kommt ein bisschen plötzlich, um diese Zeit und so. Aber
du erinnerst dich doch, dass ich's schon mal erwähnt habe.»

«Ja, schon», sagte Paul. «Aber ich hab eigentlich keine
Lust mitzukommen. Vielleicht ein andermal.»

«Weißt du noch, letztes Jahr?», fragte Michael. «Da haben
wir ... worüber haben wir da noch gesprochen? Über die Jagd
aus religiöser Sicht. Die ethische Dimension.»

«Stimmt», sagte Paul. «Die Herrschaft der Menschen über
die Tiere und so.»

Kristin kam an die Haustür und musterte ihn. Er warf ihr
einen kurzen Blick zu und wandte sich wieder seinem Sohn
zu.

«Paul», sagte er. «Komm her und gib mir einen Kuss.»

Paul sah zu seiner Mutter hin, dann kam er und gab Michael einen Kuss auf die Wange. Der Junge, dem er beige-

bracht hatte, alles auf die richtige Art zu tun, achtete auch jetzt darauf, nichts falsch zu machen.

«Er ist zwar nichts wert», sagte Michael zu ihm, «aber du hast meinen Segen.» Er wandte sich Kristin zu, die noch immer in der Tür stand.

«Du hast sicher keine Lust, mir einen Kuss zu geben?»

«Nein», sagte sie. «Die Polizei ist unterwegs.»

«Das ist ein guter Grund», sagte Michael. «Und dein Freund? Hey, Norman», rief er leise. «Willst du mir einen Kuss geben?»

«Er will dich nicht küssen», sagte sie. Ein kleines Gioconda-Lächeln huschte über ihr Gesicht. «Fahr heim und leg dich ins Bett.»

Großer Gott, sie lächelt, dachte Michael. Beinhart, die Frau. Aber als er noch einmal hinschaute, sah er, dass sie Tränen in den Augen hatte. Vielleicht ein Anflug von Versöhnlichkeit, eine neue Liebe vielleicht, die der Asche der alten neue Glut einhauchte. Er dachte an Erzules Macht. Möglich war alles.

Komm, wir gehen rauf ins Bett, Mädel. Das hätte er zu ihr sagen müssen. Aber er sagte es nicht. Officer Vandervliet war eingetroffen. Der junge Polizist stieg aus und stand im Geflirr seiner blauen und roten Lichter. Er verhielt sich so vorsichtig, wie es bei häuslichen Streitigkeiten angemessen war.

«Hallo, Professor Ahearn! Hallo, Miz Ahearn!» Michael sah, dass Kristin noch immer in der Tür stand. «Hey, Professor Ahearn, legen Sie Ihre Waffe auf die Straße.»

«Ich hab keine Waffe», sage Michael. «Sie ist in meinem Auto.»

«Also hat niemand hier eine Waffe?»

Sie ließen ihn selbst nachsehen. Michael dachte mit Genugtuung an Cevic, der wie ein Heckenschütze im Dunkeln hockte und sein Gewehr zu verstecken suchte.

«Aber uns wurde gesagt, es sei eine Waffe im Spiel.»

Vandervliet wollte darüber sprechen. Michael tat ihm den Gefallen und ließ das junge Glück ins Bett und zu seinen Streitereien zurückkehren. In wenigen Minuten konnte er den Polizisten überzeugen, dass kein Verbrechen begangen worden war.

«Hatten Sie nicht einen alten Hund hier draußen?», fragte der Polizist.

«Der ist weg», sagte Michael. «Der Hund.»

Unter grauen Schäfchenwolken fuhr er nach Westen in Richtung des bewaldeten Sumpfes, wo er im Jahr zuvor auf der Jagd gewesen war. Es war windig. Es würde ein kalter Tag werden. Ein paar eisige Flocken flogen gegen seine Windschutzscheibe, aber diesmal lag kein Schnee. Abgeerntete Maisfelder, auf denen nur noch windschiefe Stümpfe in der Erde steckten. Nach ein paar Kilometern kam er an Ehrlich's Bierstube vorbei. Ein halbes Dutzend Pickups mit zur Schau gestellten Kadavern standen bereits auf dem Parkplatz. Ein Schild auf dem Dach versprach für den Abend Musik.

Im nächsten County waren karge Felder, dazwischen eiszeitliche Felsblöcke und Pappelgruppen. Verfallene landwirtschaftliche Gebäude versanken allmählich im hohen Gras. Alle paar Kilometer stand ein Wohnwagen, halb im buschigen Wald versteckt, doch in dieser Jahreszeit mit den kahlen Bäumen von der Straße aus zu sehen. Bei einigen der Wohnwagen kam Rauch aus dem Schornstein. Neben den meisten standen ein oder zwei ramponierte Autos.

Als er bei Hunter's Supper Club anlangte, fuhr er auf den Parkplatz und parkte neben einem nagelneuen Lincoln Blackwood. Der Blackwood war sehenswert, mit seinen Flanken aus gebürstetem Aluminium und seinem falschen exotischen Holz. Er wirkte riesig und teuer inmitten der vielen Rostlauben, die vor dem Lokal standen. Neben ihm standen ein zerbeulter Buick Century, ein Sierra und ein paar Harleys aufgereiht.

Die Bar war dunkler, als er sie in Erinnerung hatte, mehr ein Ort der Zuflucht vor dem weiten kalten Himmel draußen. Ahearn vergaß seinen Ärger über das Fahrzeug auf dem Parkplatz. Er wollte Megan wiedersehen, das Barmädchen. Er fragte den alten Mann hinter dem Tresen nach ihr.

«Die war krank», sagte der alte Mann.

«Das tut mir Leid.»

«Sind Sie'n Freund von ihr?»

«Ich war öfter mal hier, in der Rotwildsaison.»

Der alte Mann, der wässrige Augen von derselben Farbe wie Megans hatte, sah ihn ungerührt an.

«Mit der Saison hat sie den falschen Weg eingeschlagen.»

«Ich hab hier früher immer irischen Whiskey gekauft», sagte Ahearn. «Willoughby's.» Er hatte keine Ahnung, was der Mann mit dem falschen Weg meinte. «Ob Sie den immer noch haben?»

Es waren auch andere Gäste da. Zwei angetrunkene jüngere Paare an einem Tisch hatten sich umgedreht und Ahearn angesehen. Aus den Nischen roch es schwach nach Marihuana.

Einen Moment lang blieb der alte Barkeeper stehen, wo er war, und starrte sie an.

«Muss ich erst holen», sagte er mürrisch.

Michael schaute zu der Bar, die der alte Mann unbewacht zurückgelassen hatte. Eine Frau im Rollstuhl kam aus dem dunklen Hinterzimmer gefahren. Sie war mager und grinste. Ihr Hals wurde von einer Krause gestützt, die an dem Rollstuhl befestigt war. Ihre Jeans und ihr Hemd waren ihr viel zu groß.

Der Barkeeper kam mit dem Whiskey und sagte: «Das hier ist Megan. Hey, Megan, erinnerst du dich an den Mann da?»

Was sie zu sagen versuchte, hätte alles bedeuten können. Sie konnte ihn nicht direkt ansehen. Als er sich bückte, um ihr die Hand zu geben, roch Ahearn an ihrem Haar Tabak und Marihuana und anderes. Einer der männlichen Gäste kam wortlos heran und half ihr, mit dem Rollstuhl hinauszufahren.

«Hirnhautentzündung hat sie gehabt», sagte der Barkeeper.

«Das tut mir wirklich Leid.»

Der alte Mann beugte sich vor und schaute verstohlen in die Richtung, in der sie verschwunden war.

«Manche sagen, es war was anderes. Manche sagen, sie war in der Stadt und hat eine Überdosis erwischt.»

Der Himmel verdüsterte sich, stürmisches Blaugrau. Er fuhr auf der schmalen Landstraße eine Zeit lang durch die öden Felder und bog dann auf einen Fahrweg ab. Der Weg führte zu einer Baumreihe, und er dachte, irgendwann würde ein Fluss kommen. Stattdessen machte er einen Knick nach links, und auf der anderen Seite einer baumlosen Anhöhe kreuzte er eine andere Straße im rechten Winkel. Die rechten

Winkel der Kreuzung waren wie mit dem Lineal gezogen. Wahrscheinlich irgendeiner Vorschrift entsprechend, dachte er.

Er hielt und machte die Flasche auf. Von dem Whiskey kam er trotz der Kälte ins Schwitzen. Ihm wurde schwindlig, und er lehnte sich gegen das Fenster. Er glaubte, hinter dem Horizont Trommeln zu hören. Das Fieber ließ seine Augen anschwellen. Er machte sie zu.

Er hörte das Hufgetrappel, bevor er sie sah. Als sie näher kam, zügelte sie das große schwarze Pferd, sodass es in Schritt fiel. Sie trug eine Steppjacke, Reithosen und einen Reiterhelm. Sie nahm ihn ab und strich ihr langes schwarzes Haar zurück. Es hatte mehr graue Strähnen als in seiner Erinnerung. Ihr Gesicht war hagerer, die Backenknochen standen weiter vor, die Haut war eine Spur dunkler. Ahearn staunte über die furchteinflößende Größe ihres Pferdes. Es war ein pechschwarzer Wallach mit großen Augen ...

«Dein Pferd», sagte er, «sieht aus, als würde es Fleisch fressen.»

«Ein Sprichwort von der Insel», sagte sie. «Große Reiter können nicht auf kleinen Pferden reiten.»

«Na ja», sagte er, «du weißt ja, dass ich nichts von *les mystères* verstehe.»

«So, du verstehst nichts von *les mystères*.» Sie imitierte seinen Akzent. «Aber du bist doch gesund und wohlbehalten zurück.»

«Du aber auch», sagte er.

«Ich lebe jetzt in Frankreich.»

«Ich weiß.»

«Ich wurde erlöst. Man könnte sagen, Gott war gut.» Ihr

Pferd schien durchgehen zu wollen. Sie zog die Zügel straffer, während es seitlich auf die weiche Bankette auswich, hochstieg und wieder herabkam.

«Zu mir nicht.»

Sie lachte. «Ach, Michael. Du hast mich verraten, hm?»

«Du hast gewusst, was ich tun würde. Du hast mich in die Hölle geführt.»

Sie schüttelte den Kopf und stieg vorsichtig vom Pferd. Sie hielt die Zügel kurz und berührte mit der freien Hand sein Gesicht.

«Überhaupt nicht. Nein, nein.»

«Es war die Hölle.»

«Liebster Freund», sagte sie. «Es war genau das Gegenteil. Man sieht es überall, und das war es.»

«Der Wind bläst, wo er will? Nein danke. Es war das Reich der Hölle. Ich bin immer noch dort.»

Sie griff in die Tasche ihrer Khaki-Steppjacke, holte etwas heraus und zeigte es ihm. Sie hatte Smaragde in ihrer hohlen Hand. Sehr große Smaragde, wie ihm schien, geschliffen und leuchtend, selbst in dem trüben Licht.

«*Eh voilà!*» Sie hielt sie ihm hin.

«Gratuliere», sagte er. «Schön für dich.»

«Verstehst du nicht, das ist ein Zeichen. Wolltest du nicht auch einen?» Sie streckte die Hand noch weiter aus. «Hier, schau, ich geb dir die Hälfte. Such sie dir aus.»

«Nein.»

Entrüstet, beinahe wütend, steckte sie die Steine weg und stieg wieder in den Sattel.

«Ach, mein armer Freund.» Das mächtige Pferd war ungeduldig. «Was du wolltest, ist zu dir gekommen.»

«Über mich gekommen», sagte er.

«Wie auch immer. Warum hast du je daran gedacht? Es ist also zu dir gekommen, und du hast es weggeworfen, um dich zu retten. Weil du der Meinung warst, du könntest es tun.»

«Ich will überhaupt nicht mehr denken», sagte Ahearn.

«Weil du da warst, haben die Mysterien sich geöffnet», sagte Lara. «Sie standen dir zur Verfügung, bis sich dein Herz verhärtete.»

«Warst du Marinette?», fragte er. «Bist du sie?»

«Nein, wieder nur Lara. Wie der Geist aus der Flasche. Als Marinette hätte ich dich erlösen können, wenn du nicht so viel Angst gehabt hättest.»

«Es war die Hölle», sagte Michael.

«Dann vergiss es», sagte sie. «Belaste dich nicht mit solchen Fragen. Oder lerne, klarer zu sehen. Dann wird es dich vielleicht finden.»

«Vielleicht im Traum?», sagte er.

«Vielleicht. Sicher, denn es sind kindische Fragen, nicht wahr?» Ihr Pferd kam auf ihn zu. Er wich zurück, ging aus dem Weg. «Die Mysterien, die Geschichten, sind was für Kinder. Übrigens», fragte sie, «wie geht's dem Jungen, den du so abgöttisch liebst?»

«Dem geht's gut», sagte Michael.

«Na also», sagte sie, «da kannst du doch Gott danken.»

Er nickte.

«Nur Mut», sagte sie. Nicht spöttisch, sondern in kameradschaftlichem oder schwesterlichem Ton. Er machte die Kreuzung frei, um sie vorbeizulassen, und sie ritt in die Richtung, in der sie unterwegs gewesen war. Er fragte sich, was sie dort zu finden hoffte.

Die Idee zu St. Trinity kam mir, als ich mit Madison Smartt Bell, dem großen Chronisten der haitianischen Revolution, in Haiti war. Mit Madison als Begleiter und Führer durfte ich eine Reihe von Abenteuern in Haiti miterleben, die ich an die Personen dieses Buches weitergab. Mit ihm zusammen hörte ich die Trommeln und sah die Feuer an den Straßenkreuzungen.

Die Besonderheiten des Voodoo-Kults, wie er auf meiner Insel St. Trinity praktiziert wird, gehen nicht zu seinen Lasten. Die verlorenen Geister dieses Buches sind einzig auf der Suche nach ihrem eigenen Licht. Sie und ich bitten um seinen Segen.

In tiefer Verehrung verneige ich mich vor Maya Deren, der schönen und visionären Autorin und Filmemacherin, der wir den *Tanz des Himmels mit der Erde* verdanken, das bedeutendste Werk über Voodoo. Ihre Einsichten werden auf ewig verirrten Seelen als Leitstern dienen, all unseren verlorenen Brüdern und Schwestern, die auf der Suche nach dem Licht sind, dort wo die Welt begann.

Action de grâce.   R. S.

Die Zeilen aus «An Juan zur Wintersonnenwende»
sind Robert Graves' *Complete Poems,* herausgegeben von
Beryl Graves und Dunstan Ward (Carcanet 1995, 1996, 1999)
mit freundlicher Genehmigung von Carcanet Press Limited
entnommen.